최상위 사고력을 위한 특별 학습 서비스

문제풀이 동영상

최고난도 문제를 동영상으로 제공하여 줍니다.

최상위 사고력 1B

펴낸날 [초판 1쇄] 2018년 10월 15일 [초판 3쇄] 2022년 4월 13일
펴낸이 이기열
대표저자 한헌조
펴낸곳 (주)디딤돌 교육
주소 (03972) 서울특별시 마포구 월드컵북로 122 청원선와이즈타워
대표전화 02-3142-9000
구입문의 02-322-8451
팩시밀리 02-338-3231
홈페이지 www.didimdol.co.kr
등록번호 제10-718호
구입한 후에는 철회되지 않으며 잘못 인쇄된 책은 바꾸어 드립니다.

초등 1B

상위권의 기준

최상위 사고력

수학 좀 한다면

선 하나를 내리긋는 힘!

직사각형이 있습니다.
윗변의 어느 한 점과 밑변의 두 끝을 연결한
삼각형을 만듭니다.

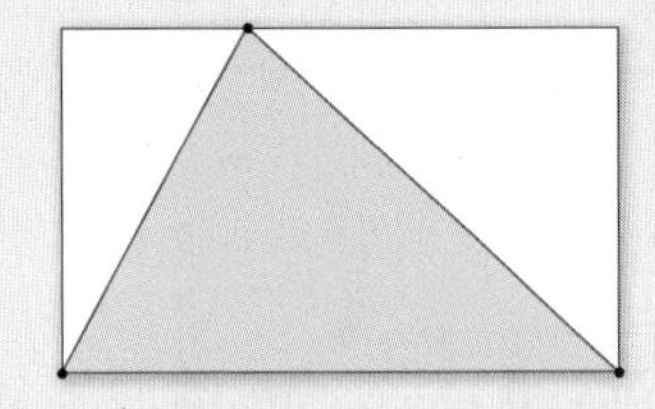

이 삼각형은 직사각형 전체 넓이의 얼마를 차지할까요?

옛 수학자가 이 문제를 푸느라
몇 날 며칠 밤, 땀을 뻘뻘 흘립니다.

그러다 문득!
삼각형의 위쪽 꼭짓점에서 수직으로 선을 하나 내리긋습니다.

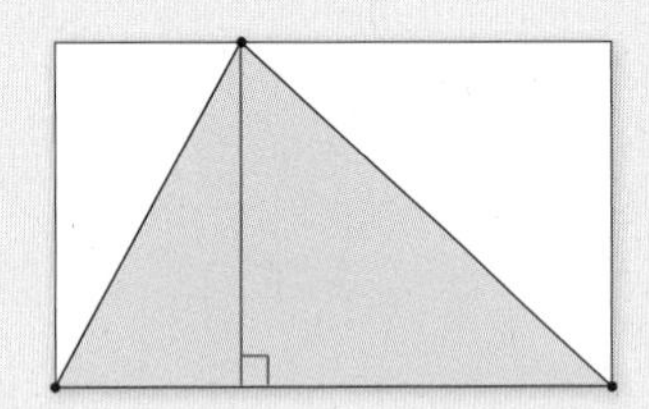

이제 모든 게 선명해집니다.
직사각형은 2개로 나뉘었고
각각의 직사각형은 삼각형의 두 변에 의해 반씩 나누어 집니다.

정답은 $\frac{1}{2}$

그러나 중요한 건 정답이 아닙니다.
문제를 해결하려 땀을 뻘뻘 흘리다, 뇌가 번쩍하며
선 하나를 내리긋는 순간!
스스로 수학적 개념을 발견하는 놀라움!

삼각형, 직사각형의 넓이 구하는 공식을 달달 외워
기계적으로 문제를 푸는 것이 아닌

진짜 수학적 사고력이란 이런 것입니다.
문제에 부딪혔을 때, 문제를 해결하는 과정 속에서
스스로 수학적 개념을 발견하고 해결하는 즐거움.
이러한 즐거운 체험의 연속이 수학적 사고력의 본질입니다.

선 하나를 내리긋는 놀라운 생각.
디딤돌 최상위 사고력입니다.

수학적 개념을 발견하고 해결하는 즐거운 여행

정답을 구하는 것이 목적이 아니라
생각하는 과정 자체가 목적이 되는 문제들로 구성하였습니다.

4-2. 모양을 겹쳐서 도형 만들기

낯설지만 손이 가는 문제

어려워 보이지만 풀 수 있을 것 같은,
도전하고 싶은 마음이 생깁니다.

1 겹쳐진 부분을 찾아 색칠하고 색칠한 도형의 개수를 각각 쓰시오.

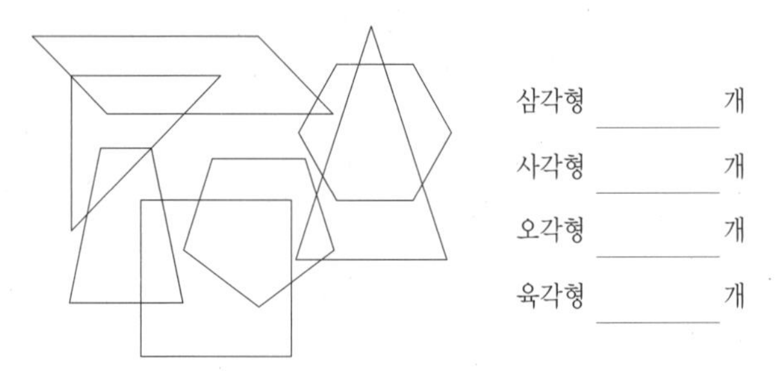

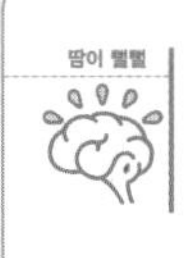

2 크기와 모양이 같은 삼각형 2개를 겹쳤을 때 겹쳐진 부분의 모양이 오각형과 육각형이 되도록 그리시오.

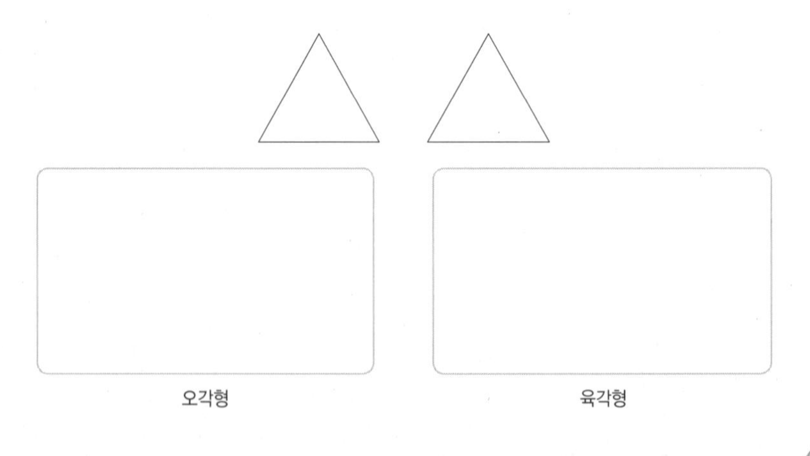

땀이 뻘뻘

첫 번째 문제와 비슷해 보이지만 막상 풀려면
수학적 개념을 세우느라 머리에 땀이 납니다.

뇌가 번쩍

앞의 문제를 자신만의 방법으로 풀면서 뒤죽박죽 생각했던 것들이
명쾌한 수학개념으로 정리됩니다. 이제 똑똑해지는 기분이 듭니다.

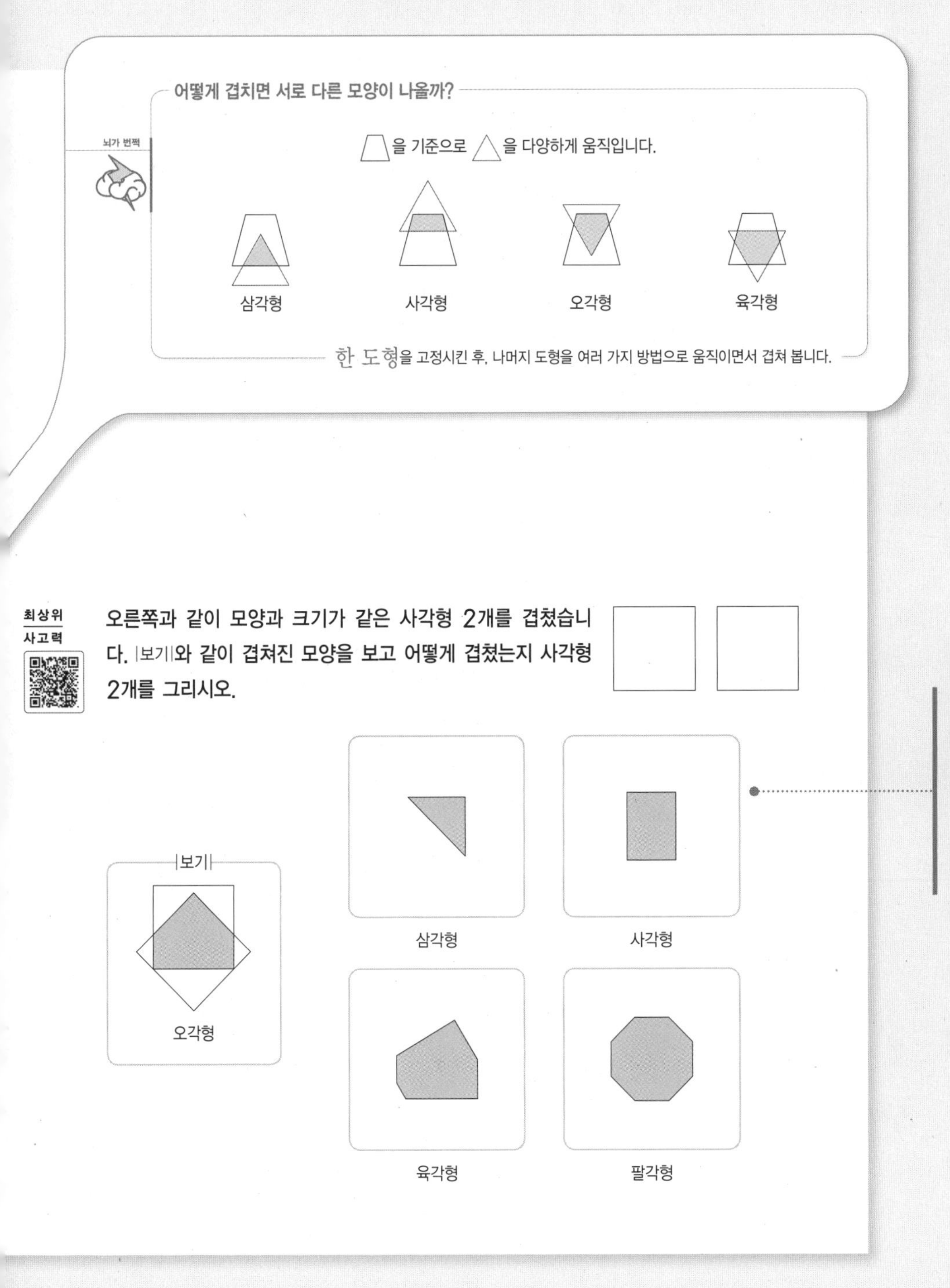

최상위 사고력 문제

뇌가 번쩍을 통해 알게된 개념을
다양한 관점에서
이해하고 해석해 봄으로써
한 단계 더 깊게 생각하는
힘을 기릅니다.

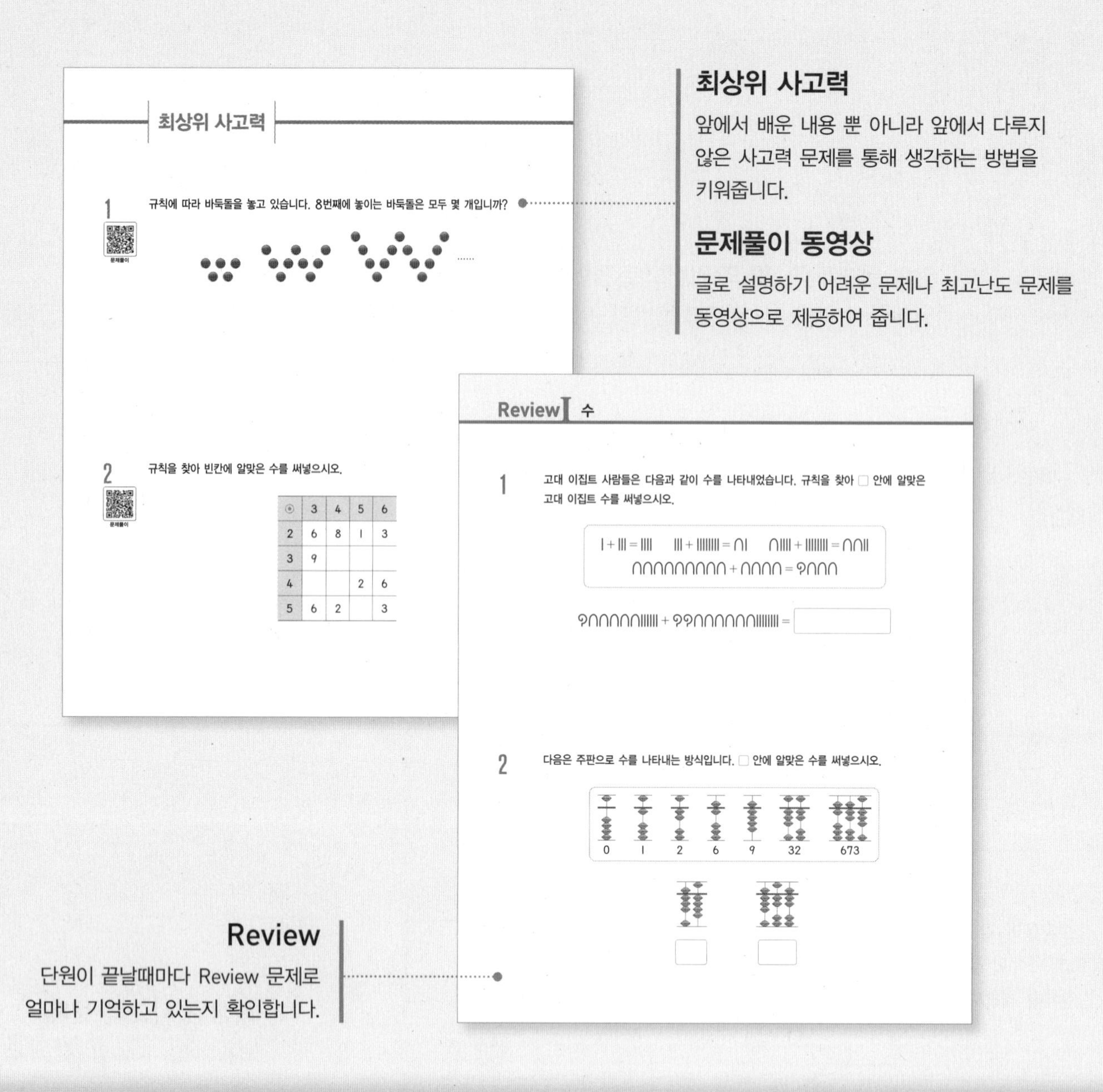

최상위 사고력

앞에서 배운 내용 뿐 아니라 앞에서 다루지 않은 사고력 문제를 통해 생각하는 방법을 키워줍니다.

문제풀이 동영상

글로 설명하기 어려운 문제나 최고난도 문제를 동영상으로 제공하여 줍니다.

Review

단원이 끝날때마다 Review 문제로 얼마나 기억하고 있는지 확인합니다.

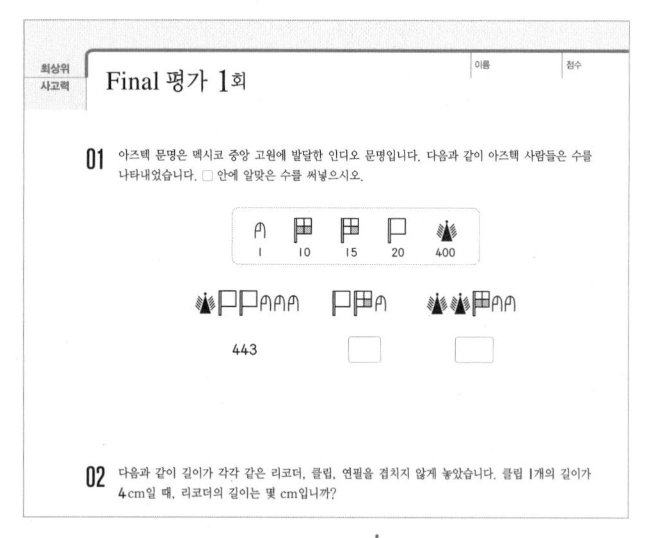

Final 평가

이 책에서 다룬 사고력 문제를 시험지 형식으로 풀어보며 실전 감각을 키웁니다.

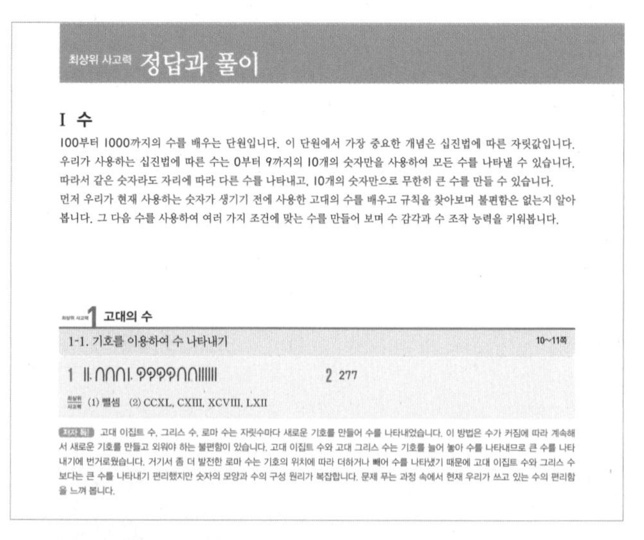

친절한 정답과 풀이

단원 배경 설명, 저자 팁을 통해 문제를 선정하고 배치한 이유를 알려줍니다. 문제마다 좀 더 보기 쉽고, 이해하기 쉽게 설명하려고 하였습니다.

contents

Ⅰ 수
교과 과정
1. 100까지의 수

Ⅱ 연산(1)
교과 과정
2. 덧셈과 뺄셈(1)

Ⅲ 도형
교과 과정
3. 여러 가지 모양

Ⅳ 규칙
교과 과정
5. 시계 보기와 규칙 찾기

Ⅴ 연산(2)
교과 과정
4. 덧셈과 뺄셈(2)
6. 덧셈과 뺄셈(3)

수

1 수 만들기

1-1 금액 만들기
1-2 묶음과 낱개
1-3 여러 가지 방법으로 수 나타내기

2 수의 순서

2-1 수의 크기 비교
2-2 뛰어 세기
2-3 수 배열표

3 숫자와 수

3-1 조건을 만족하는 수
3-2 수 카드로 수 만들기
3-3 숫자와 수의 개수

I

1-1. 금액 만들기

1 다음과 같은 세 종류의 동전이 각각 2개씩 있습니다. 이 중에서 동전 2개를 사용하여 만들 수 있는 금액을 모두 구하시오.

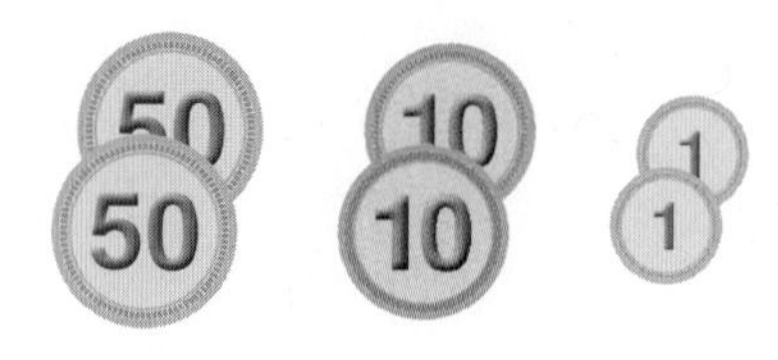

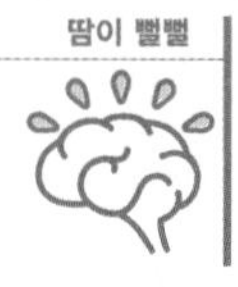

2 다음과 같은 세 종류의 동전 10개로 100원을 만들려고 합니다. 세 종류의 동전을 적어도 1개씩은 사용해서 만들 때 10원짜리 동전은 몇 개 필요한지 구하시오.

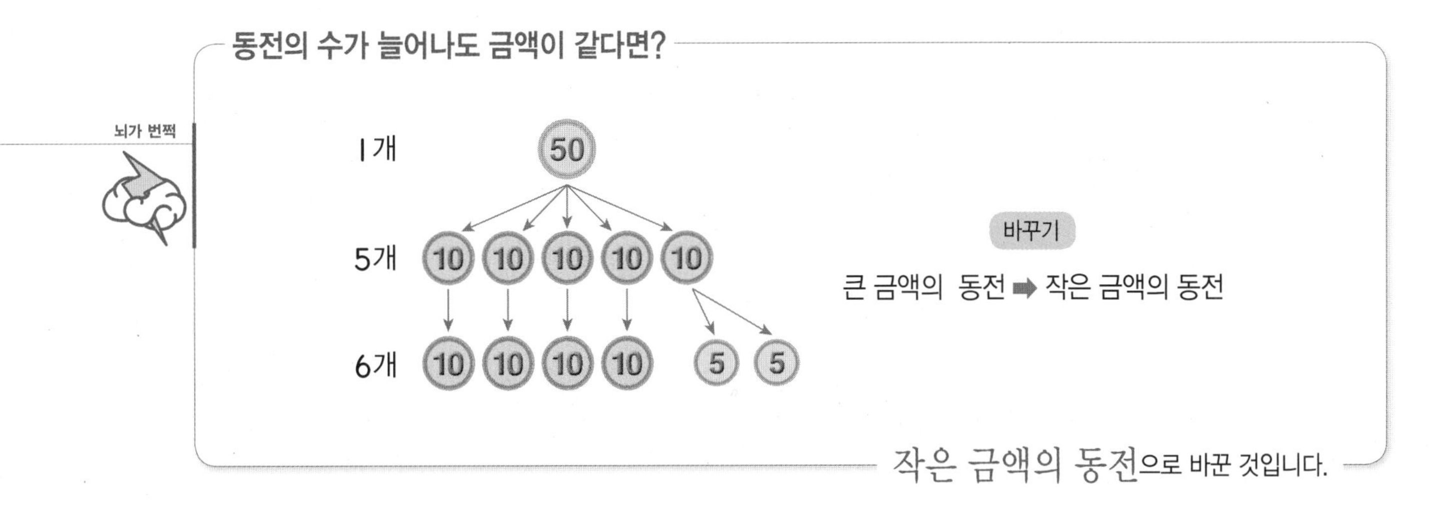

최상위 사고력

지우는 50원짜리, 10원짜리, 5원짜리 동전 6개로 가게에서 83원짜리 사탕을 사고, 1원짜리 동전 2개를 거스름돈으로 받았습니다. 지우가 세 종류의 동전을 적어도 1개씩 사용했을 때 처음 가지고 있던 돈은 얼마인지 ◌ 안에 알맞은 수를 써넣으시오.

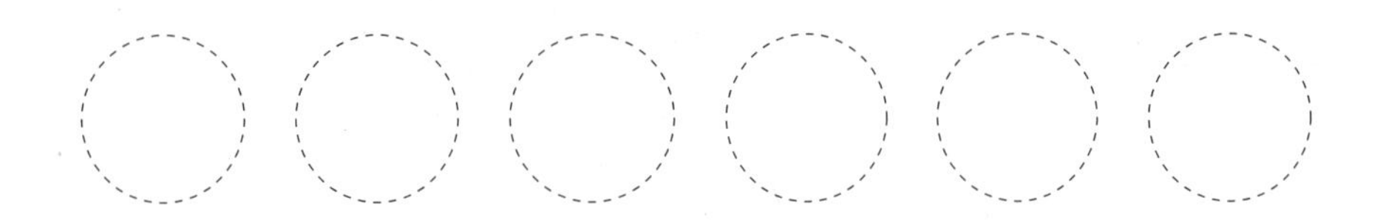

정답과 풀이 10쪽 ►

1-2. 묶음과 낱개

1 오늘은 할머니의 65번째 생신입니다. 10살을 나타내는 긴 초 8개와 1살을 나타내는 짧은 초 36개가 있습니다. 두 종류의 초를 사용하여 65살을 나타낼 때 남은 초의 수가 가장 적은 경우와 가장 많은 경우는 각각 몇 개인지 차례로 구하시오.

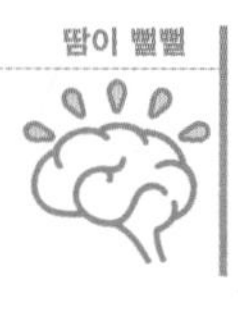

2 지오와 선우가 같은 수의 딱지를 모았습니다. 두 사람이 모은 딱지의 수가 다음과 같을 때 □ 안에 알맞은 수를 구하시오.

지오: 10개씩 묶음 3개와 낱개 27개
선우: 10개씩 묶음 4개와 낱개 □개

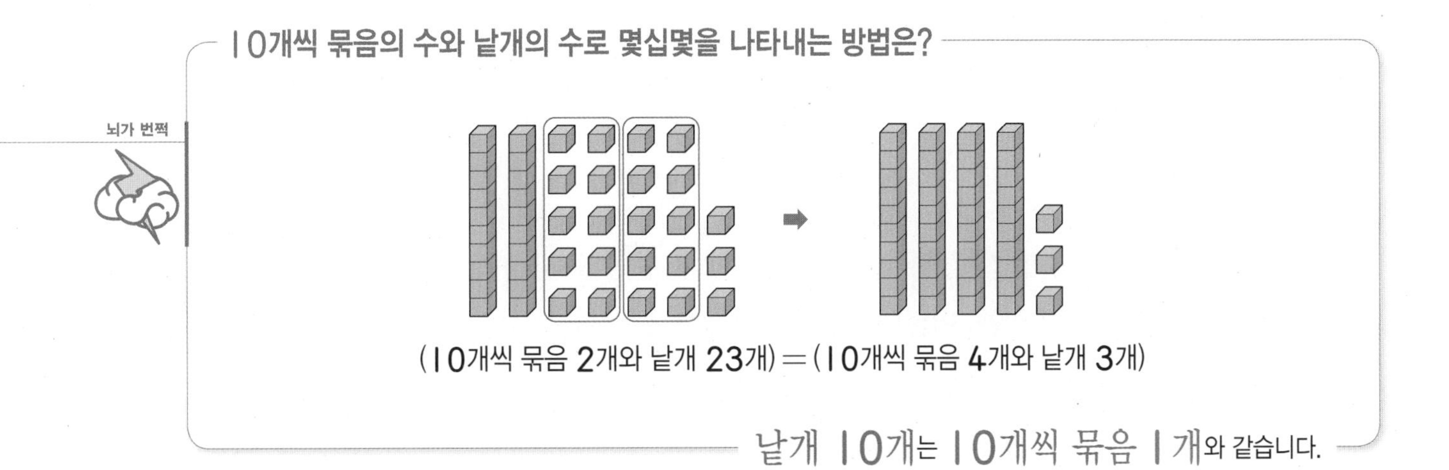

최상위 사고력

㉠과 ㉡ 사이에 있는 수 중에서 홀수는 모두 몇 개인지 구하시오.

㉠ 10개씩 묶음 5개와 낱개 21개인 수
㉡ 96보다 10 작은 수

TIP 1, 3, 5……와 같이 둘씩 짝을 지을 수 없는 수를 홀수라고 합니다.

정답과 풀이 11쪽 ►

1-3. 여러 가지 방법으로 수 나타내기

1 다음은 학년별 빨간색을 좋아하는 학생 수를 조사하여 나타낸 표입니다. 빈칸에 알맞은 수나 모양을 써넣어 표를 완성하시오.

학년별 빨간색을 좋아하는 학생 수

학년	1	2	3	4	5	6
모양	●●● △△	●● △△△△△	●●● △	● △△△△△ △△△	●●●● △△△	
학생 수(명)	32		31		43	24

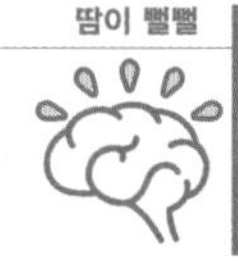

2 고대 마야 사람들이 사용하던 수입니다. □ 안에 알맞은 수를 써넣으시오.

•	•••	••• ―	•• ═	•••• ═	•••• ≡
1	3	8	12	14	□

뇌가 번쩍

여러 가지 방법으로 수를 나타낼 수 있을까?

방법1 모양으로 수 나타내기

★=10, ☆=1 ➡ ★☆☆☆☆=14

방법2 도형으로 수 나타내기

9	3	1
9	3	1

➡

$9+3+1+1=14$

각각의 모양이나 도형이 나타내는 수를 찾아봅니다.

최상위 사고력

다음과 같이 도형을 색칠하여 수를 나타냈습니다. □ 안에 알맞은 수를 써넣으시오.

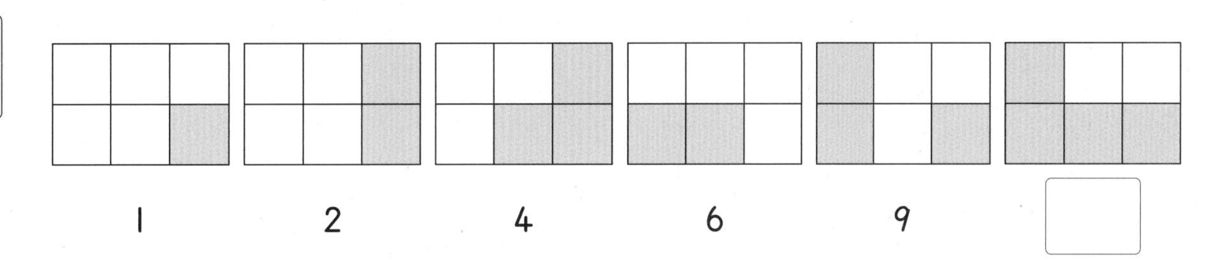

정답과 풀이 12쪽 ►

최상위 사고력

1 지갑에서 동전을 1개씩 골라 서로 바꾸어 가, 나 지갑에 있는 금액을 같게 만들려고 합니다. 바꾸어야 하는 동전을 찾아 각각 ○표 하시오.

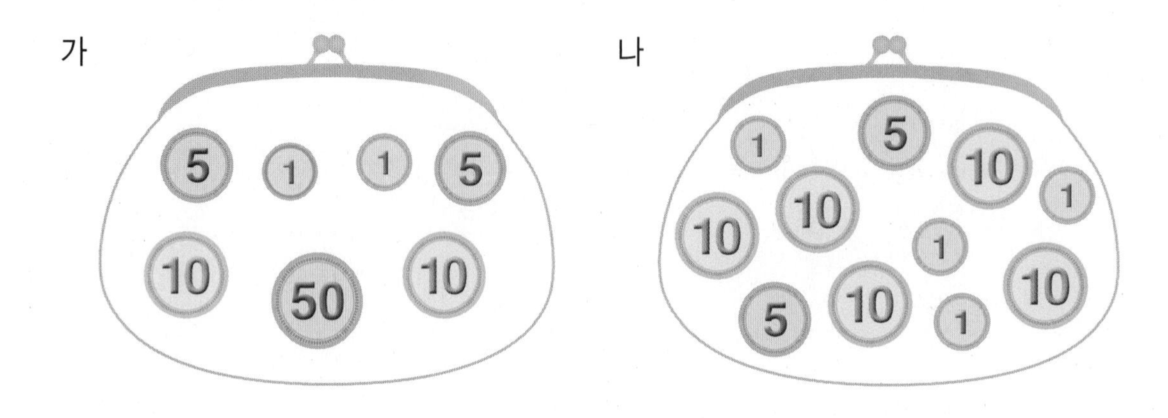

2 왼쪽 주머니와 오른쪽 주머니에서 나온 동전이 각각 1개씩 가려서 보이지 않습니다. 왼쪽 주머니의 동전을 더한 금액과 오른쪽 주머니의 동전을 더한 금액이 서로 같을 때, 보이지 않는 동전은 각각 얼마인지 차례로 구하시오. (단, 동전은 1원짜리, 5원짜리, 10원짜리가 있습니다.)

| 경시대회 기출 |

3 10개씩 묶음의 수가 ㉠, 낱개의 수가 ㉡인 수가 있습니다. ㉠+㉡=8인 수 중에서 5번째로 작은 수를 구하시오. (단, ㉠과 ㉡은 0이 아닌 서로 다른 수입니다.)

4 다음과 같이 도형을 색칠하여 수를 나타냈습니다. 규칙을 찾아 주어진 수에 알맞게 도형을 색칠하시오.

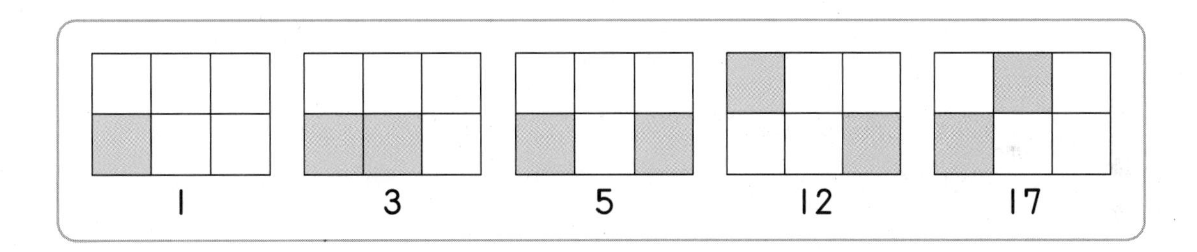

(1)
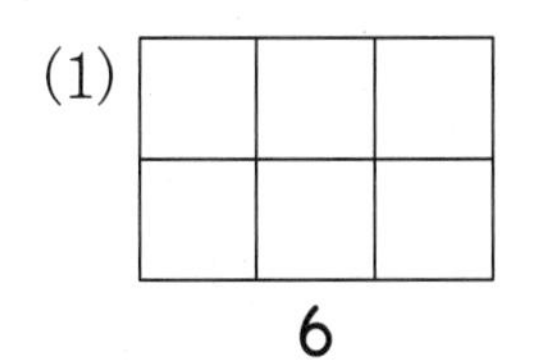

(2)
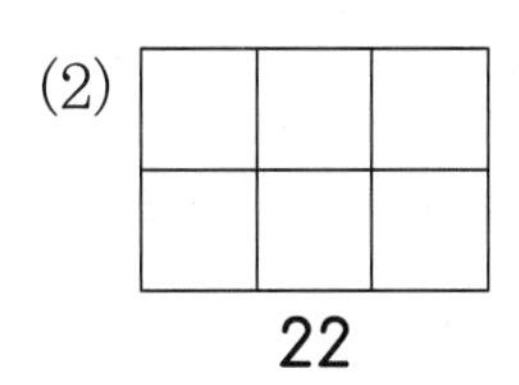

정답과 풀이 13쪽 ►

2-1. 수의 크기 비교

1 다음은 지겸이네 모둠 학생들의 수학 점수를 조사하여 나타낸 표입니다. |조건|을 보고 강혁이의 수학 점수를 구하시오.

모둠 학생들의 수학 점수

이름	지겸	가연	지오	강혁	민서
수학 점수(점)	㉠3	㉡6	㉢0	㉣1	7㉤

|조건|
- 민서의 점수가 가장 낮습니다.
- 가연이의 점수가 지오의 점수보다 높습니다.
- 지겸이의 점수가 가장 높습니다.
- 강혁이의 점수가 가연이의 점수보다 높습니다.

2 ㉠>㉡일 때 ㉠과 ㉡에 알맞은 수를 (㉠, ㉡)으로 모두 쓰시오.

6㉠<㉡7

부등호가 2개인 식에서 □ 안에 알맞은 수를 구하는 방법은?

뇌가 번쩍

$$27 < \square 1 < 63$$

① $27 < \square 1$ ➡ □=3, 4, 5, 6, 7, 8, 9

② $\square 1 < 63$ ➡ □=1, 2, 3, 4, 5, 6

따라서 □ 안에 알맞은 수는 3, 4, 5, 6입니다.

두 개의 식으로 나누어 크기 비교를 합니다.

최상위 사고력

5장의 수 카드 중에서 2장을 뽑아 한 번씩 사용하여 두 자리 수를 만들려고 합니다. 만들 수 있는 수 중에서 10번째로 작은 수를 구하시오.

5	1	0	9	7

2-2. 뛰어 세기

1 화살표의 |규칙|에 맞게 ㉠에 알맞은 수를 구하시오.

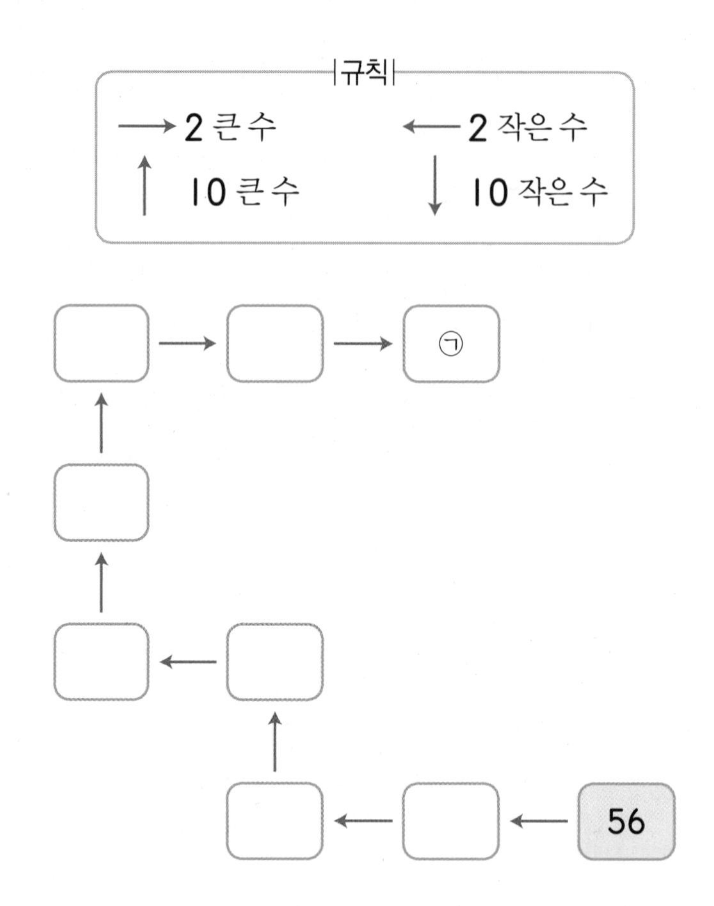

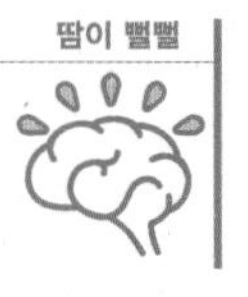

2 가연이는 어떤 수부터 3씩 5번 뛰어서 센 수를 말하고, 준이는 15부터 2씩 7번 뛰어서 센 수를 말하였습니다. 두 사람이 말한 수가 같을 때 어떤 수를 구하시오.

5부터 2씩 4번 뛰어서 센 수는?

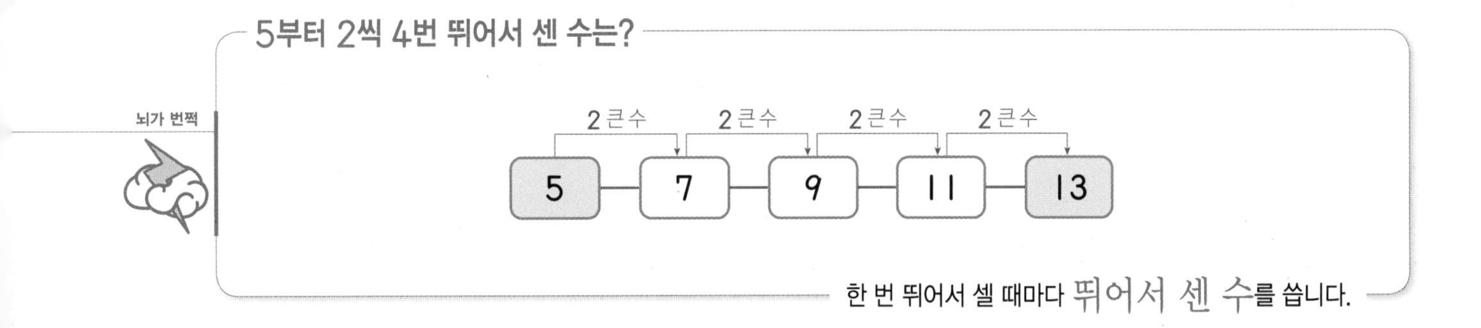

한 번 뛰어서 셀 때마다 뛰어서 센 수를 씁니다.

최상위 사고력

형우는 27부터 2씩 뛰어서 센 수를 쓰고, 영미는 18부터 3씩 뛰어서 센 수를 씁니다. 형우와 영미가 뛰어 세기를 하여 동시에 같은 수를 쓸 때 그 수는 얼마인지 구하시오.

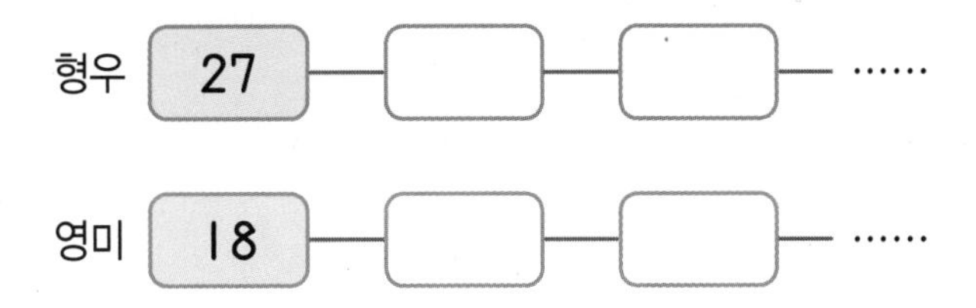

정답과 풀이 14쪽 ►

2-3. 수 배열표 — 가로, 세로, 대각선 방향으로 나열된 수가 일정한 규칙을 가지는 표

1 일정한 규칙에 따라 수를 배열한 표의 일부분입니다. ㉠에 알맞은 수를 구하시오.

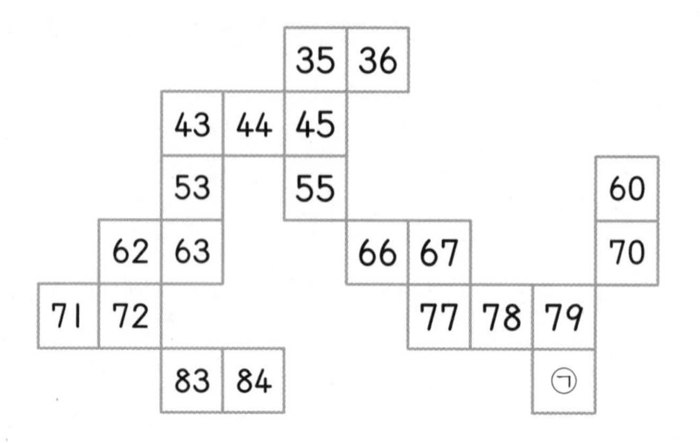

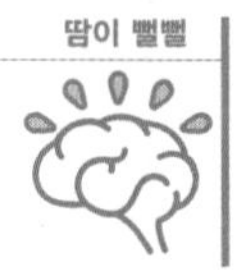

2 다음과 같은 방법으로 1부터 차례로 수를 써넣으려고 합니다. ㉠에 알맞은 수를 구하시오.

1	2	3	4	5	6	7	8	9
32	33							10
31								11
30								12
29				㉠				13
28								14
27								15
26								16
25	24	23	22	21	20	19	18	17

수 배열표에서 빈칸에 알맞은 수는?

뇌가 번쩍

1	2	3	4	5
6	7	8	9	10
11	12	13	14	15
16	17	18	19	20
21	22	23	24	25

① 가로(→) 방향
21, 22, 23, 24 ➡ 1씩 커집니다.

② 세로(↓) 방향
5, 10, 15, 20 ➡ 5씩 커집니다.

③ 대각선(↘) 방향
1, 7, 13, 19 ➡ 6씩 커집니다.

따라서 빈칸에 알맞은 수는 25입니다.

가로, 세로, 대각선 방향으로 나열된 수의 규칙을 찾아봅니다.

최상위 사고력

일정한 규칙에 따라 수를 배열한 표의 일부분입니다. ★에 알맞은 수를 구하시오.

1	2	3	4	5	6	7	8		
					19	18	17	……	13
25	26								
				⋮					
					54				
							★		

최상위 사고력

1 **일정한 규칙에 따라 1부터 100까지의 수를 배열한 표입니다. 물음에 답하시오.**

1	2	3	4	5	6	7	8	9	10
11	12	13	14	15	16	17	18	19	20
21	22	23	24	25	26	27	28	29	30

⋮

(1) 다음과 같이 표를 보고 수를 나열하였습니다. 빈 곳에 알맞은 수를 써넣으시오.

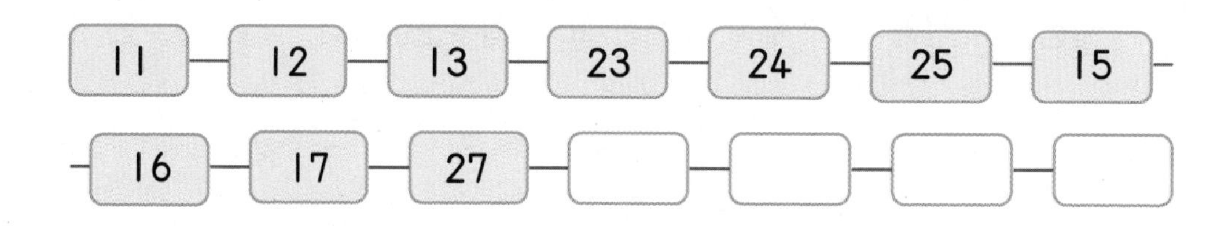

(2) 다음과 같이 표를 보고 수를 나열하였습니다. 55 다음에 나열하는 수는 모두 몇 개입니까?

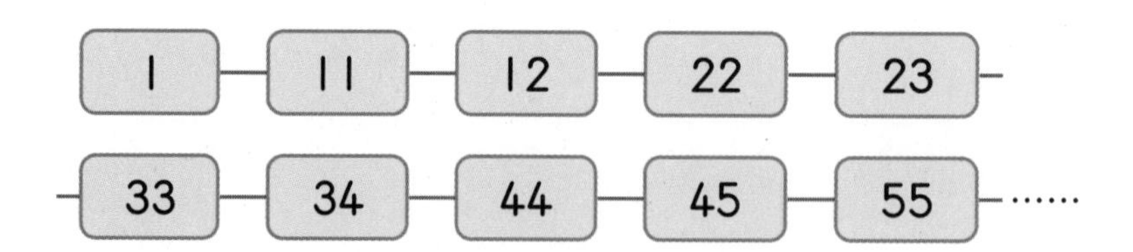

2 민우와 연우가 각자 뛰어 세기를 하여 수를 말합니다. 두 사람이 말한 40보다 크고 60보다 작은 수 중에서 같은 수를 모두 쓰시오.

| 경시대회 기출 |

3 7장의 수 카드 중에서 주어진 |조건|을 만족하는 수 카드 ㉠, ㉡, ㉢, ㉣을 찾아 ㉡과 ㉣을 차례로 쓰시오.

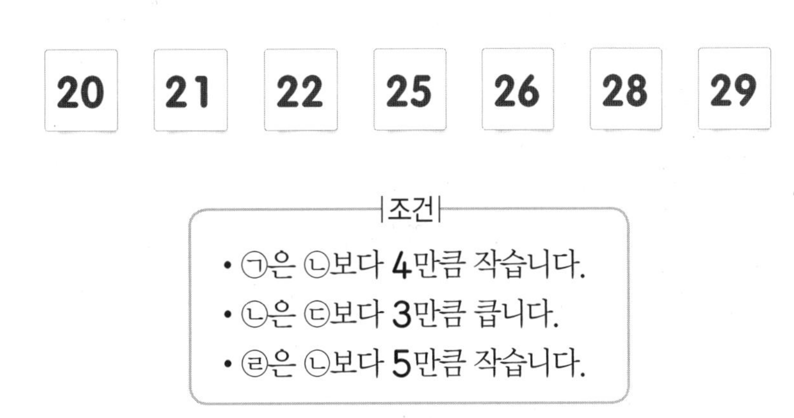

3-1. 조건을 만족하는 수

1 가로와 세로 방향으로 숫자 2개를 묶어 조건을 만족하는 두 자리 수를 모두 찾고 □ 안에 알맞은 수를 써넣으시오. (단, 수는 오른쪽 또는 아래쪽으로 읽습니다.)

(1) 각 자리 숫자의 합이 6인 수

1	5	3
6	4	3
0	2	6

15 □ □ □

(2) 십의 자리 숫자가 일의 자리 숫자보다 큰 수

1	3	5
6	4	9
2	8	7

□ □ □ □

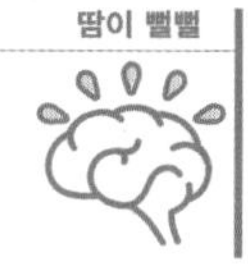

2 다음 |조건|을 만족하는 두 자리 수를 모두 구하시오.

|조건|
- 각 자리 숫자의 합은 7입니다.
- 각 자리 숫자의 차는 1입니다.

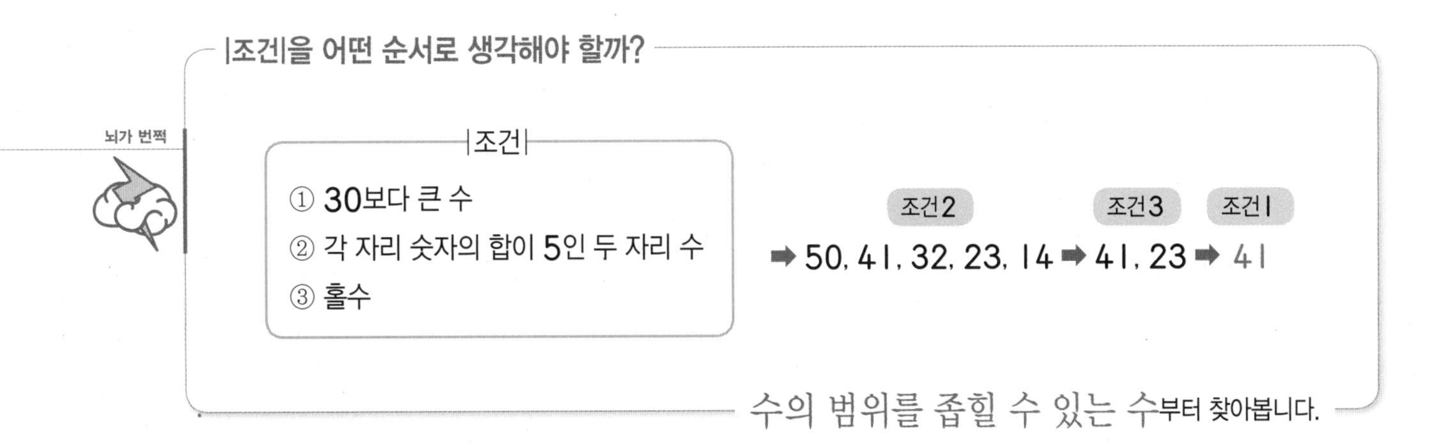

최상위 사고력

1부터 6까지 쓰여 있는 주사위 2개를 동시에 던져 나온 수로 두 자리 수를 만들려고 합니다. 만들 수 있는 수 중에서 각 자리 숫자의 합이 8인 수를 모두 구하시오.

3-2. 수 카드로 수 만들기

1 주어진 수 카드를 한 번씩 사용하여 만들 수 있는 두 자리 수 중에서 |조건|을 만족하는 수를 모두 구하시오.

|조건|
- 일의 자리 숫자가 십의 자리 숫자보다 큽니다.
- 각 자리 숫자의 합은 13입니다.

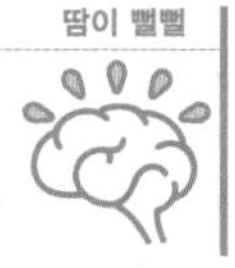

2 주어진 수 카드 중에서 3장의 수 카드를 사용하여 35보다 크고 79보다 작은 두 자리 수 6개를 만들려고 합니다. 3장의 수 카드가 될 수 있는 경우는 모두 몇 가지인지 구하시오.

1 2 3 4 5 6 7 8 9

뇌가 번쩍

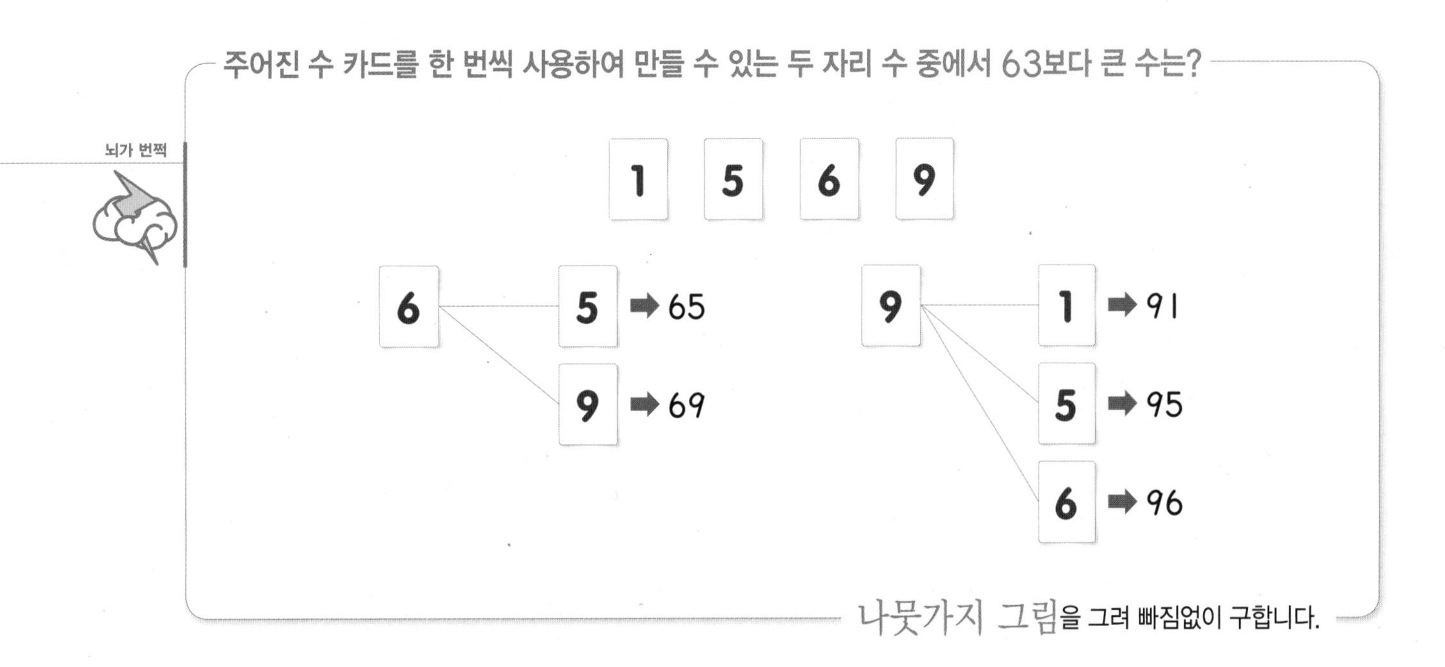

최상위 사고력

앞면과 뒷면에 각각 0과 3, 5와 7, 6과 9가 적혀 있는 수 카드가 3장 있습니다. 이 중에서 수 카드를 2장 골라 한 번씩 사용하여 만들 수 있는 두 자리 수 중에서 65보다 크고 80보다 작은 수를 모두 구하시오.

수 카드의 앞면과 뒷면에 수가 적혀 있으므로 같은 수 카드에 있는 수는 동시에 사용할 수 없습니다.

정답과 풀이 18쪽 ►

3-3. 숫자와 수의 개수

1 0부터 9까지의 수 카드가 각각 10장씩 있습니다. 이 수 카드를 사용하여 0부터 29까지의 수를 만들려고 할 때 부족한 수 카드를 모두 구하시오.

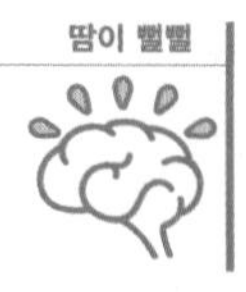

2 지우가 6부터 차례로 수를 썼습니다. 수를 쓰는 데 사용한 숫자가 모두 40개일 때 지우가 쓴 수 중에서 가장 큰 수를 구하시오.

5부터 30까지의 수를 쓰는 데 필요한 숫자의 개수를 구하는 방법은?

	수의 개수	숫자의 개수
5부터 9까지	5개	5개
10부터 30까지	21개	$21+21=42$(개)
5부터 30까지	26개	$5+42=47$(개)

한 자리 수와 두 자리 수로 나누어 생각합니다.

최상위 사고력

1층부터 50층까지 있는 건물에 엘리베이터가 있습니다. 엘리베이터의 숫자 3에는 ★, 숫자 6에는 ●이 나온다고 합니다. ★과 ● 중 어느 모양이 몇 번 더 많이 나옵니까?

정답과 풀이 19쪽 ►

1 영하가 1부터 차례로 수를 썼습니다. 그중 짝수를 쓰는 데 사용한 숫자가 모두 20개일 때 영하가 쓴 가장 큰 홀수를 구하시오. (단, 영하가 쓴 가장 큰 수는 짝수입니다.)

2 50보다 크고 100보다 작은 수 중에서 십의 자리 숫자가 일의 자리 숫자보다 작은 수는 모두 몇 개인지 구하시오.

| 경시대회 기출 |

3 컴퓨터에 키보드로 0부터 100까지의 수를 입력하려고 합니다. 키보드 자판의 0은 모두 몇 번 눌러야 하는지 구하시오.

4 서로 다른 수가 적힌 4장의 수 카드 중에서 2장을 뽑아 두 자리 수를 만들었습니다. 만든 수 중에서 세 번째로 큰 두 자리 수가 74일 때 뒤집어진 수 카드에 적힌 수를 구하시오.

6 7 4

Review I 수

1 성미와 은수가 과녁 맞히기 놀이를 하여 각각 37점을 얻었습니다. 과녁을 성미는 6번, 은수는 7번 맞혔을 때 성미와 은수가 맞힌 과녁 중에서 5점은 각각 몇 번인지 차례로 구하시오. (단, 과녁 밖으로 빗나간 경우는 없습니다.)

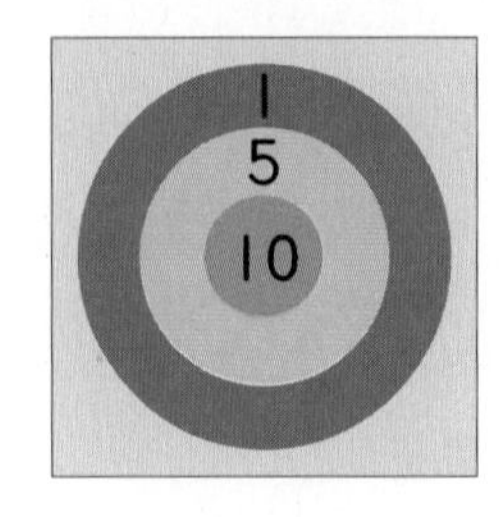

2 10개씩 묶음 ■개와 낱개 ▲개인 수가 있습니다. 다음 |조건|을 만족하는 수는 모두 몇 개인지 구하시오.

|조건|

- ■>0, ▲>0
- ■+▲=9
- ■▲>40

3 일정한 규칙에 따라 수를 배열한 표의 일부분입니다. ㉠에 알맞은 수를 구하시오.

21	22	23	24	25	26	27	28	29	30
			37	36	35	34	33	32	31
					46	47	48	49	50
									51
									70
						㉠			

4 2부터 2, 3, 4씩 뛰어 세기를 합니다. 세 줄에 모두 나오는 수 중에서 세 번째로 작은 수를 구하시오.

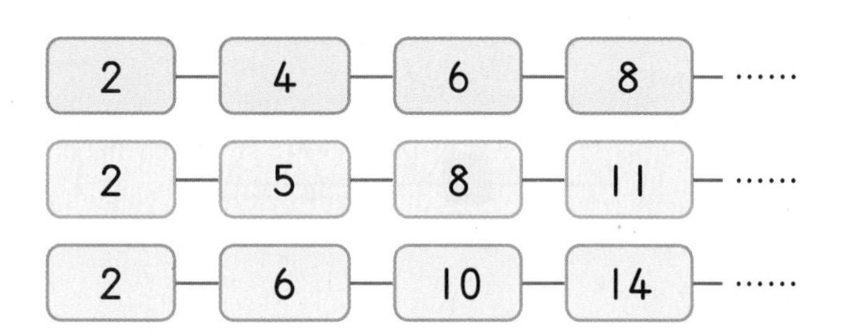

5 주어진 수 카드를 한 번씩 사용하여 만들 수 없는 두 자리 수는 모두 몇 개인지 구하시오.

1 7 8 5

6 1부터 100까지의 수 중에서 숫자 1을 포함하는 수는 모두 몇 개인지 구하시오.

정답과 풀이 20쪽 ►

연산(1)

4-1. 복면산 — 계산식에서 숫자를 문자나 기호 모양으로 나타낸 식

1 다음 식에서 ★과 ■은 0이 아닌 서로 다른 한 자리 수입니다. ★과 ■에 알맞은 수를 (★, ■)으로 모두 쓰시오.

2 같은 모양은 같은 수를, 다른 모양은 다른 수를 나타냅니다. 각각의 모양이 나타내는 수를 구하시오. (단, 각각의 모양은 1부터 9까지의 수입니다.)

(1)
```
   ■ 2
 + 1 ●
 -----
   ● 6
```

(2)
```
   6 ◆
 - ◆ ▲
 -----
   1 3
```

모양이 나타내는 수는 어떻게 구할까?

뇌가 번쩍

	십의 자리	일의 자리
	■	1
+	3	●
	●	6

- 일의 자리 계산: $1+●=6$ ➡ $●=5$ (6−1=5)
- 십의 자리 계산: $■+3=5$ ➡ $■=2$ (5−3=2)

같은 자리 수끼리의 합 또는 차를 이용합니다.

최상위 사고력

같은 모양은 같은 수를, 다른 모양은 다른 수를 나타냅니다. 각각의 모양이 나타내는 수를 구하시오. (단, 각각의 모양은 1부터 9까지의 수입니다.)

	6	■
−	■	●
	●	●

정답과 풀이 22쪽 ►

4-2. 수 카드 연산

1 수 카드 [2], [3], [4], [5]를 한 번씩 사용하여 계산 결과가 다음과 같은 식을 완성하려고 합니다. □ 안에 알맞은 수를 써넣으시오.

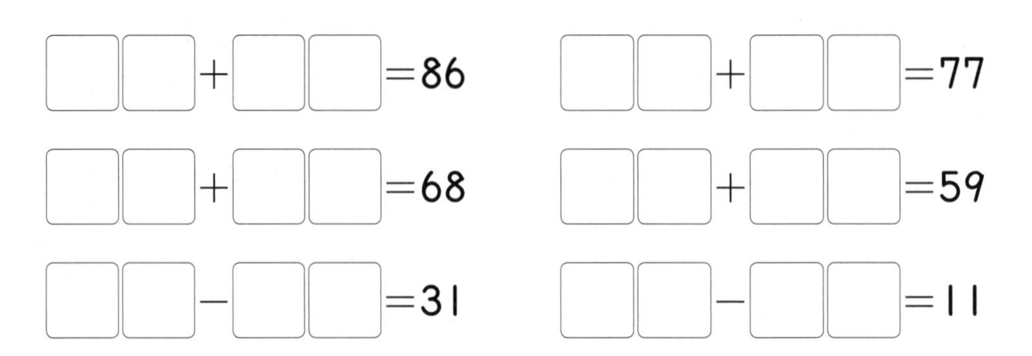

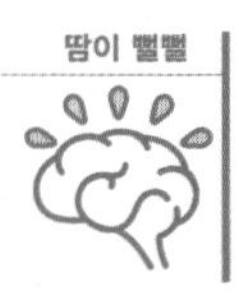

2 주어진 수 카드 중 4장을 사용하여 합이 가장 큰 (두 자리 수)+(두 자리 수)를 만드시오.

[1] [2] [3] [4] [5]

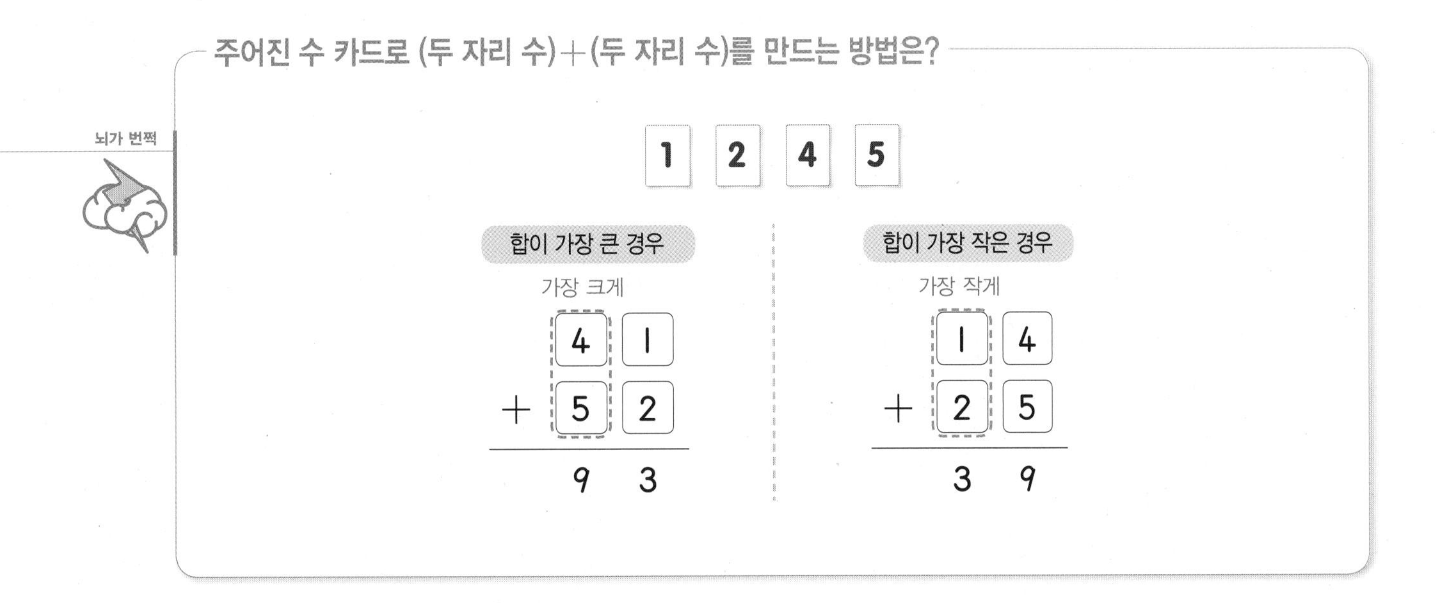

최상위 사고력

서로 다른 수가 적힌 4장의 수 카드 중에서 2장을 뽑아 두 자리 수를 만들었습니다. 만든 수 중에서 가장 큰 수와 가장 작은 수의 차가 52일 때 뒤집어진 수 카드에 적힌 수가 될 수 있는 수를 모두 구하시오.

4-3. 어떤 수 구하기

1 |보기|와 같이 같은 수를 세 번 더하여 만들어지는 60보다 크고 70보다 작은 수를 모두 구하시오.

|보기|

$11+11+11=33$

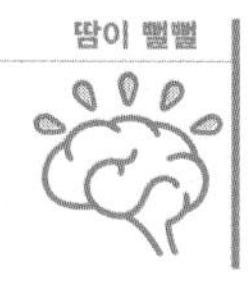

2 어떤 수를 세 번 더한 수는 어떤 수와 20의 합보다 크고, 40보다 작습니다. 어떤 수가 될 수 있는 수를 모두 구하시오.

뇌가 번쩍

어떤 수가 나오는 문제는 어떻게 풀까?

어떤 수: □

어떤 수보다 1 큰 수: □+1

어떤 수와의 차가 5인 수: □+5 또는 □−5

어떤 수를 □라 하여 식을 세워 생각합니다.

최상위 사고력

11부터 99까지의 수가 적힌 수 카드 중 4장을 뽑아 합이 97이 되도록 만들려고 합니다. 뽑을 수 있는 수 카드에 적힌 수 중에서 가장 큰 수를 구하시오.

11 12 13 14 15 ⋯⋯ 95 96 97 98 99

정답과 풀이 24쪽 ►

최상위 사고력

1 □ 안에 모두 같은 수를 써넣어 식을 완성하시오.

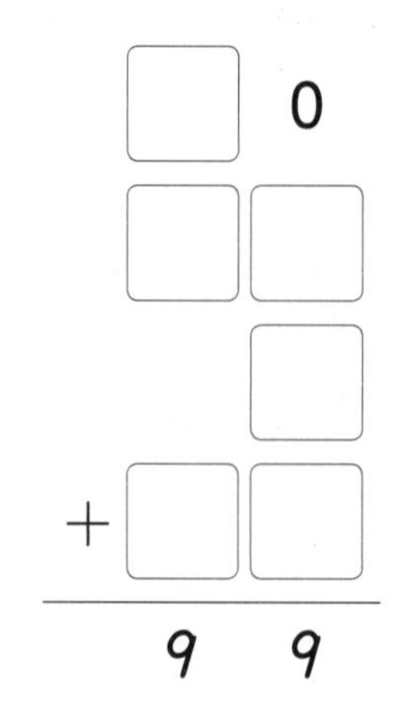

2 같은 모양은 같은 수를, 다른 모양은 다른 수를 나타냅니다. 다음 두 식을 모두 만족하는 각각의 모양이 나타내는 수를 구하시오. (단, 각각의 모양은 1부터 9까지의 수입니다.)

```
   ● ■        ◆ ●
 + ■ 2      − ■ ■
 ─────      ─────
   ◆ 5        ● ■
```

3

주어진 수 카드를 한 번씩 사용하여 두 자리 수 2개를 만들었습니다. 두 수의 차가 가장 클 때의 계산 결과를 구하시오.

5	6	1	9

4

| 경시대회 기출 |

문제풀이

다음 두 식을 모두 만족하는 두 자리 수 ㉠㉡과 ㉢㉣을 차례로 구하시오. (단, ㉠, ㉡, ㉢, ㉣은 1부터 9까지의 서로 다른 수이고, ㉡ > ㉣입니다.)

```
  ㉠ ㉡        ㉠ ㉡
− ㉢ ㉣      + ㉢ ㉣
───────      ───────
   1 5          7 9
```

5-1. 연산 규칙

1 규칙을 찾아 빈칸에 알맞은 수를 써넣으시오.

46	41
29	24
85	80
77	
	13

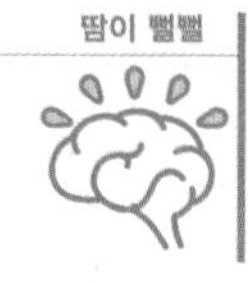

2 |보기|를 보고 ♣의 규칙을 찾아 다음을 계산하시오.

|보기|

3♣2 ➡ 51　　6♣1 ➡ 75

8♣4 ➡ 124　　9♣2 ➡ 117

(1) 7♣6

(2) 9♣5

모양의 규칙을 어떻게 찾을까?

뇌가 번쩍

3★1=3 4★2=3 6★3=4 8★2=7	★의 규칙을 두 수의 차로 생각해 보기 →	3−1=2 4−2=2 6−3=3 8−2=6	두 수의 차보다 1 크므로 1만큼 더하기 →	㉠★㉡=㉠−㉡+1

모양의 앞, 뒤에 있는 두 수의 합과 차를 이용하여 규칙을 찾습니다.

최상위 사고력

|보기|를 보고 ◈의 규칙을 찾아 □ 안에 알맞은 수를 써넣으시오.

|보기|

15◈3=11	28◈1=26
36◈4=31	75◈2=72
69◈5=63	97◈4=92

(1) 48◈6=□

(2) 54◈□=50

5-2. 연산표

1 화살표 방향으로 뺄셈을 하여 색칠한 칸에 계산 결과를 써넣었습니다. 빈칸에 알맞은 수를 써넣으시오.

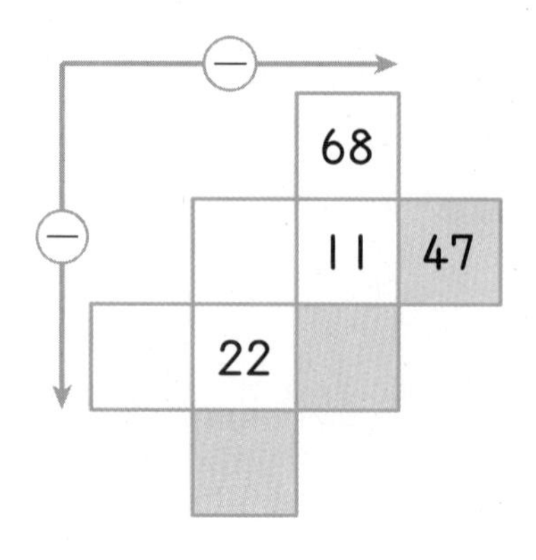

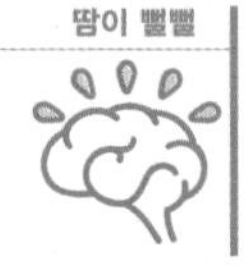

2 규칙에 따라 ○, ◇에 수를 써넣었습니다. 빈 곳에 알맞은 수를 써넣으시오.

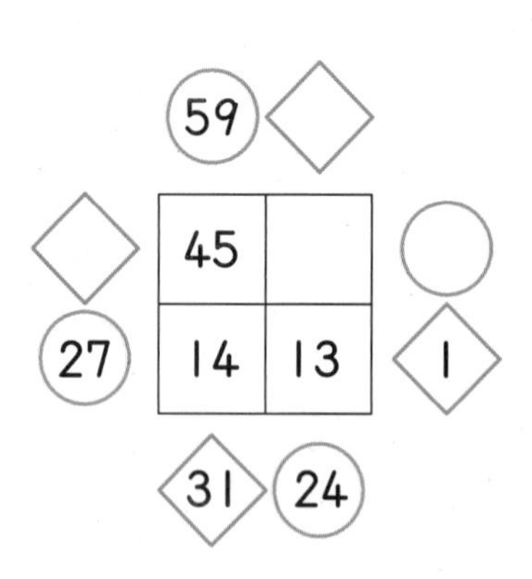

연산표에서 모양이 나타내는 수는 어떻게 구할까?

뇌가 번쩍

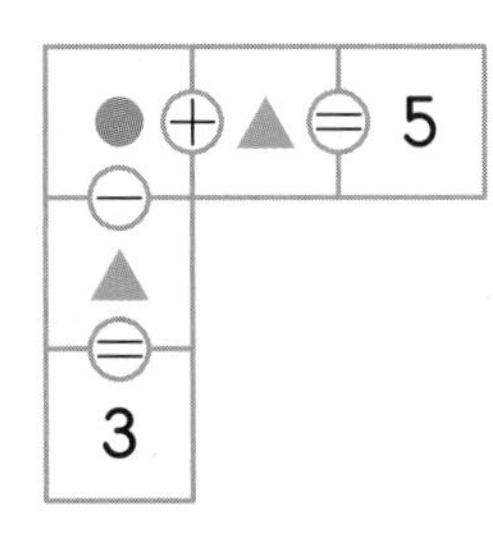

┌●+▲=5
└●−▲=3

➡ ●+●=8이고, 4+4=8이므로 ●=4입니다.
●=4이므로 4+▲=5, ▲=5−4=1입니다.

같은 모양이 있거나 겹쳐지는 부분이 있는 식부터 생각합니다.

최상위 사고력

같은 모양은 같은 수를, 다른 모양은 다른 수를 나타냅니다. 각각의 모양이 나타내는 수를 구하시오.

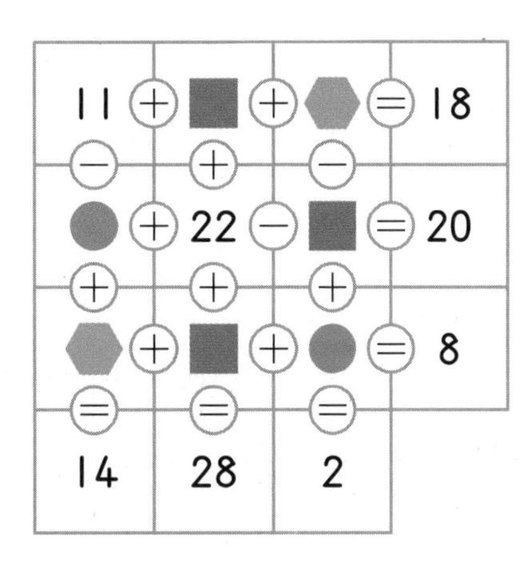

5-3. 성냥개비 연산

1 성냥개비 1개를 빼서 올바른 식을 만들려고 합니다. 뺄 수 있는 성냥개비에 ×표 하시오.

(1) 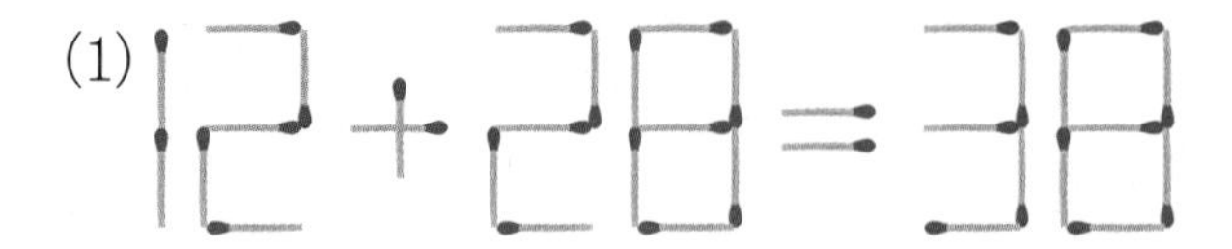

(2) 97-82=19

TIP 성냥개비로 숫자를 0, 1, 2, 3, 4, 5, 6, 7, 8, 9와 같이 나타냅니다.

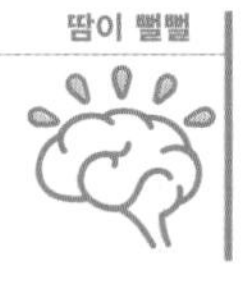

2 다음은 숫자 등에 불을 켜서 만든 뺄셈식입니다. 등 1개를 더 켜서 올바른 식을 만들려고 합니다. 켤 수 있는 등을 찾아 색칠하시오.

성냥개비 1개를 옮겨 올바른 식을 만드는 방법은?

뇌가 번쩍

방법1 수를 바꾸기

9-3=8

방법2 연산 기호를 바꾸기

8+2=6

성냥개비 1개를 옮겨 수 또는 연산 기호를 바꿉니다.

최상위 사고력

성냥개비 1개를 옮겨 올바른 식을 만드시오.

(1) 7-5=6

식 ....

(2) 16+14=23

식 ....

정답과 풀이 28쪽 ►

1 |보기|를 보고 ◐의 규칙을 찾아 □ 안에 알맞은 수를 써넣으시오.

|보기|

12◐2=22　　34◐1=67
23◐11=35　　14◐7=21

(1) 13◐5=□　　(2) □◐2=46

| 경시대회 기출 |

2 표 밖에 있는 수는 그 줄에 있는 수의 합입니다. 같은 모양은 같은 수를, 다른 모양은 다른 수를 나타낼 때 ㉠, ㉡, ㉢에 알맞은 수를 차례로 구하시오.

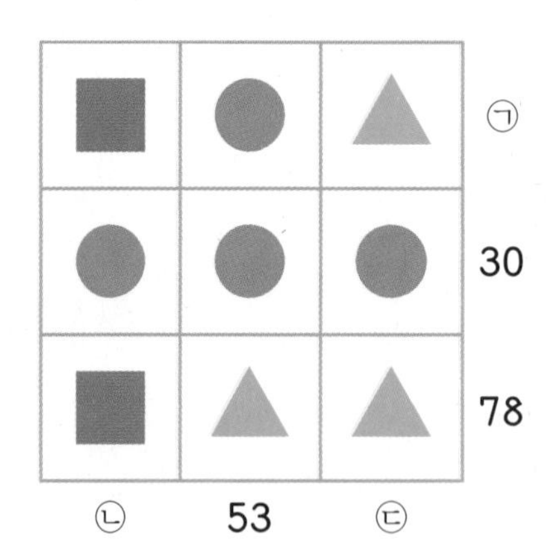

3 성냥개비 1개를 옮겨 올바른 식을 만드시오.

54+31=20+43

식 ....

4 같은 모양은 같은 수를, 다른 모양은 다른 수를 나타낼 때 사다리를 타면서 계산하여 ●이 나타내는 수를 구하시오.

문제풀이

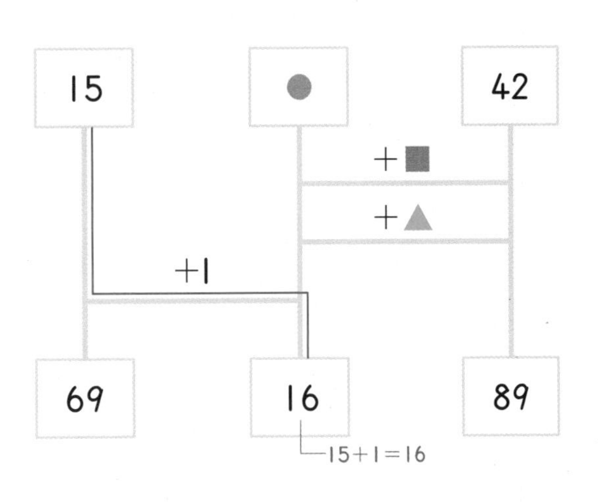

TIP 사다리타기에서는 가로선이 있으면 반드시 꺾어서 가야 하고, 위로는 갈 수 없습니다.

정답과 풀이 29쪽 ►

1 같은 모양은 같은 수를, 다른 모양은 다른 수를 나타냅니다. 각각의 모양이 나타내는 수를 구하시오.

●+▲+■=97
●+●+●=93
85-●-▲=42

2 성냥개비 1개를 옮겨 올바른 식을 만드시오.

24+3+5=27

식

3 |보기|를 보고 ◈의 규칙을 찾아 □ 안에 알맞은 수를 써넣으시오.

|보기|

20◈4=28	11◈3=17
42◈1=44	62◈2=66
71◈4=79	82◈1=84

(1) 13◈3=□

(2) 27◈□=29

4 주어진 수 카드 중 4장을 사용하여 합이 가장 작은 (두 자리 수)+(두 자리 수)를 만드시오.

1 2 3 4 5

정답과 풀이 30쪽 ►

5 두 자리 수 ㉠㉡이 있습니다. 이 두 자리 수의 십의 자리 숫자와 일의 자리 숫자를 바꾼 두 자리 수를 ㉡㉠이라고 할 때, ㉠㉡+㉡㉠=88을 만족하는 ㉠㉡을 모두 구하시오. (단, ㉠, ㉡은 1부터 9까지의 수이고, ㉠㉡>㉡㉠입니다.)

6 다음 식을 만족하는 뺄셈식은 모두 몇 가지인지 구하시오. (단, ㉠, ㉡, ㉢, ㉣은 1부터 9까지의 서로 다른 수이고, ㉡>㉣입니다.)

```
   ㉠ ㉡
 - ㉢ ㉣
 -------
   6  4
```


정답과 풀이 30쪽 ►

도형

6-1. 본뜨기

1 |보기|와 같이 주어진 물건을 자른 후 자른 면을 본 떠 그린 모양을 그리시오.

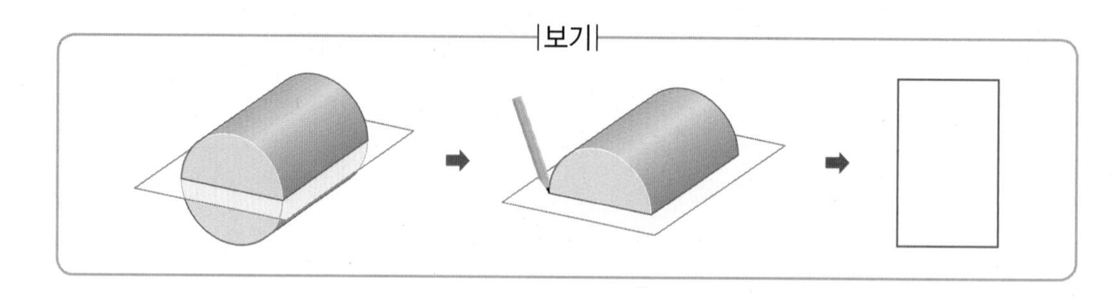

(1)

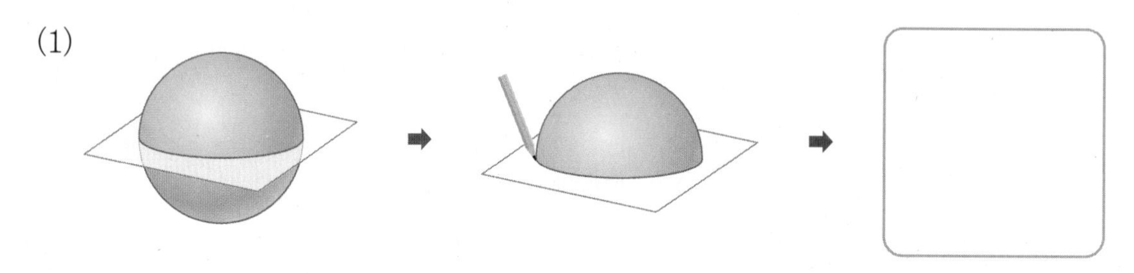

(2)

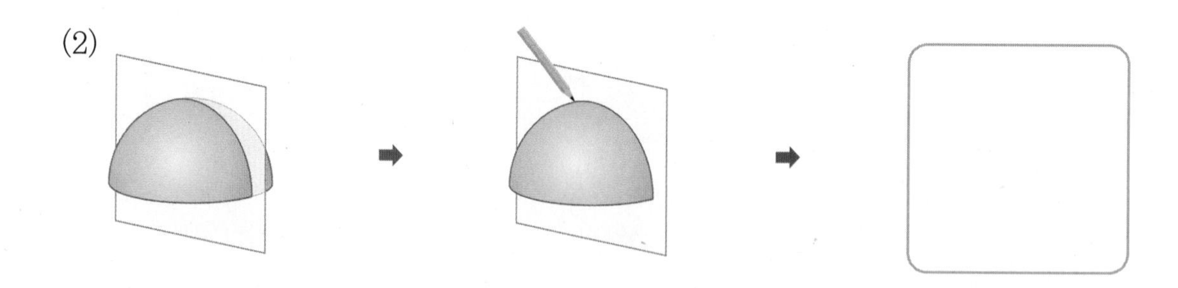

뇌가 번쩍

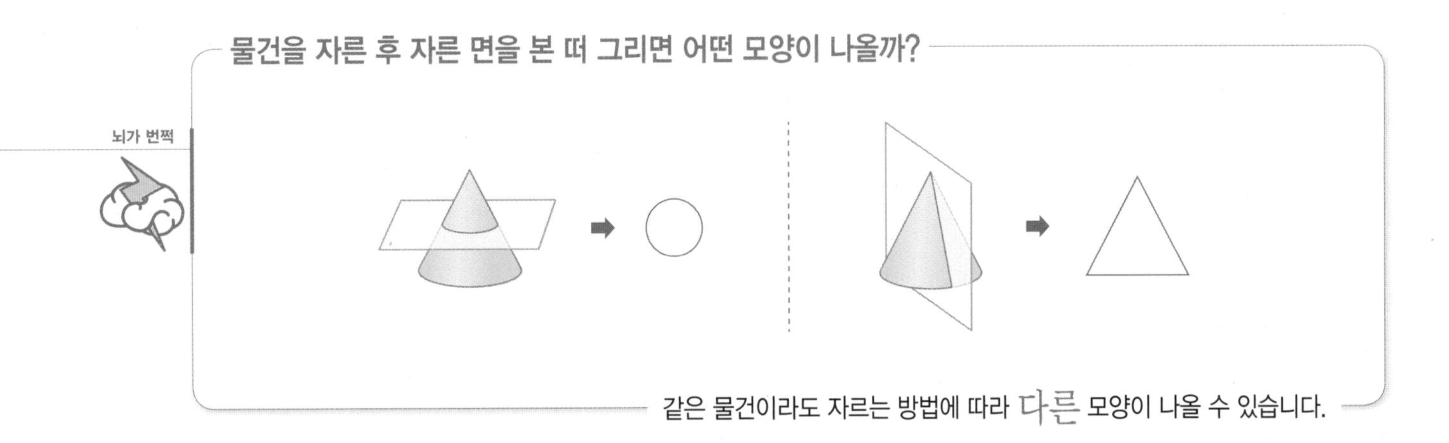

최상위 사고력

|보기|는 똑같은 모양과 크기의 세모 모양 8개로 이루어진 물건을 자른 후 자른 면을 본 떠 그린 모양입니다. 같은 물건을 다른 방법으로 잘랐을 때 자른 면을 본 떠 그린 모양을 그리시오.

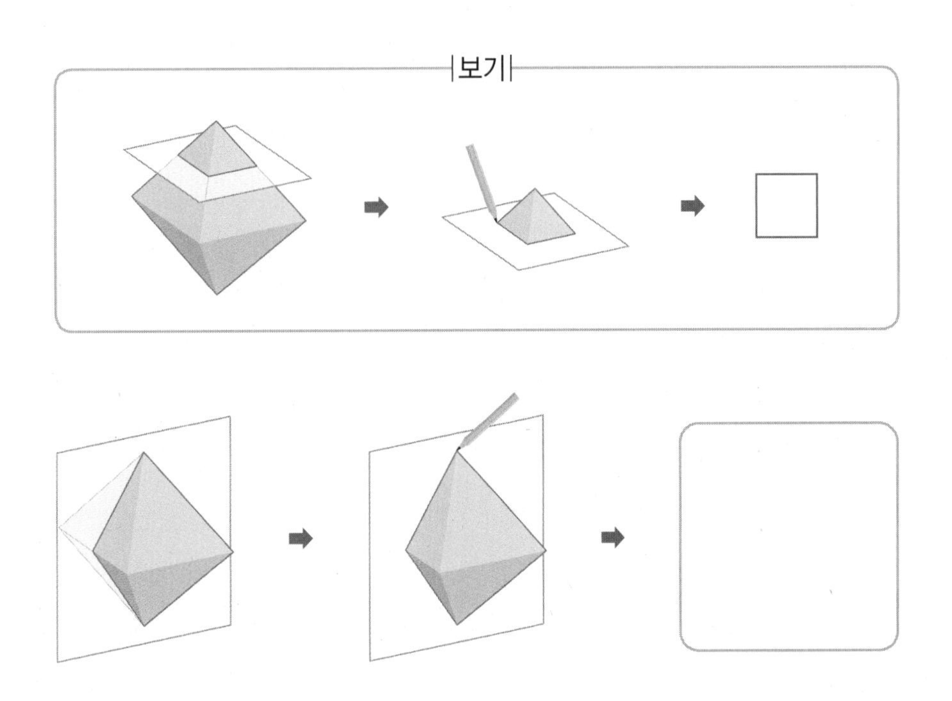

6-2. 겹쳐진 모양 그리기

1 크기가 같은 네모 모양의 종이 2장을 겹쳤을 때 겹쳐진 부분의 모양을 찾아 곧은 선으로 이으시오.

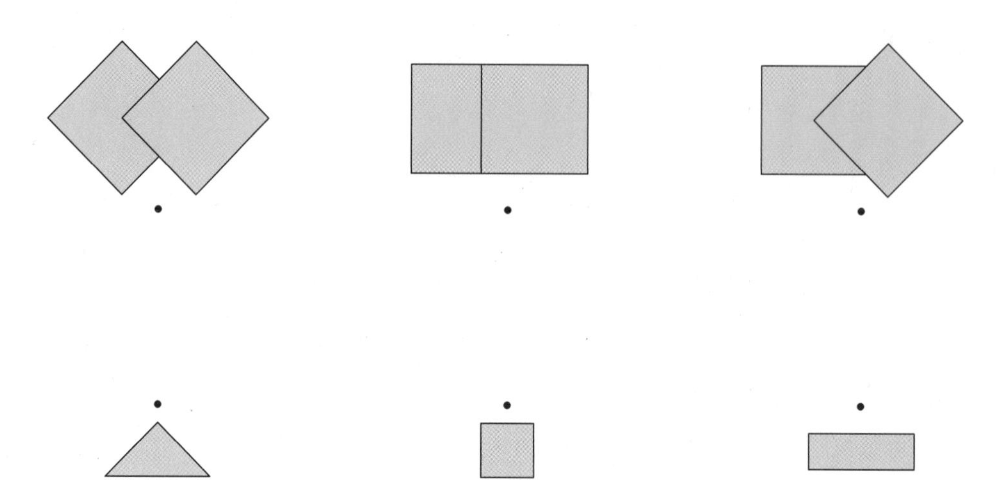

2 크기가 같은 세모 모양의 종이 2장을 겹쳤을 때 겹쳐진 부분의 모양이 될 수 없는 것을 모두 찾아 기호를 쓰시오.

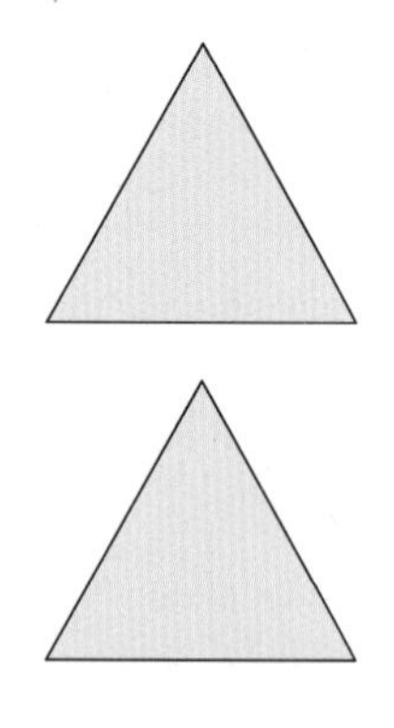

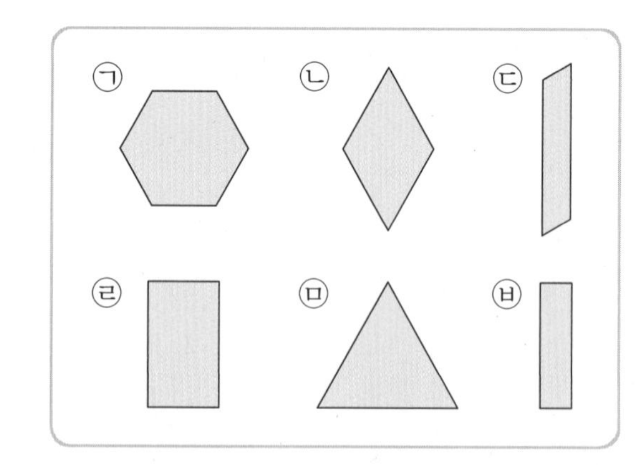

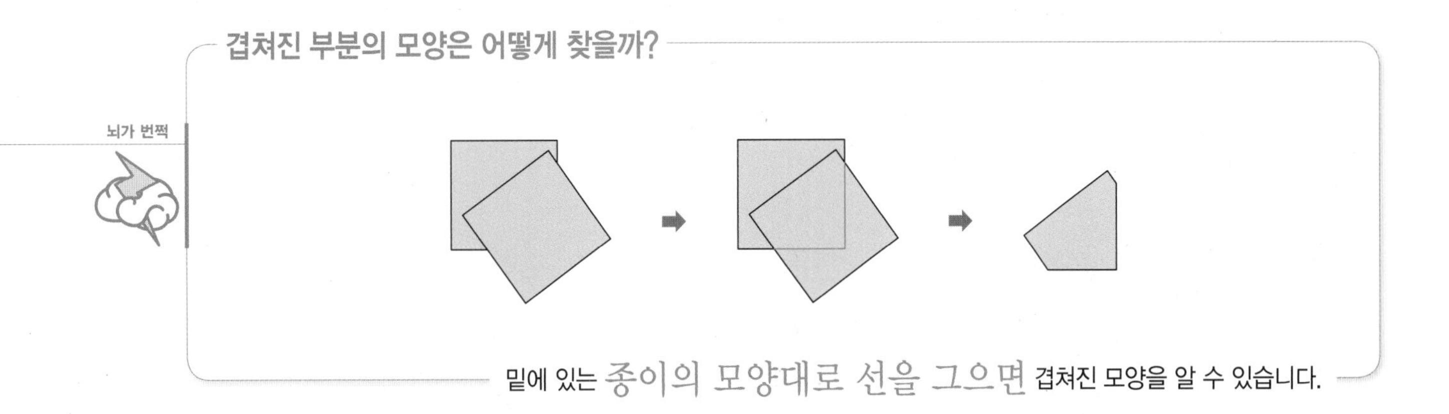

최상위 사고력

|보기|는 겹쳐진 부분의 모양을 보고 색종이를 겹친 방법을 나타낸 것입니다. 크기와 모양이 같은 색종이 2장이 겹쳐진 부분의 모양이 다음과 같을 때 색종이를 겹친 방법을 그리시오.

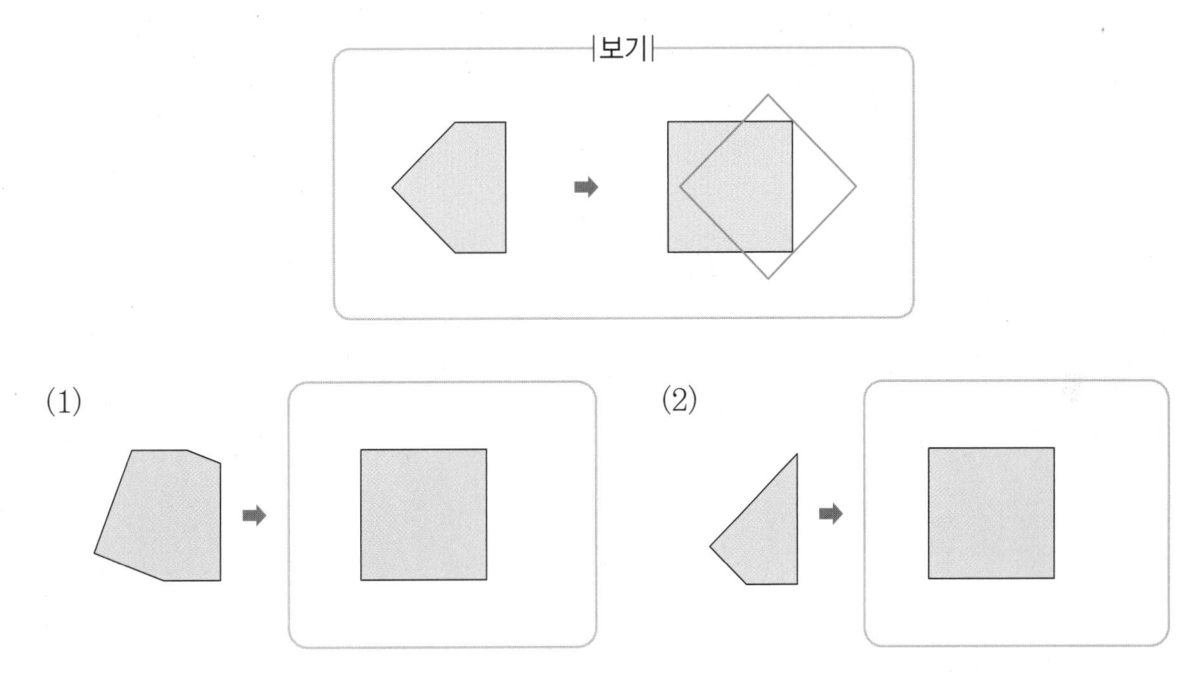

6-3. 점을 이어 모양 그리기

1 주어진 점을 이어 그릴 수 있는 크고 작은 네모 모양을 모두 그리시오. (단, 돌리거나 뒤집었을 때 같은 모양은 같은 것으로 생각합니다.)

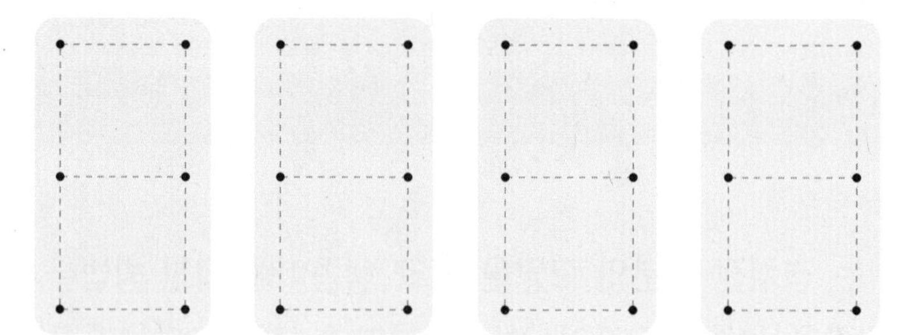

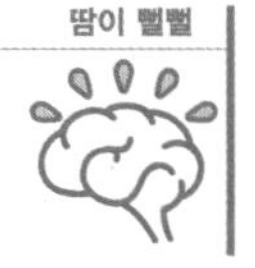

2 |보기|의 두 가지 모양을 모두 이용하여 다음 모양을 빈틈없이 채우시오.

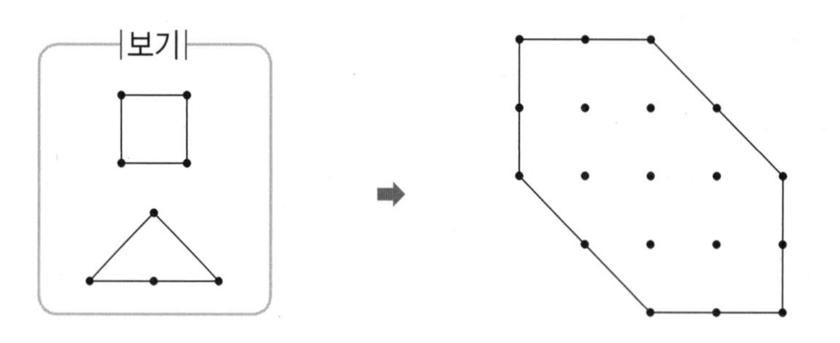

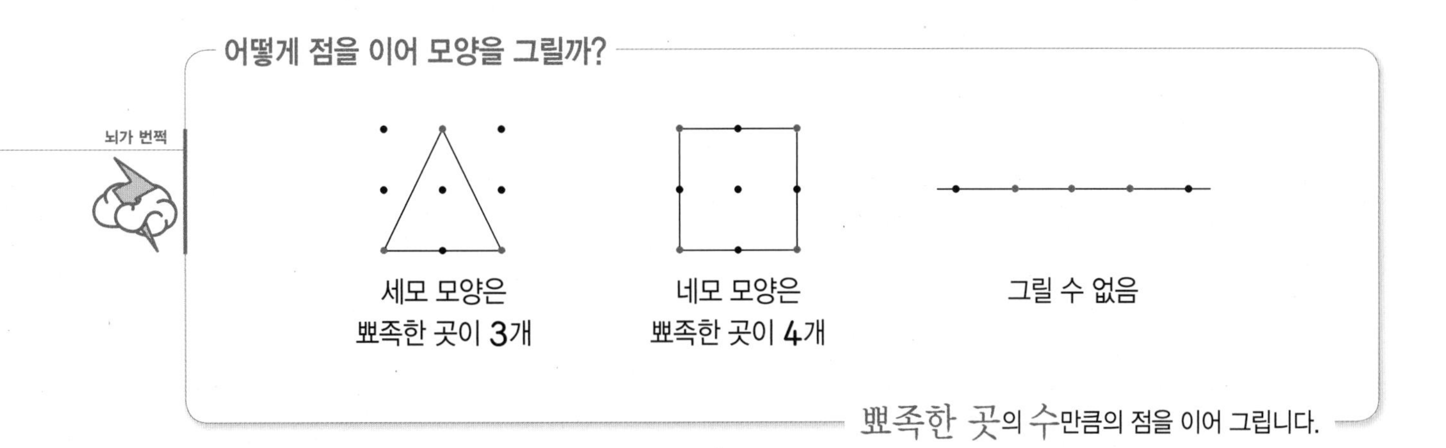

최상위 사고력

주어진 점을 이어 크고 작은 세모 모양을 그리려고 합니다. 그릴 수 있는 크고 작은 세모 모양은 모두 몇 개인지 구하시오. (단, 모양이 같더라도 위치가 다르면 다른 것으로 생각합니다.)

정답과 풀이 34쪽 ►

1 주어진 물건을 자른 후 자른 면을 본 떠 그린 모양을 그리시오.

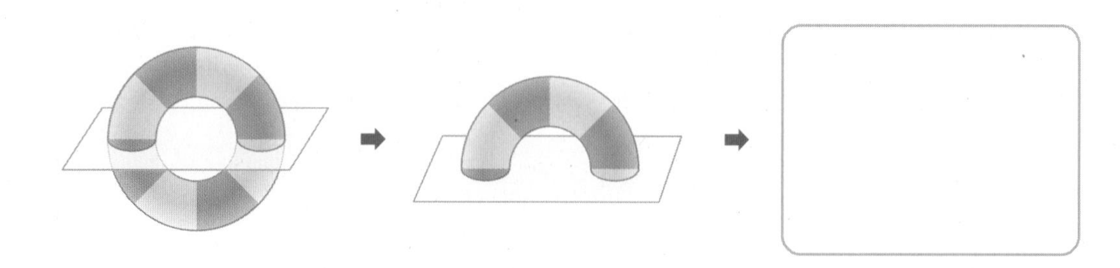

| 경시대회 기출 |

2 |보기|는 점 4개를 지나고 안에 점 1개가 있는 세모 모양을 그린 것입니다. 점 4개를 지나고 안에 점 3개가 있는 세모 모양은 모두 몇 개 그릴 수 있는지 구하시오. (단, 모양이 같더라도 위치가 다르면 다른 것으로 생각합니다.)

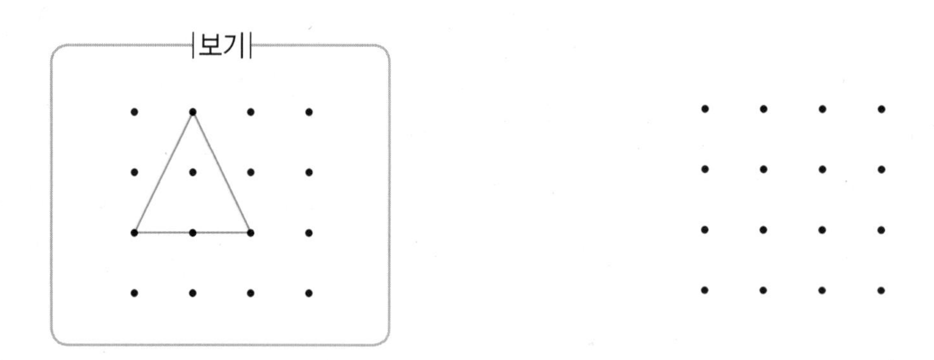

| 경시대회 기출 |

3 다음과 같은 투명 종이가 2장 있습니다. 투명 종이 2장을 완전히 겹쳤을 때 색칠되지 않은 칸의 수가 가장 적은 경우와 가장 많은 경우는 각각 몇 칸인지 차례로 구하시오. (단, 투명 종이를 뒤집거나 돌려서 겹쳐도 됩니다.)

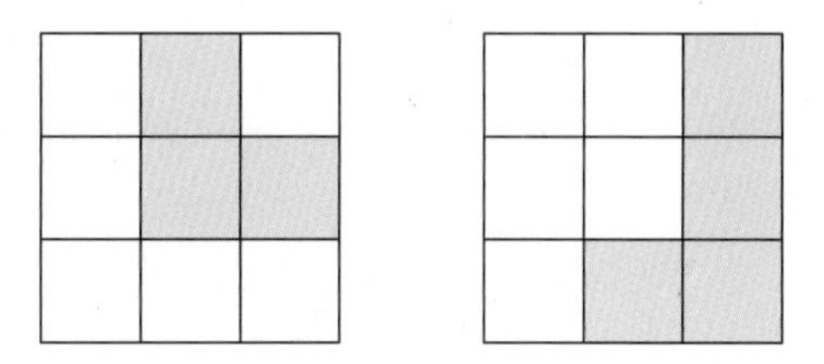

4 주어진 점을 이어 크고 작은 세모 모양을 그리려고 합니다. 그릴 수 있는 크고 작은 세모 모양은 모두 몇 개인지 구하시오. (단, 모양이 같더라도 위치가 다르면 다른 것으로 생각합니다.)

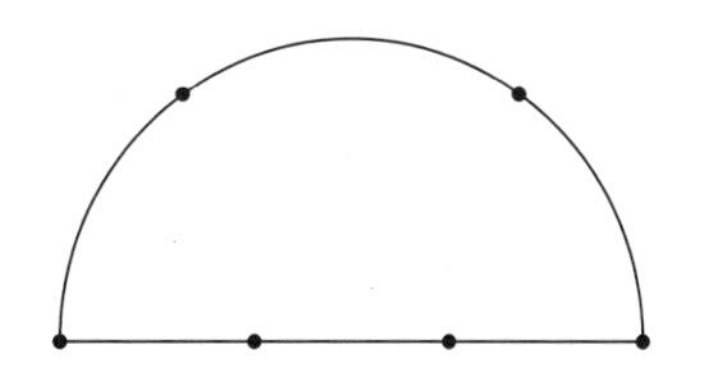

정답과 풀이 35쪽 ►

7-1. 여러 가지 모양의 개수

1 다음과 같이 여러 모양의 종이를 겹쳐 놓았습니다. 가장 위에 있는 종이부터 차례로 수를 써넣으려고 합니다. □ 안에 알맞은 수를 써넣으시오.

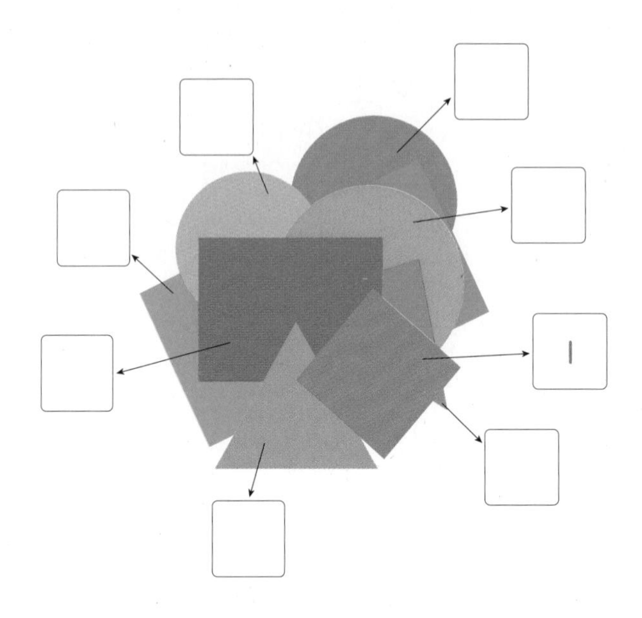

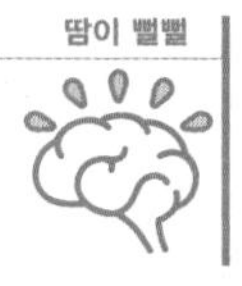

2 |보기|는 네모 모양 1개와 동그라미 모양 2개의 일부분을 이용하여 그린 것입니다. 주어진 그림은 네모 모양과 동그라미 모양을 각각 몇 개씩 이용하여 그린 것인지 차례로 구하시오.

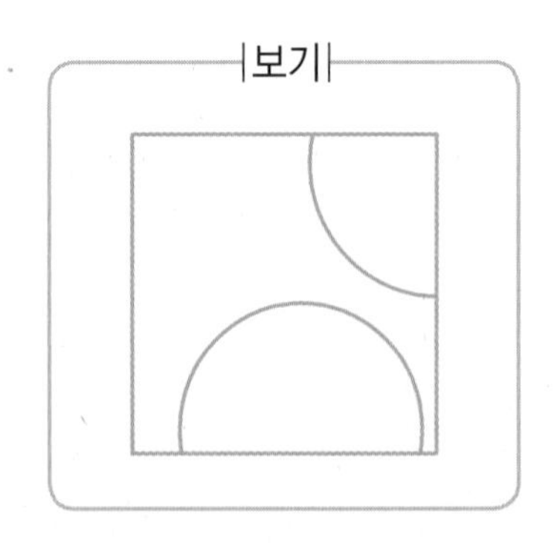

어떻게 모양을 구분할까?

뇌가 번쩍

■ 모양	▲ 모양	● 모양
굽은 부분 × 곧은 선 4군데 뾰족한 곳 4군데	굽은 부분 × 곧은 선 3군데 뾰족한 곳 3군데	굽은 부분 ○ 곧은 선 × 뾰족한 곳 ×

굽은 부분, 곧은 선, 뾰족한 곳을 살펴봅니다.

최상위 사고력

다음과 같이 네모, 세모, 동그라미 모양의 종이를 겹쳐 놓았습니다. 종이가 모두 11장일 때 세모 모양의 종이는 네모 모양의 종이보다 몇 장 더 많은지 구하시오.

정답과 풀이 36쪽 ►

7-2. 크고 작은 모양의 개수

1 |보기|와 같이 주어진 그림에서 찾을 수 있는 크고 작은 세모 모양을 모두 찾아 색칠하시오.

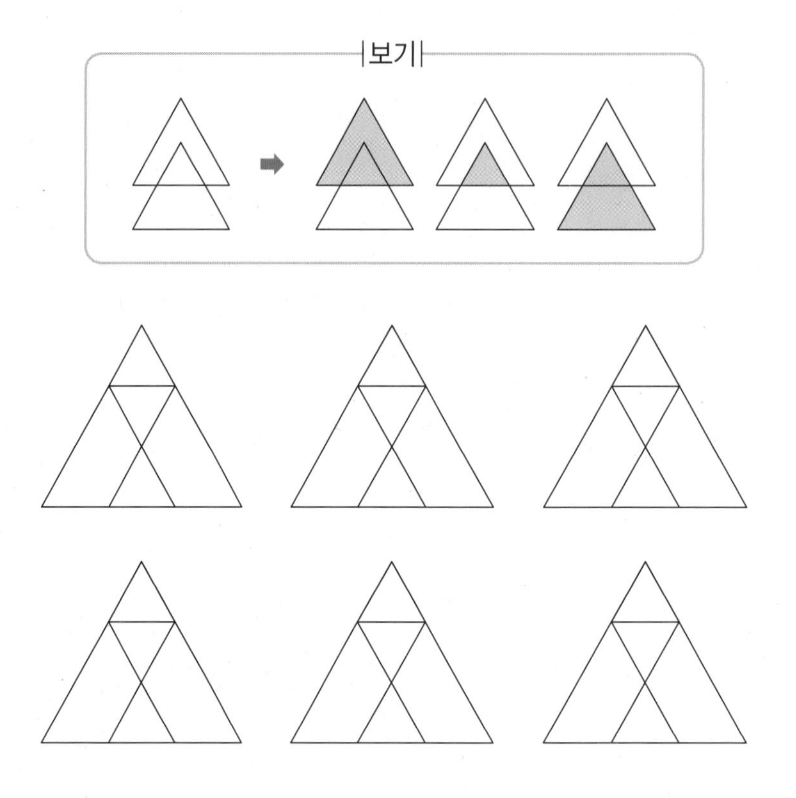

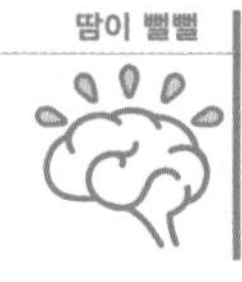

2 다음 그림에서 찾을 수 있는 크고 작은 세모 모양은 모두 몇 개인지 구하시오.

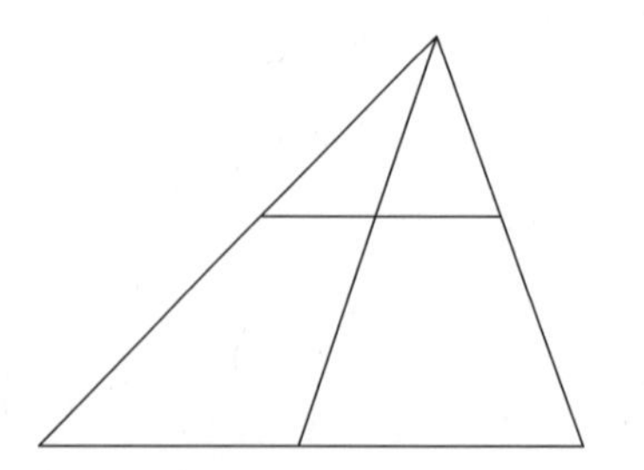

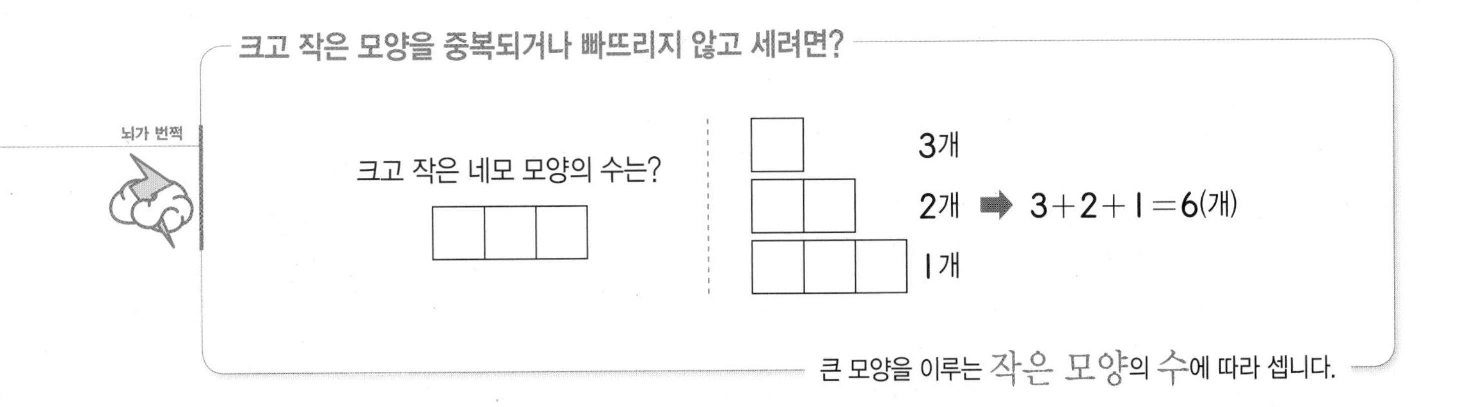

최상위 사고력

다음 그림에서 찾을 수 있는 크고 작은 네모 모양은 모두 몇 개인지 구하시오.

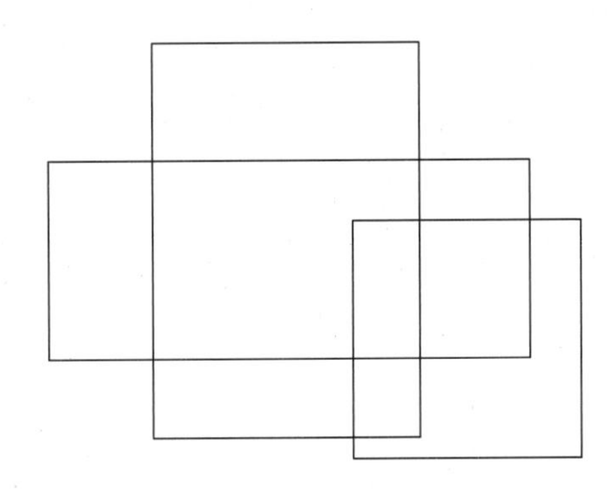

정답과 풀이 37쪽 ►

7-3. 잘랐을 때 모양의 개수

1 색종이를 접었다가 펼친 후 접힌 선을 따라 잘라서 똑같은 네모 모양 8개를 만들려고 합니다. 색종이를 적어도 몇 번 접어야 하는지 구하시오.

2 |보기|와 같이 그림을 한 번만 잘라서 원하는 모양을 만들려고 합니다. 주어진 그림을 한 번만 잘라서 세모 모양 3개를 만들려면 어떻게 잘라야 하는지 곧은 선 1개를 그으시오.

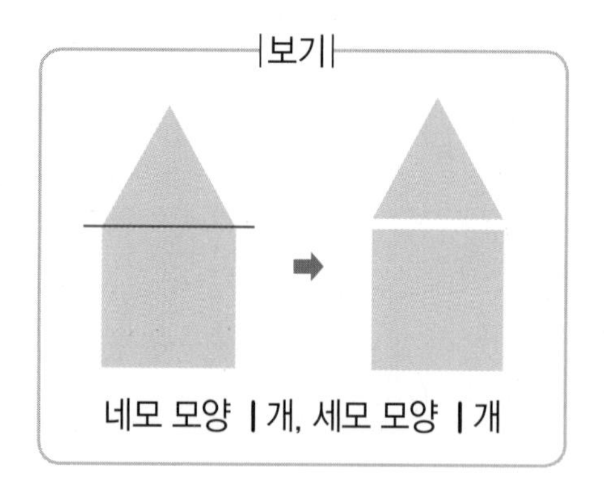

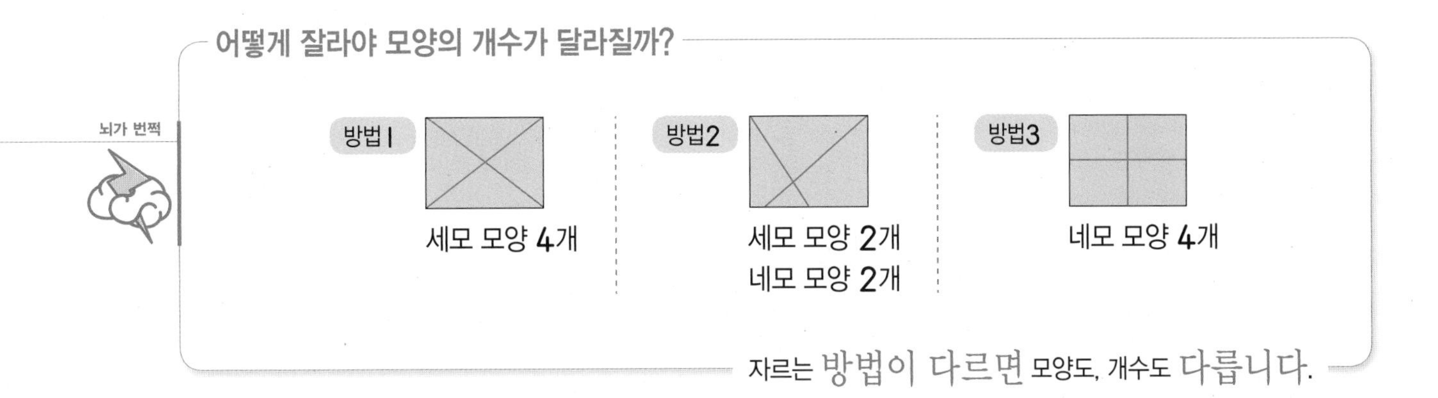

최상위 사고력

|보기|는 크기와 모양이 같은 세모 모양의 종이 2장을 겹친 후 겹쳐진 부분을 잘라서 네모 모양 2개와 세모 모양 2개를 얻은 것입니다. |보기|와 같이 크기와 모양이 같은 세모 모양의 종이 2장을 겹친 후 겹쳐진 부분을 잘라서 네모 모양 2개와 세모 모양 4개를 얻으려고 합니다. 어떻게 겹쳐야 하는지 그림으로 방법을 나타내시오.

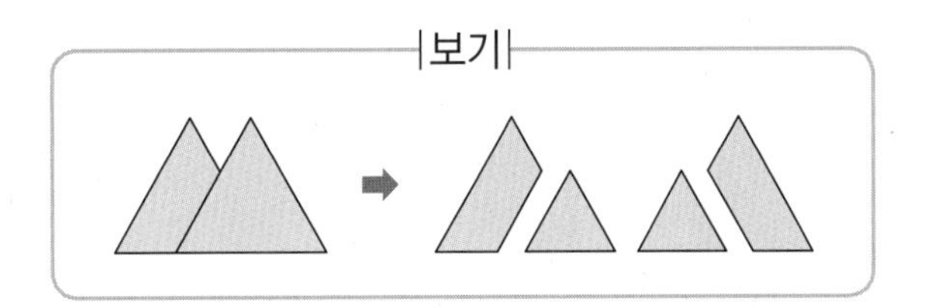

정답과 풀이 38쪽 ►

최상위 사고력

1 네모, 세모, 동그라미 모양의 종이를 겹쳐 놓았습니다. 가장 위에 있는 종이와 가장 아래에 있는 종이의 모양이 같은 것을 찾아 기호를 쓰시오.

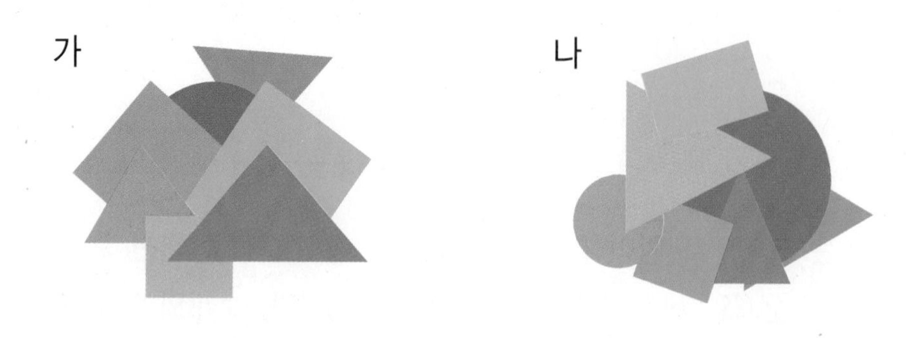

2 성냥개비를 이용하여 만든 모양입니다. 이 모양에서 찾을 수 있는 크고 작은 세모 모양은 모두 몇 개인지 구하시오.

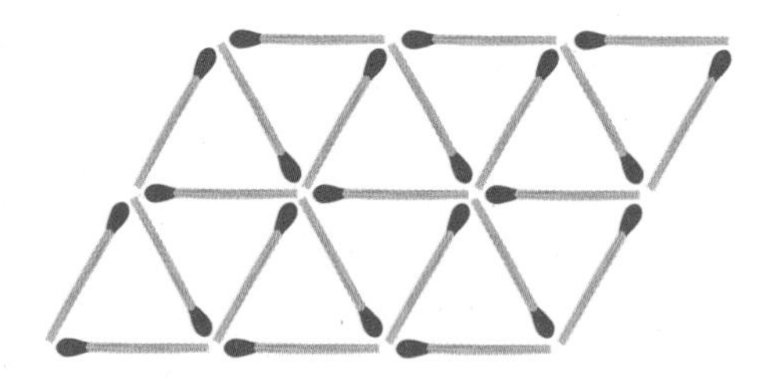

3 다음 그림에서 ★이 포함된 크고 작은 네모 모양은 모두 몇 개인지 구하시오.

★		

4 다음과 같이 색종이를 2번 접은 후 두 가지 방법으로 선을 따라 잘랐습니다. 만들어지는 세모 모양은 각각 몇 개인지 차례로 구하시오.

문제풀이

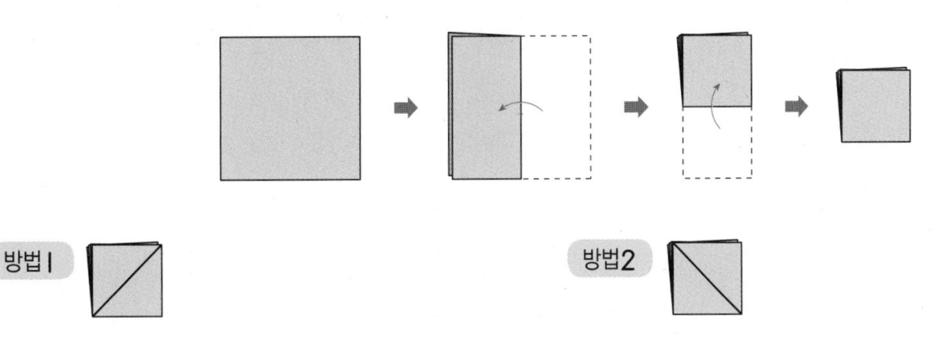

정답과 풀이 39쪽 ►

8-1. 조각으로 모양 만들기

1 오른쪽 모양을 만들 수 있는 2조각을 찾아 선으로 이으시오.

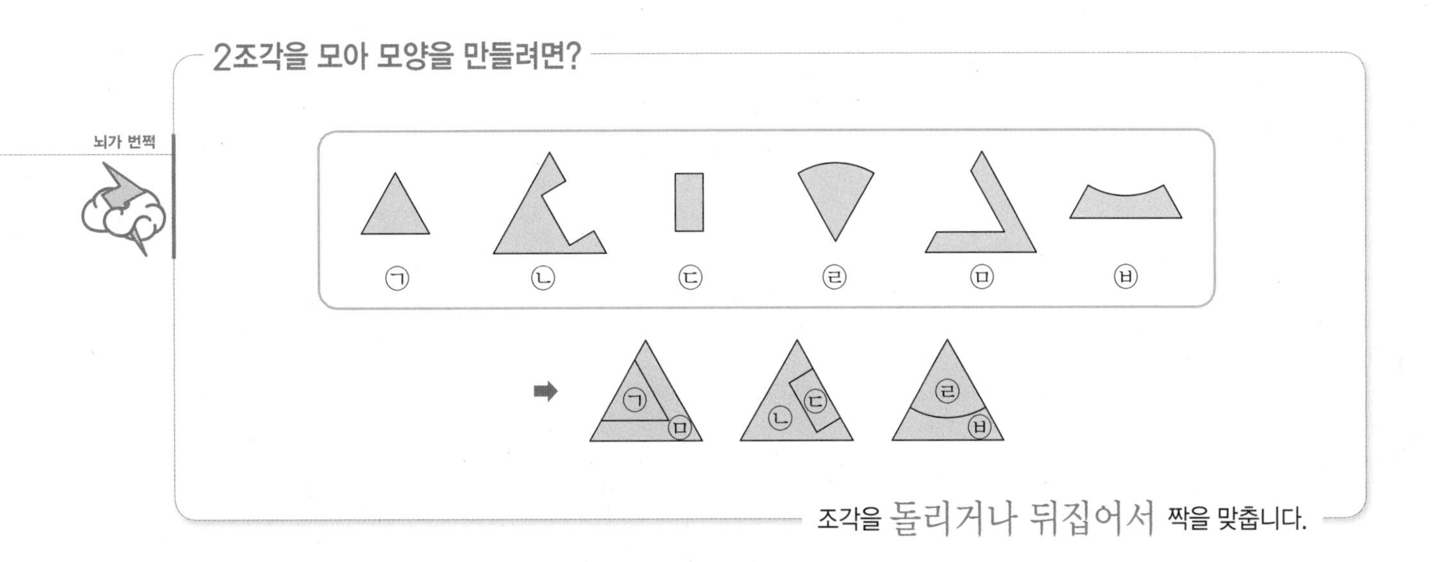

최상위 사고력

칠교판의 7조각 중 색칠한 조각을 각각 이용하여 모양을 만들었습니다. 만든 방법을 찾아 선을 그어 나타내시오.

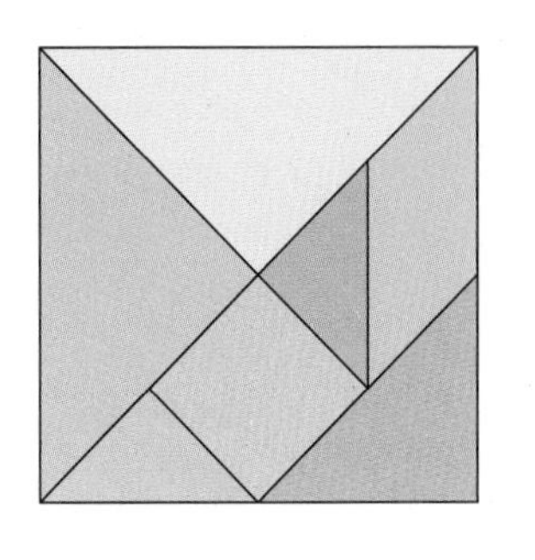

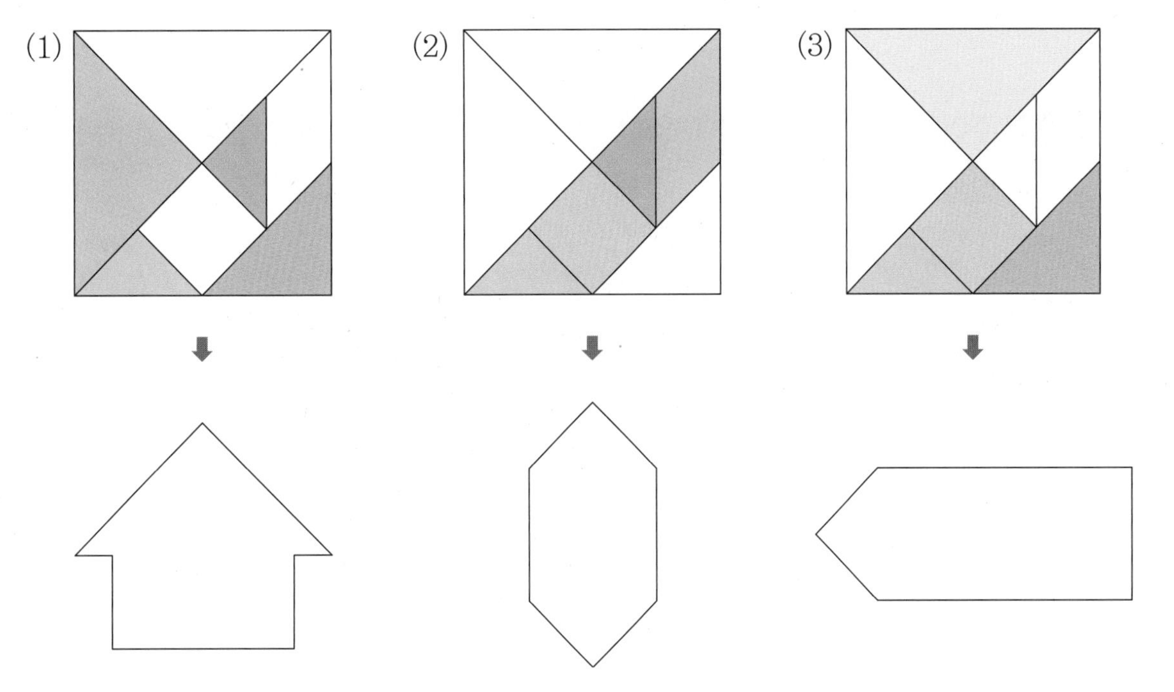

8-2. 모양 나누기

1 주어진 모양을 크기와 모양이 같은 4조각으로 나누려고 합니다. 나누는 방법을 찾아 선을 그어 나타내시오. (단, 돌리거나 뒤집었을 때 모양이 같은 것은 같은 것으로 생각합니다.)

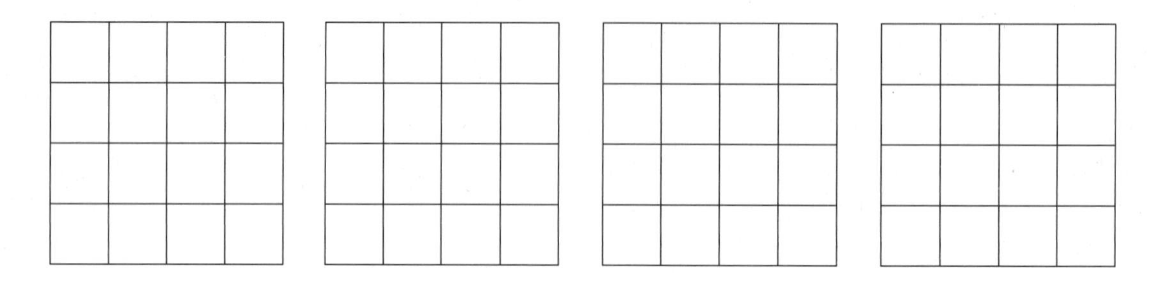

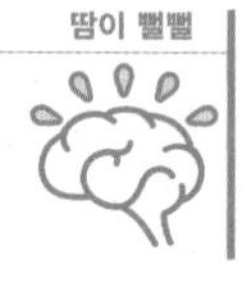

2 주어진 모양을 크기와 모양이 같은 4조각으로 나누려고 합니다. 나누는 방법을 찾아 선을 그어 나타내시오.

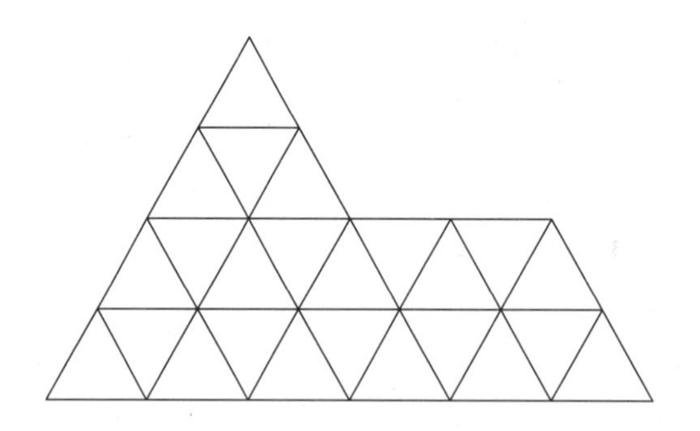

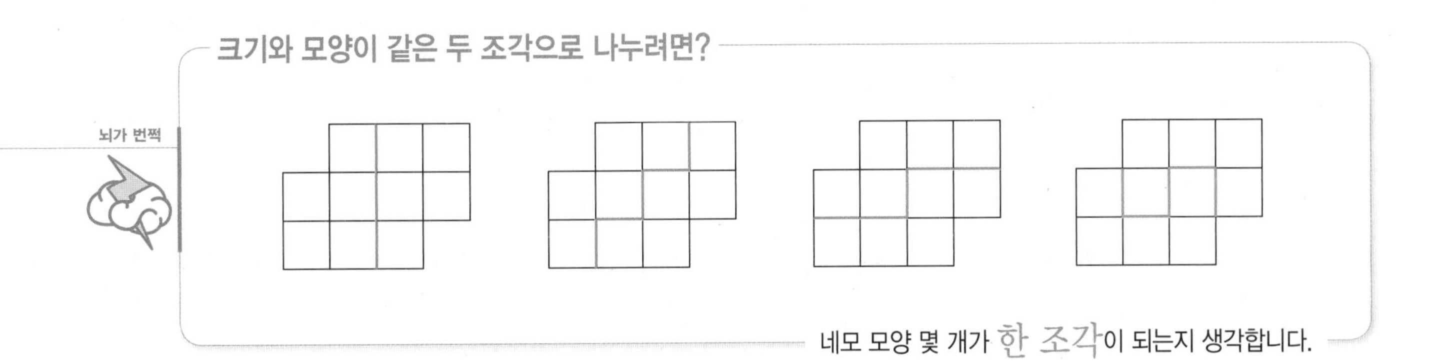

최상위 사고력

주어진 모양을 크기와 모양이 같은 3조각으로 나누려고 합니다. 나누는 방법을 찾아 선을 그어 나타내시오. (단, 나누어진 모든 조각에 ♥ 모양이 각각 한 개씩 있어야 합니다.)

(1)

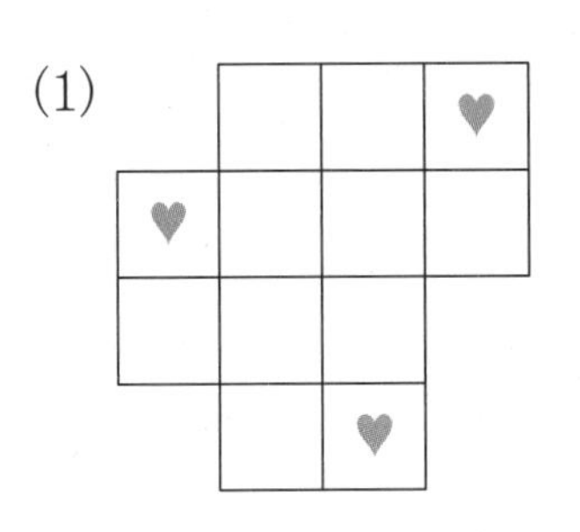

(2)

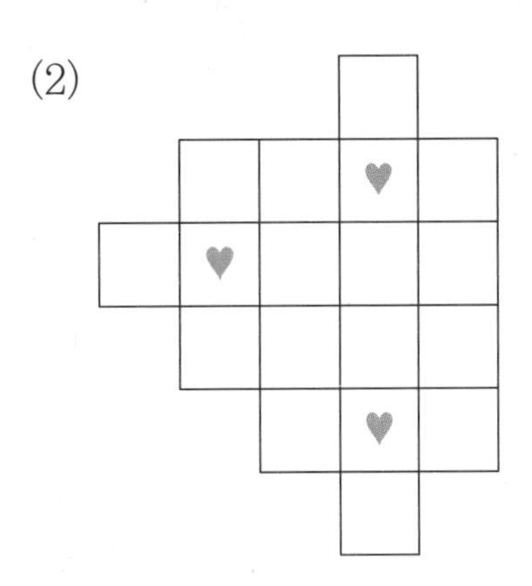

정답과 풀이 41쪽 ►

8-3. 성냥개비로 모양 만들기

1 |보기|는 성냥개비 16개를 이용하여 크기가 같은 네모 모양 4개를 만든 것입니다. 성냥개비 12개와 13개를 각각 이용하여 크기가 같은 네모 모양 4개를 만드시오.

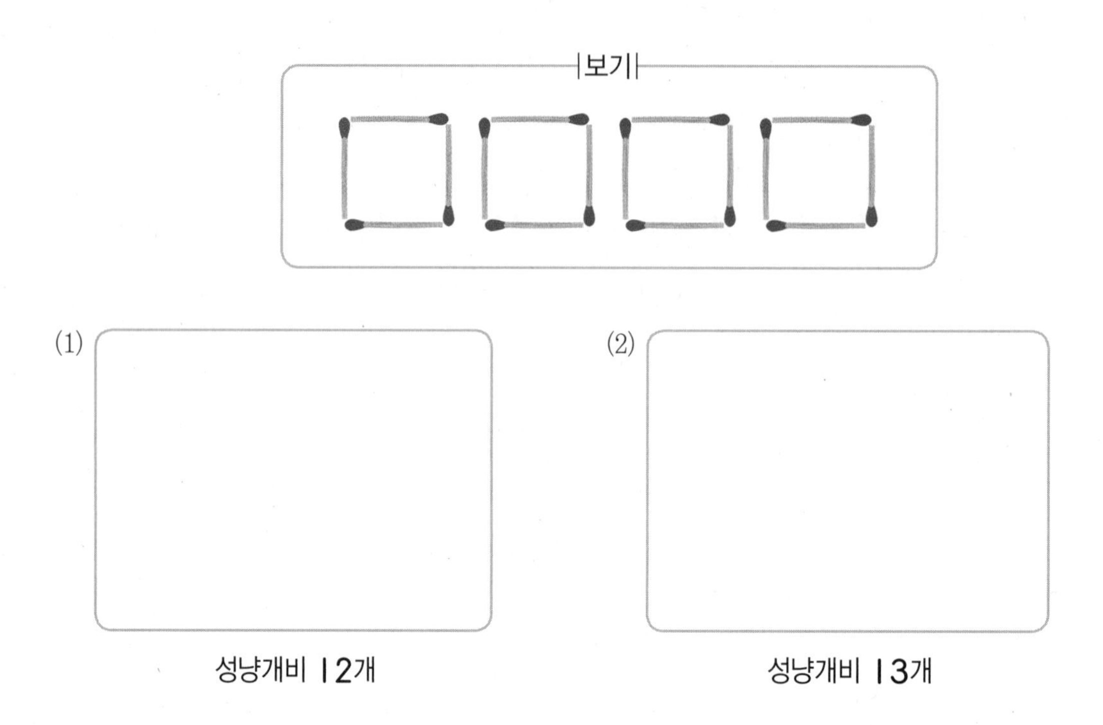

땀이 뻘뻘

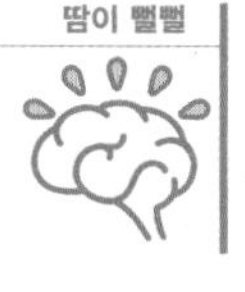

2 다음 모양은 성냥개비를 이용하여 크기가 같은 네모 모양 7개를 만든 것입니다. 이 모양에서 성냥개비 3개를 옮겨 크기가 같은 네모 모양 5개를 만드시오.

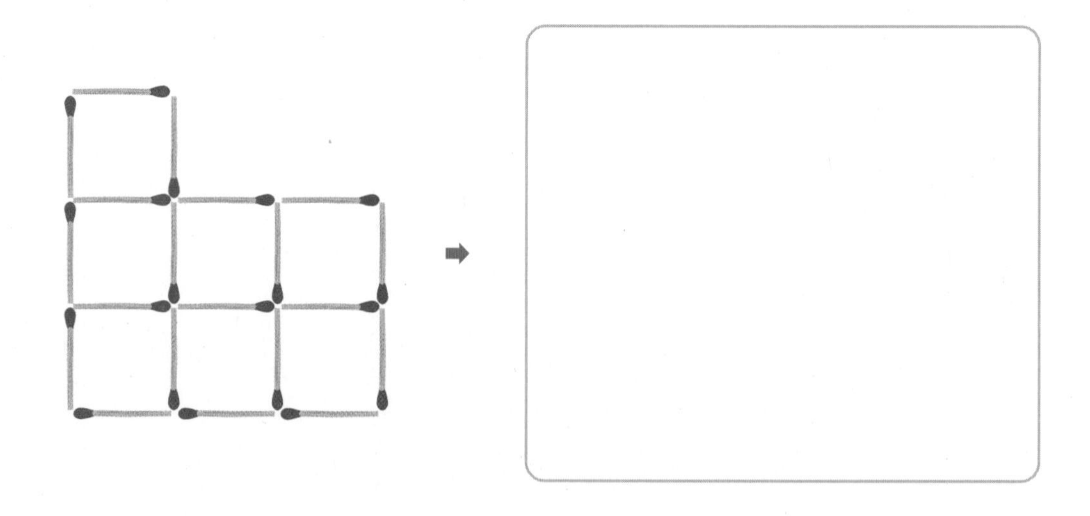

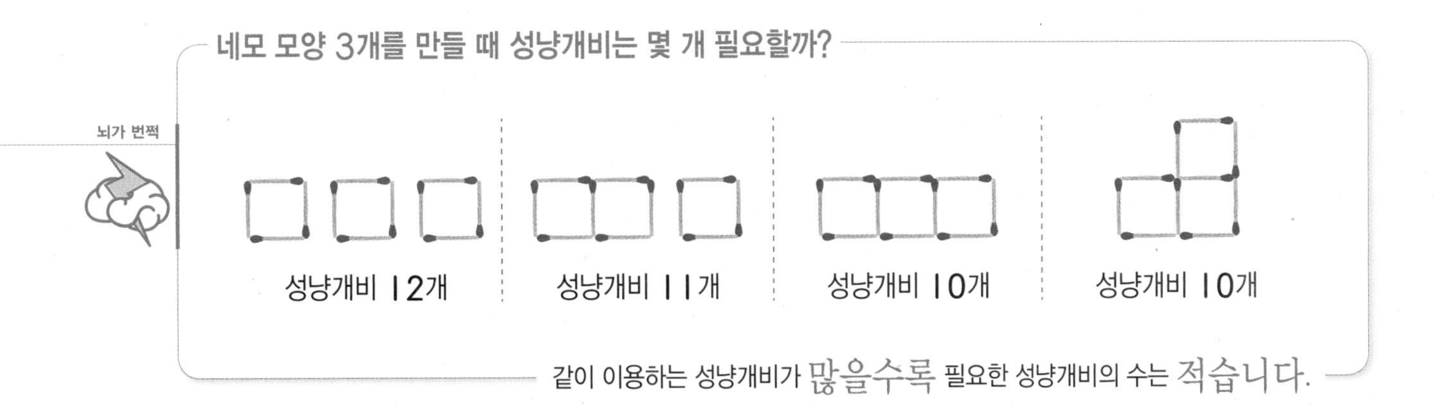

최상위 사고력

다음 모양은 성냥개비 12개를 이용하여 만든 것입니다. 이 모양에서 성냥개비 4개를 옮겨 세모 모양 3개를 만드시오.

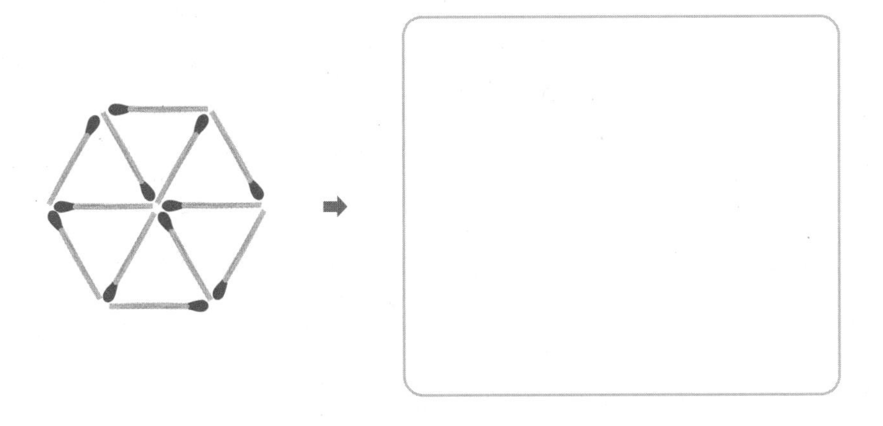

성냥개비 4개를 옮겨 만든 세모 모양 3개의 크기는 달라도 됩니다.

정답과 풀이 42쪽 ►

최상위 사고력

1 칠교판의 7조각 중 5조각을 각각 이용하여 네모 모양을 두 가지 만들었습니다. 만든 방법을 찾아 선을 그어 나타내시오.

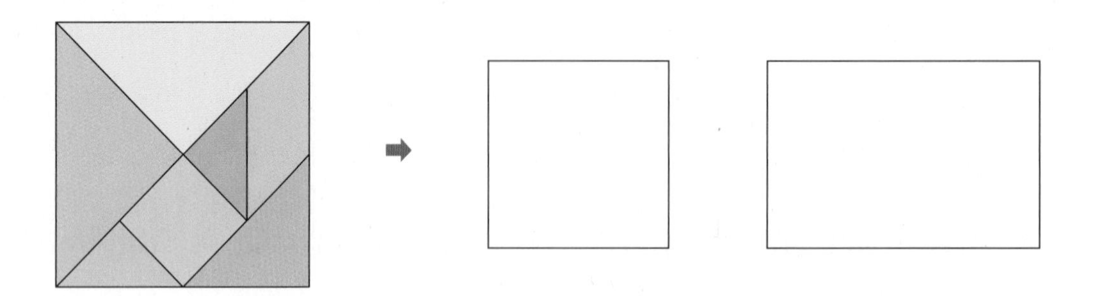

2 주어진 모양을 크기와 모양이 같은 4조각으로 나누려고 합니다. 나누는 방법을 찾아 선을 그어 나타내시오. (단, 나누어진 모든 조각에 ☆, ★ 모양이 각각 한 개씩 있어야 합니다.)

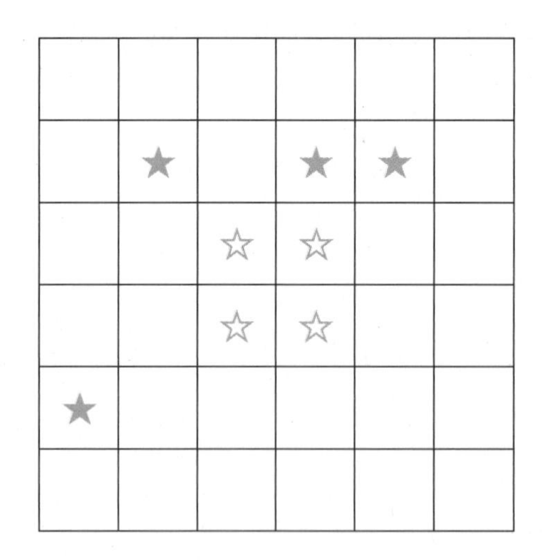

3 왼쪽 모양을 세 조각으로 나눈 다음 이어 붙여서 오른쪽 모양을 만들었습니다. 자른 방법과 이어 붙인 방법을 찾아 선을 그어 나타내시오.

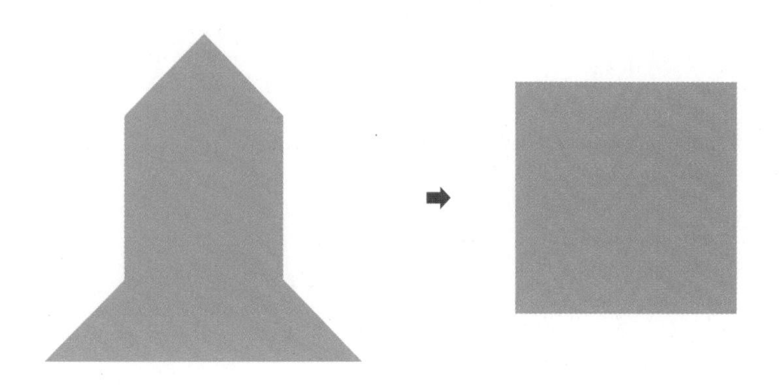

4 다음 모양은 성냥개비 15개를 이용하여 만든 것입니다. 이 모양에서 성냥개비 4개를 옮겨 네모 모양 2개를 만드시오.

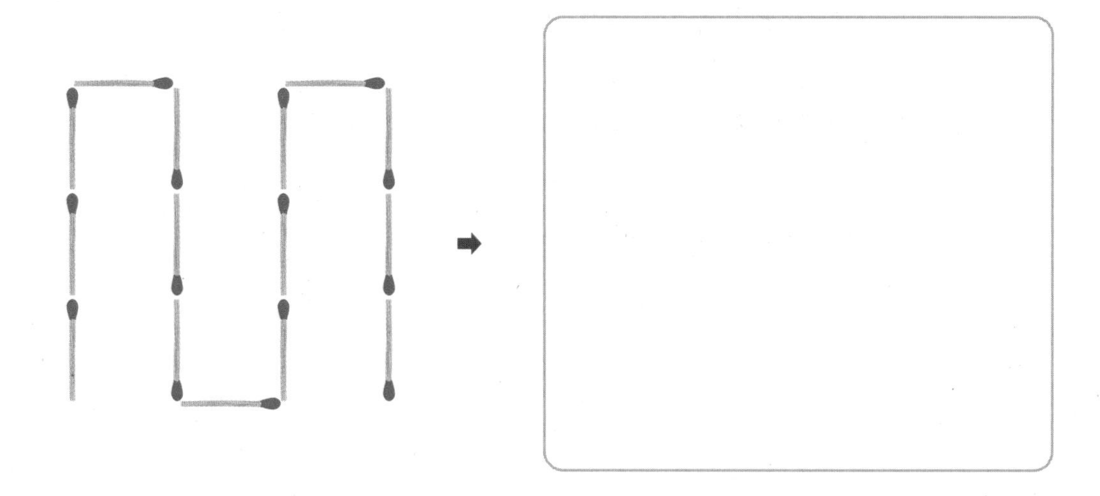

1 다음과 같이 크기와 모양이 같은 색종이 2장을 겹쳤습니다. 겹쳐진 부분을 따라 잘랐을 때 나올 수 없는 모양을 찾아 기호를 쓰시오.

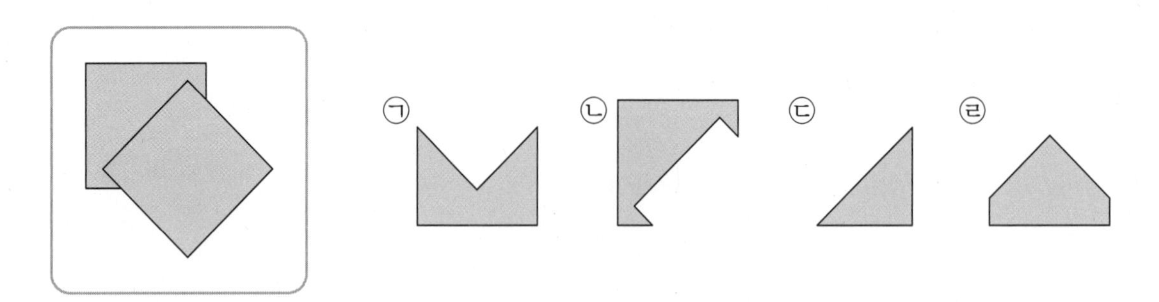

2 주어진 점을 이어 크고 작은 세모 모양을 그리려고 합니다. 그릴 수 있는 크고 작은 세모 모양은 모두 몇 가지인지 구하시오. (단, 돌리거나 뒤집었을 때 같은 모양은 같은 것으로 생각합니다.)

3 다음과 같이 색종이를 접었다가 펼친 후, 접힌 선을 따라 잘랐습니다. 어떤 모양이 몇 개 만들어지는지 차례로 구하시오.

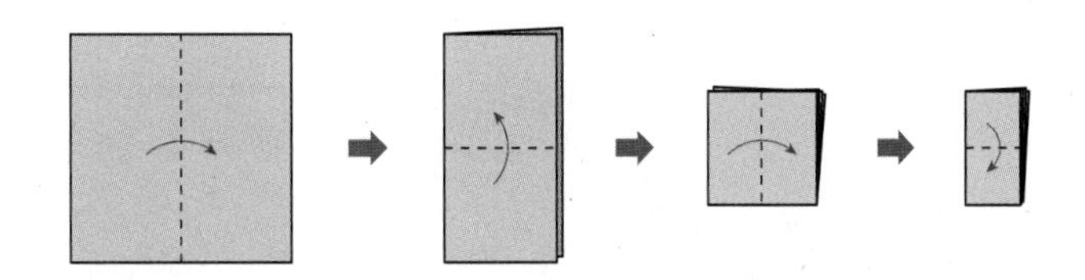

4 다음 그림에서 찾을 수 있는 크고 작은 세모 모양은 모두 몇 개인지 구하시오.

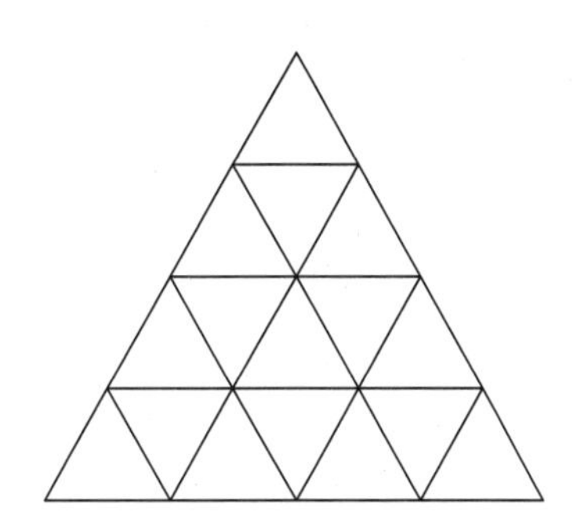

5 칠교판의 7조각을 모두 이용하여 네모 모양을 만들었습니다. 만든 방법을 찾아 선을 그어 나타내시오.

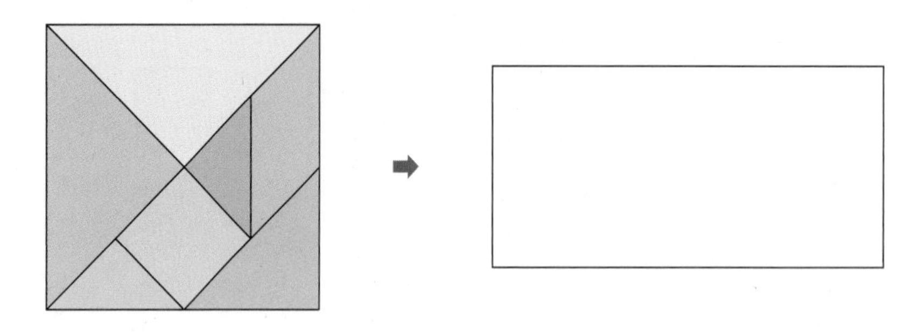

6 주어진 모양을 크기와 모양이 같은 4조각으로 나누려고 합니다. 나누는 방법을 찾아 선을 그어 나타내시오. (단, 나누어진 모든 조각에 ♥, ★, ♣ 모양이 각각 한 개씩 있어야 합니다.)

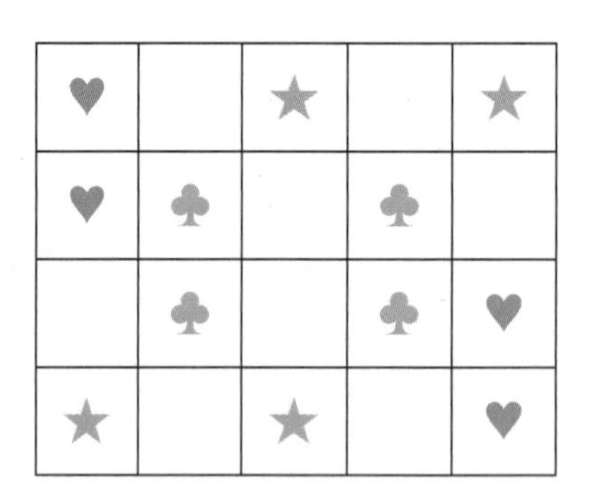

정답과 풀이 44쪽 ►

규칙

9-1. 여러 가지 패턴

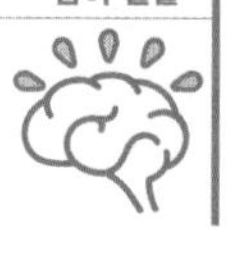

1 규칙에 따라 빈 곳에 알맞은 모양을 완성하시오.

(1)

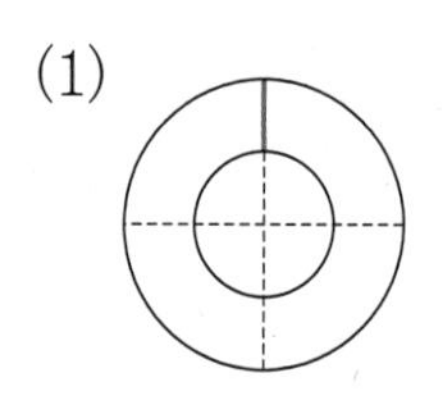
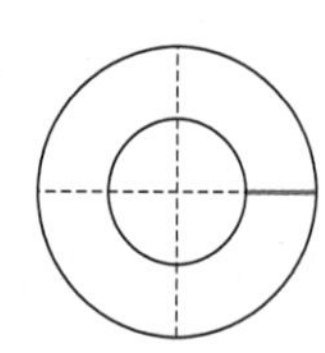
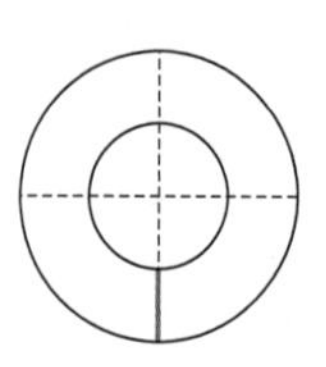
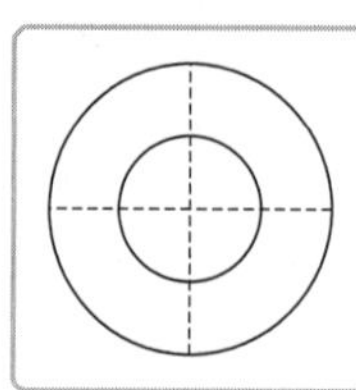
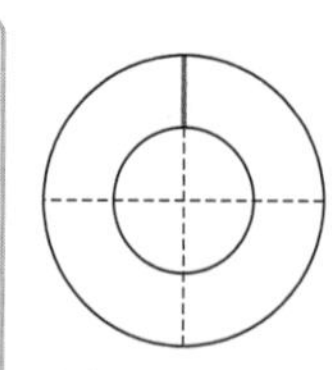
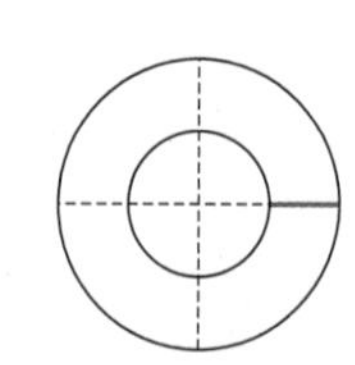

(2)

(3)

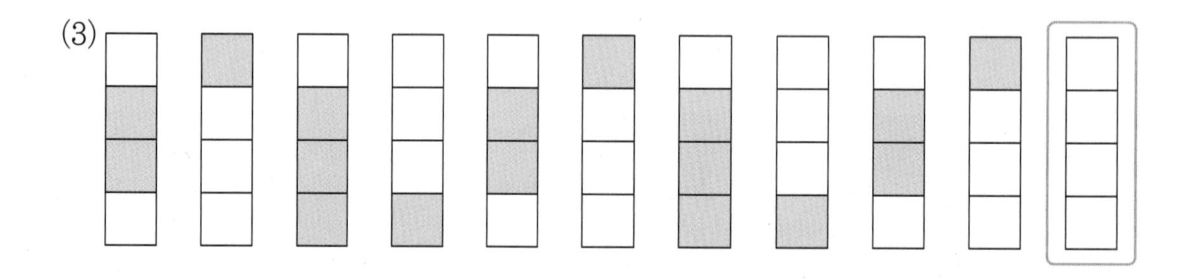

(4)

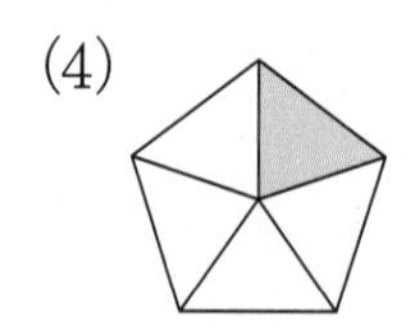
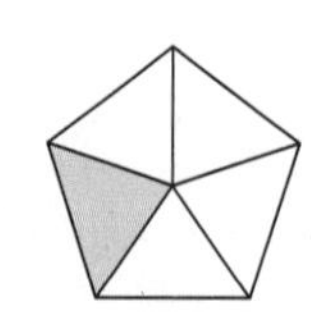
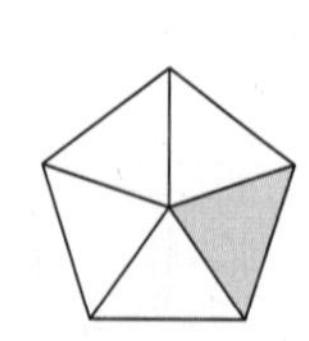
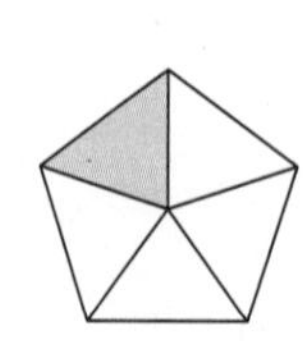
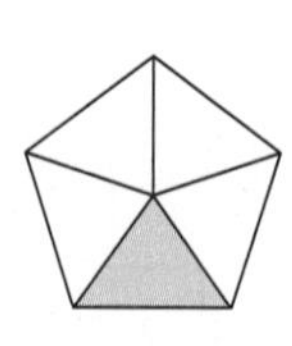
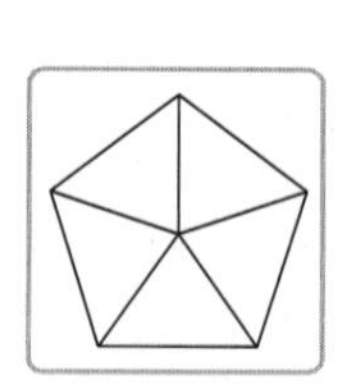

규칙을 어떻게 찾을까?

뇌가 번쩍

◎ ◇ ◇ ◎ ◇ ◇ ◎ ◇ ◇ □

➡ ◎ ◇ ◇이 반복되는 규칙이므로 빈 곳에 알맞은 모양은 ◎ 입니다.

모양, 방향, 개수, 크기, 색깔 등 각각의 속성별로 규칙을 찾습니다.

최상위 사고력

규칙에 따라 빈 곳에 알맞은 모양을 그리시오.

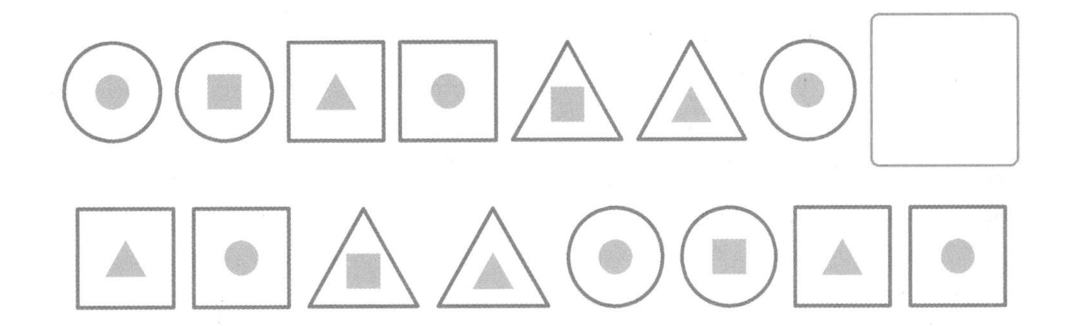

정답과 풀이 46쪽 ►

9-2. 회전 패턴

1 규칙에 따라 빈 곳에 알맞은 모양을 완성하시오.

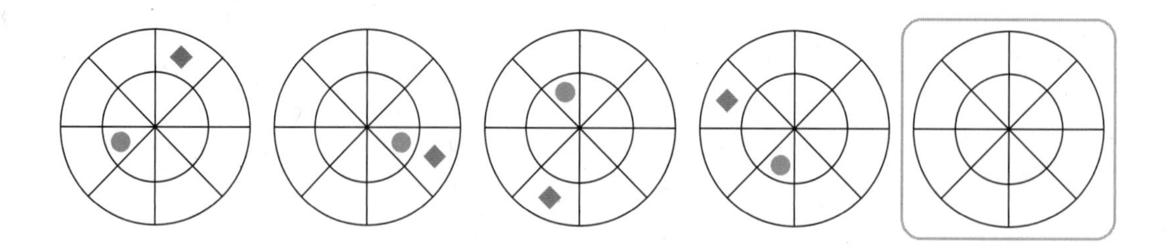

2 규칙에 따라 8번째에 알맞은 모양을 완성하시오.

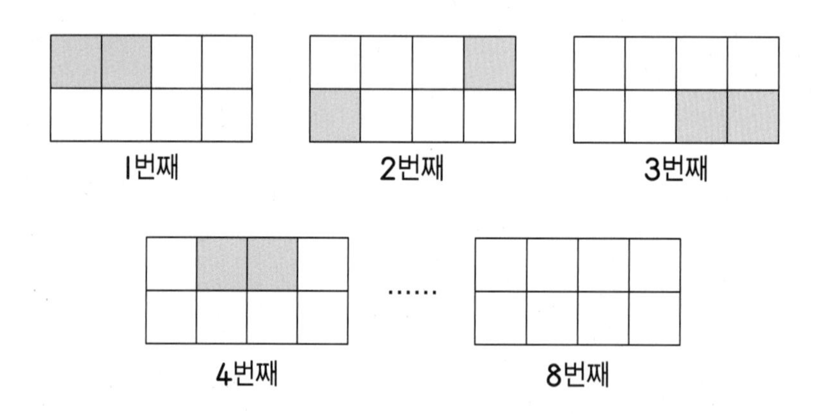

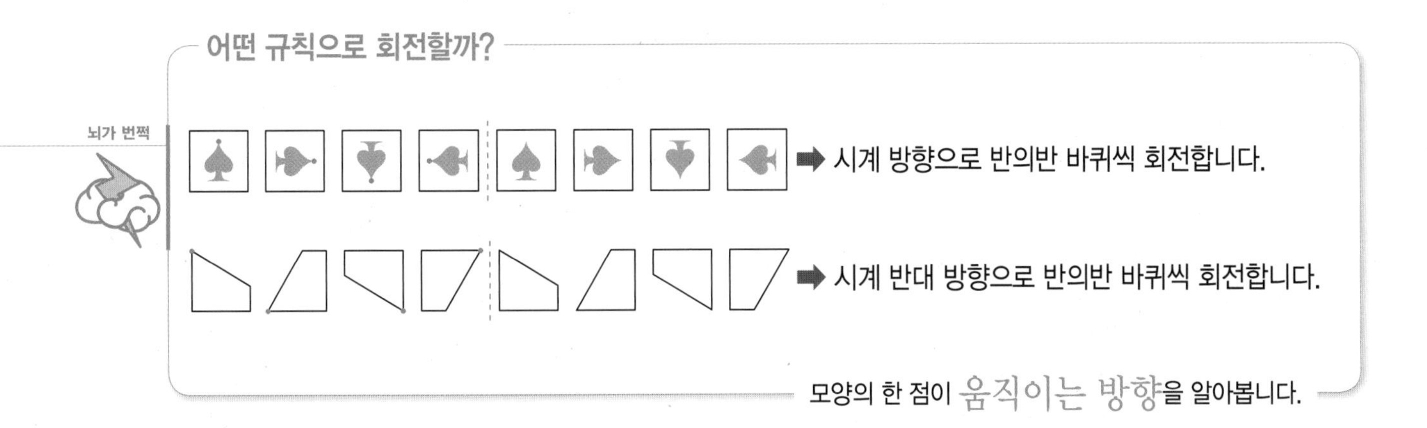

최상위 사고력

규칙에 따라 5번째에 알맞은 모양을 완성하시오.

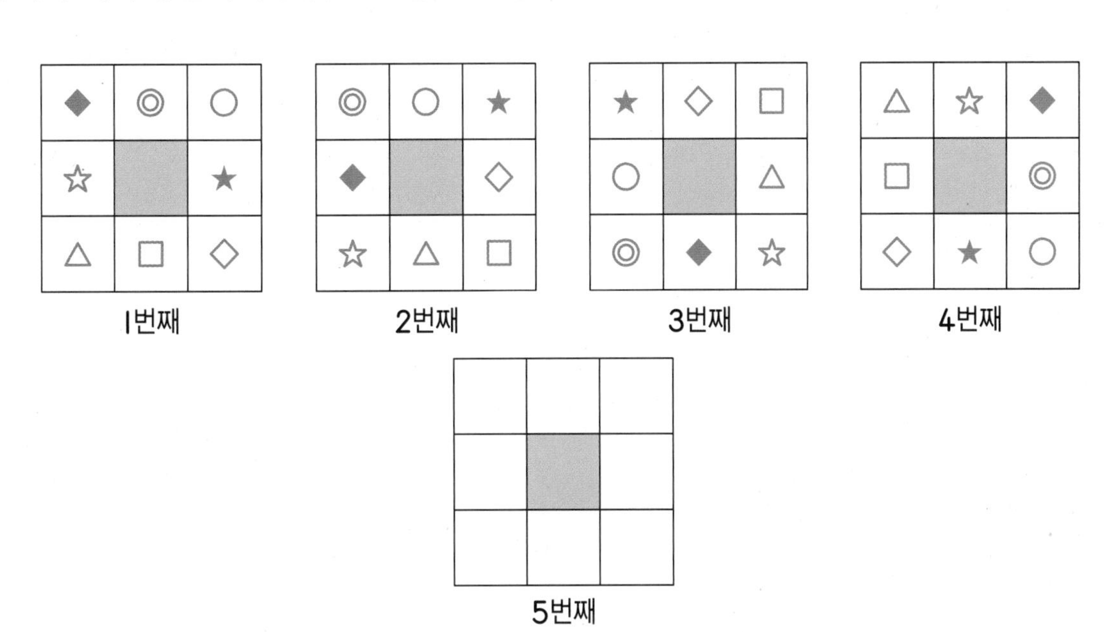

9-3. 규칙에 따른 패턴

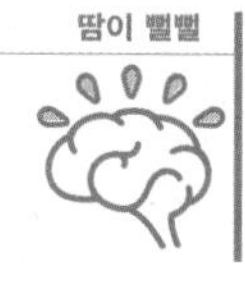

1 |규칙|에 따라 모양이 바뀝니다. 빈 곳에 알맞은 모양을 그리시오.

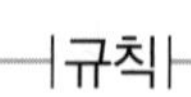

㉠ 왼쪽 모양을 색칠합니다.	㉡ 작은 모양을 크게 만듭니다.
㉢ 오른쪽 모양을 네모 모양으로 바꿉니다.	㉣ 두 모양의 위치를 바꿉니다.
㉤ 오른쪽 모양의 색을 지웁니다.	㉥ 큰 모양을 작게 만듭니다.

(1)

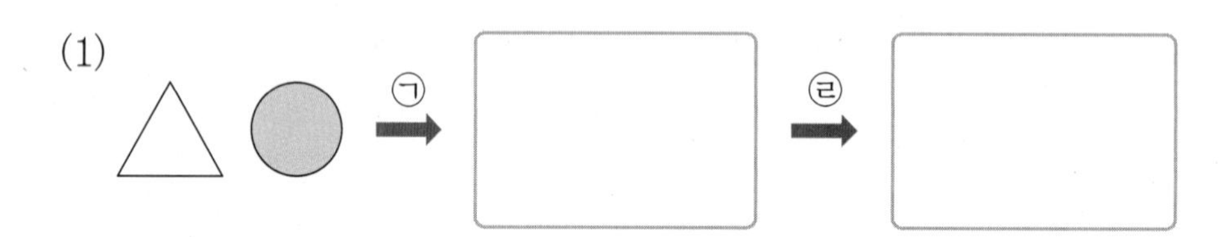

(2)

(3)

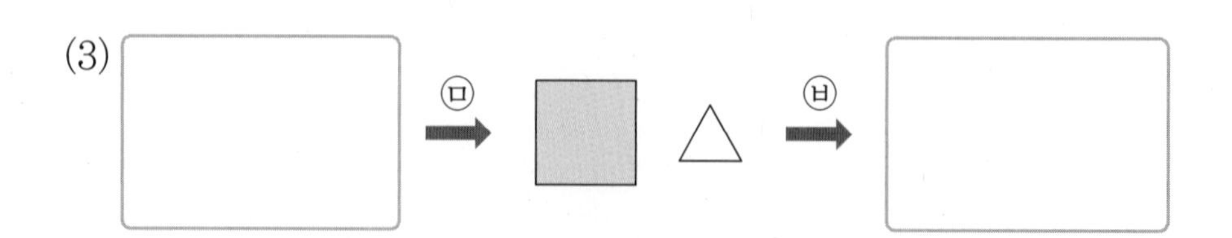

뇌가 번쩍

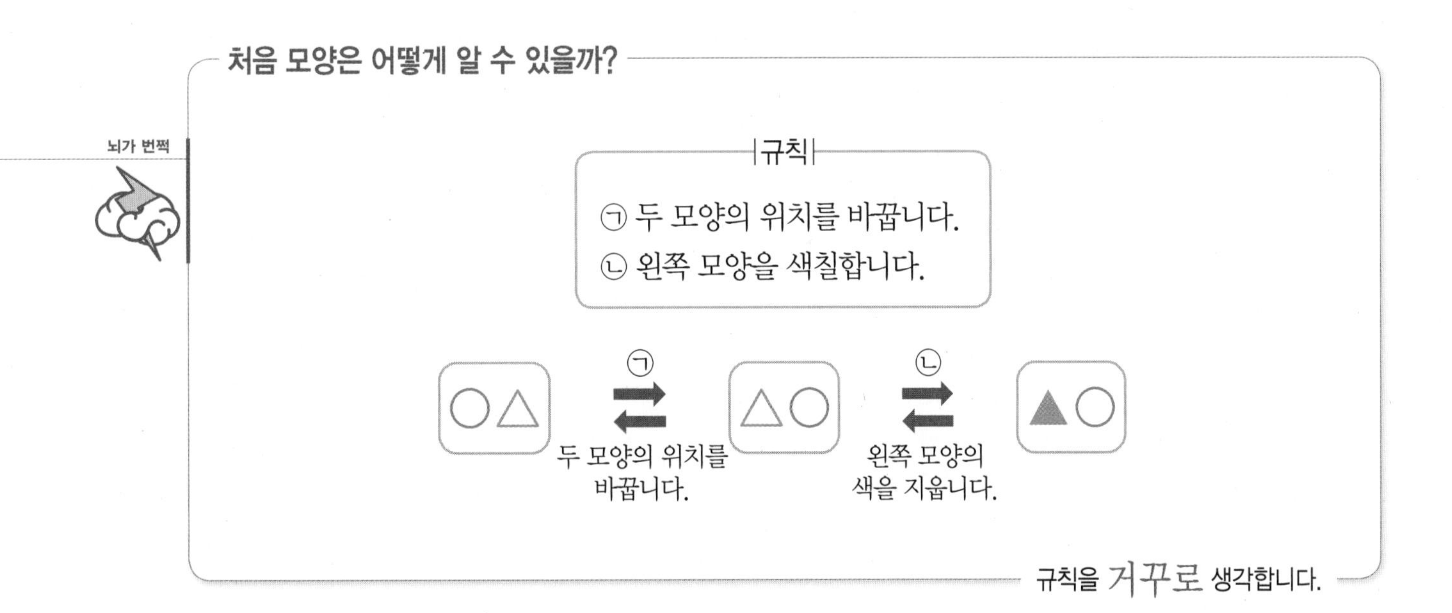

최상위 사고력

|규칙|에 따라 모양이 바뀝니다. 빈 곳에 알맞은 모양을 그리시오.

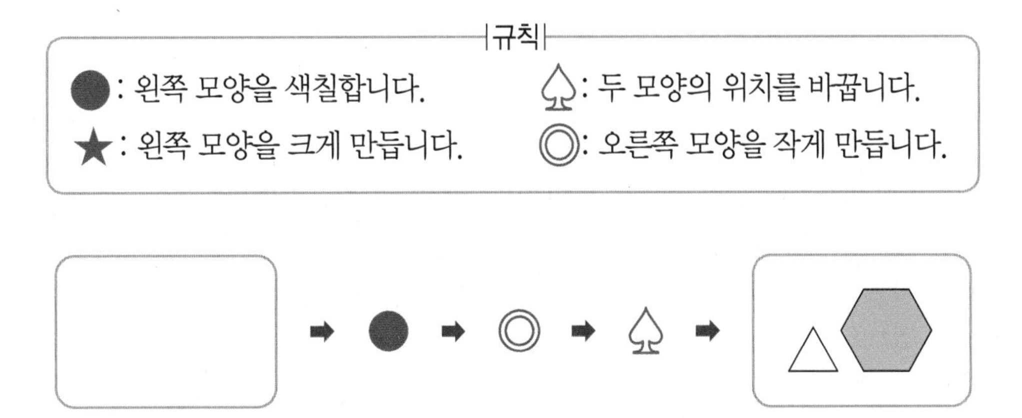

정답과 풀이 47쪽 ►

최상위 사고력

| 경시대회 기출 |

1 규칙에 따라 빈 곳에 알맞은 모양을 고르시오.

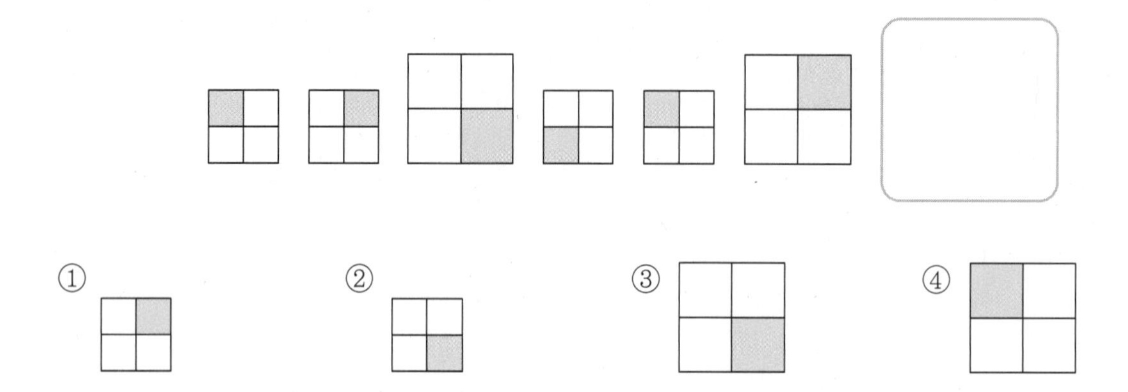

2 규칙에 따라 30번째에 알맞은 모양을 그리시오.

| 경시대회 기출 |

3 규칙에 따라 빈 곳에 알맞은 모양을 완성하시오.

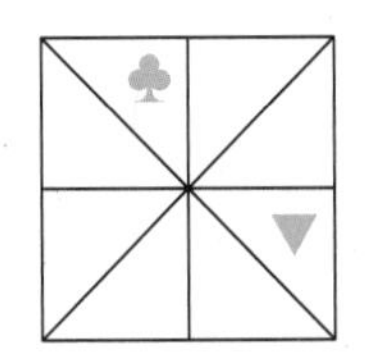 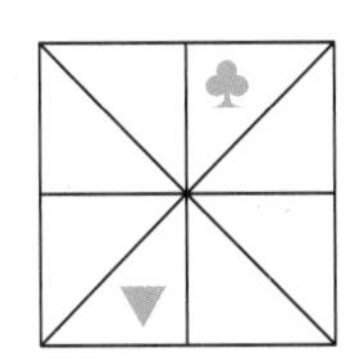 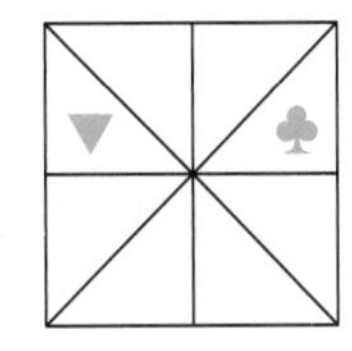 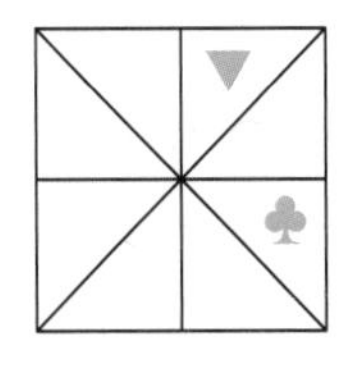 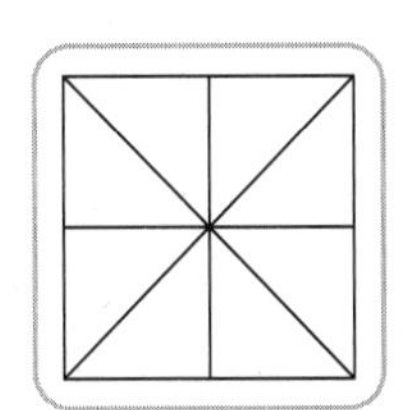

4 |규칙|에 따라 모양이 바뀝니다. 빈 곳에 알맞은 모양을 그리시오.

|규칙|

➡: 작은 모양은 크게, 큰 모양은 작게 만듭니다.

⇔: 2번째 모양과 3번째 모양의 순서를 서로 바꿉니다.

⇨: 1번째 모양이 가장 오른쪽으로 옵니다.

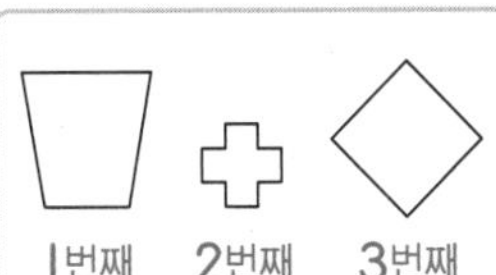

 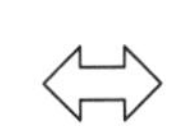  

정답과 풀이 48쪽 ►

10-1. 다른 하나

땀이 뻘뻘

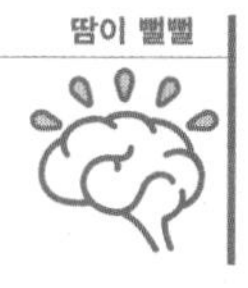

1 다른 하나를 찾아 ○표 하시오.

(1)

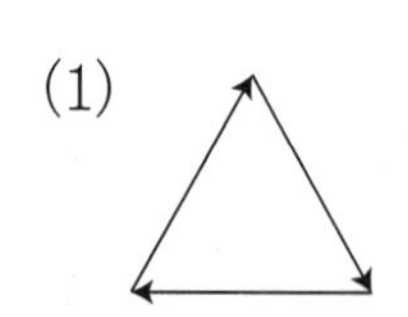
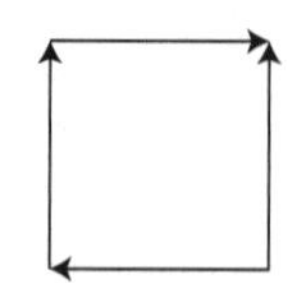
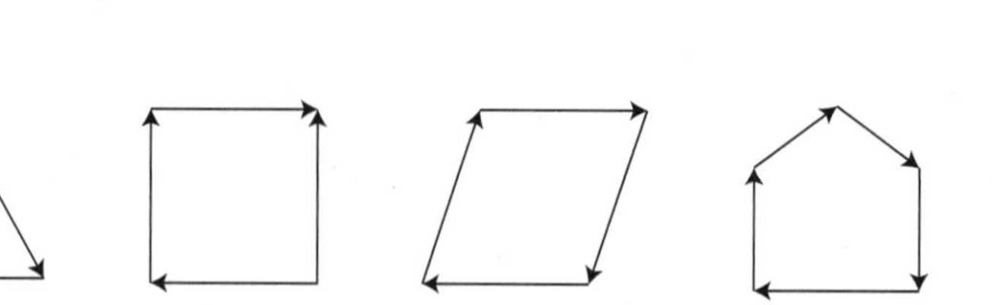
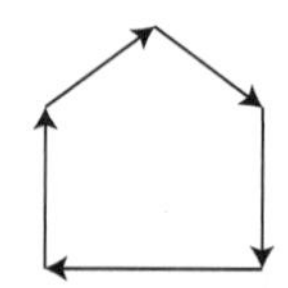
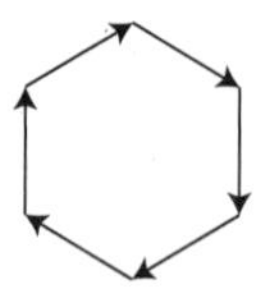

(2)

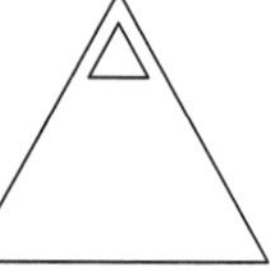
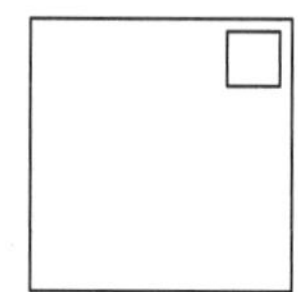
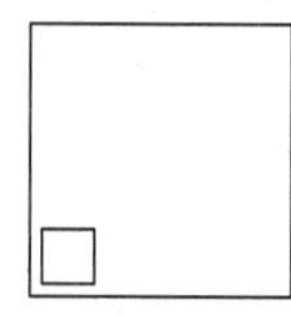
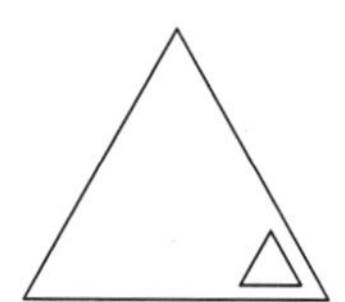

(3)

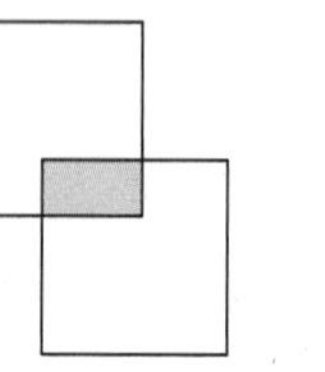

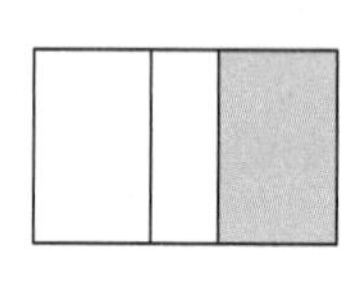
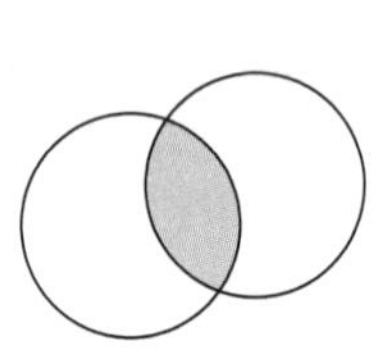
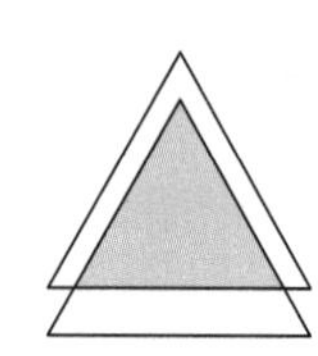

(4)

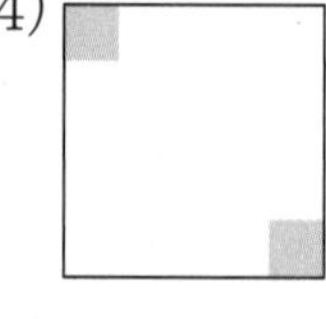
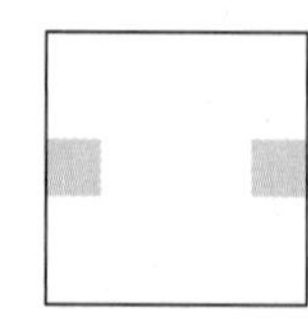
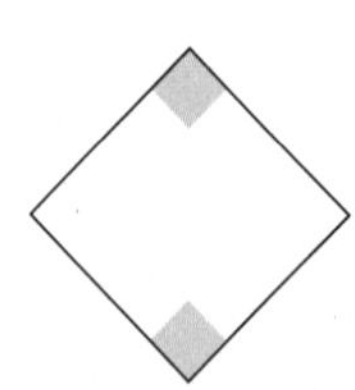
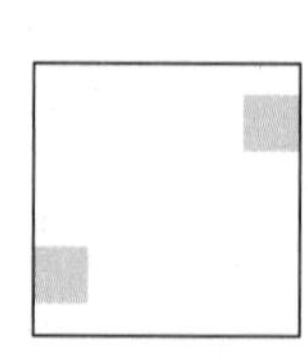
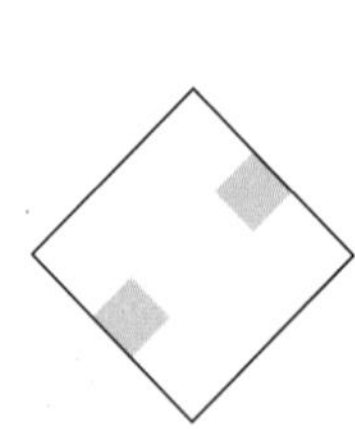

뇌가 번쩍

다른 하나는 어떻게 찾을까?

㉠ 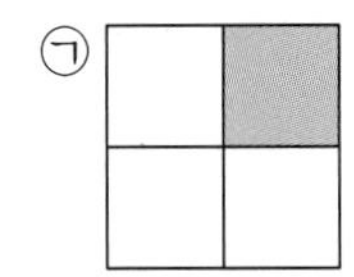 ㉡ 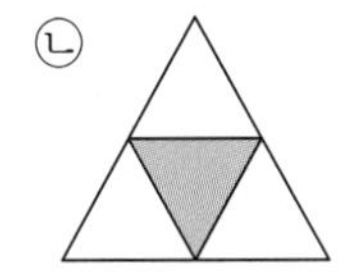 ㉢ 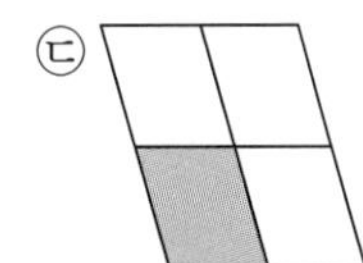 ㉣ 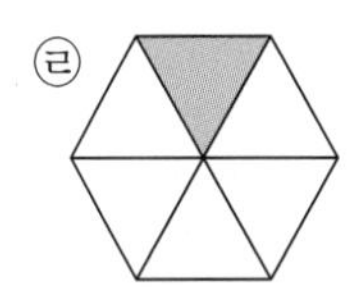

공통점: 똑같은 조각으로 나누어 한 조각을 색칠하였습니다.
차이점: ㉠, ㉡, ㉢은 4조각으로 나누었지만 ㉣은 6조각으로 나누었습니다.
➡ 다른 하나는 ㉣입니다.

공통점과 차이점을 찾습니다.

최상위 사고력

다른 하나를 찾아 ○표 하시오.

ㄹ ㄴ ㅌ ㅁ ㄷ

TIP 답은 다양하게 나올 수 있습니다.

정답과 풀이 49쪽 ►

10-2. 모양의 관계 찾기

1 ①번, ②번 모양과 ③번, ④번 모양의 관계가 서로 같다고 할 때, 빈칸에 알맞은 그림을 그리시오.

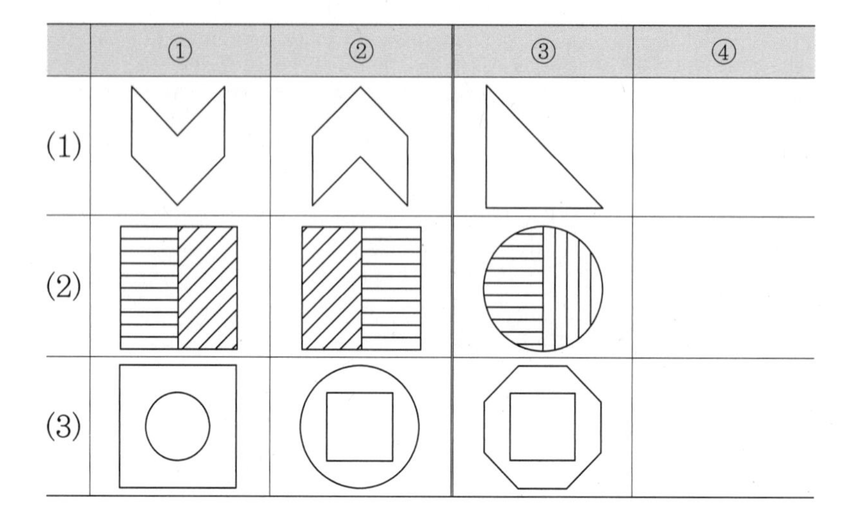

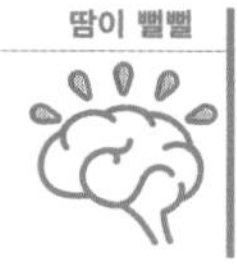

2 다음을 보고 관계가 서로 같은 두 카드를 찾아 기호를 짝지으시오.

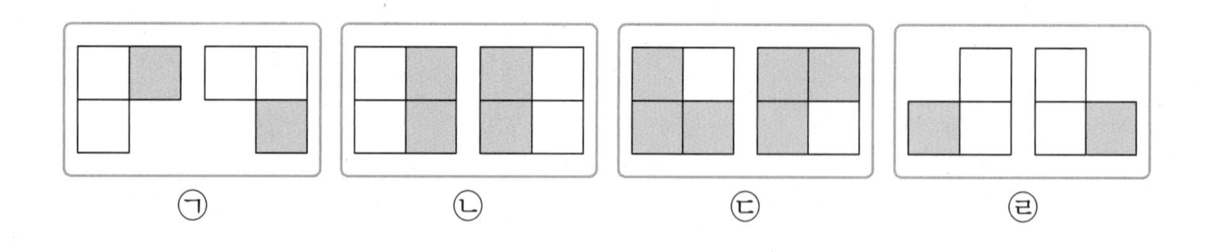

㉠ ㉡ ㉢ ㉣

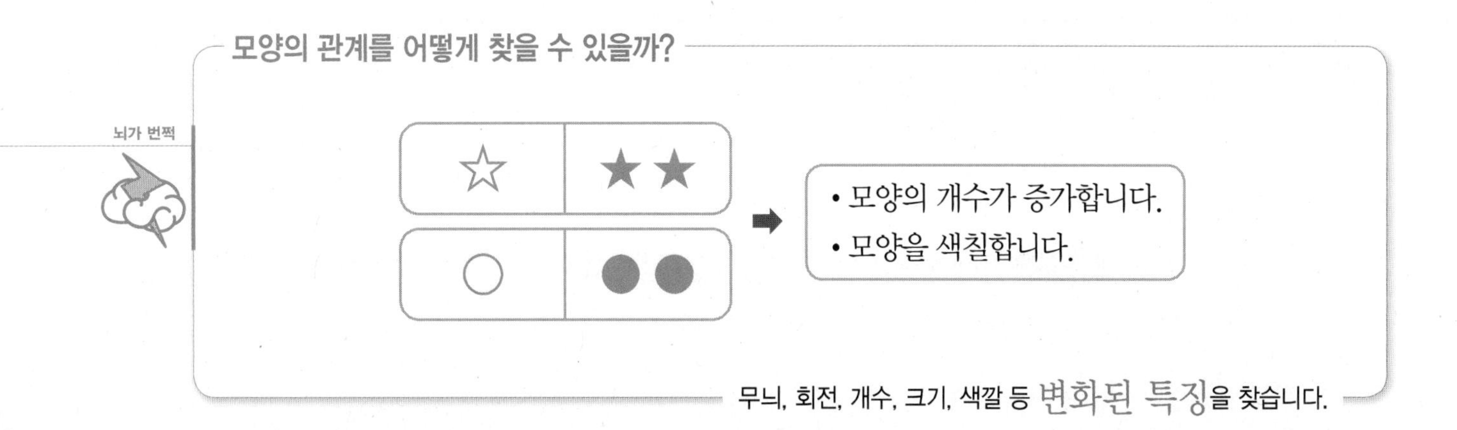

최상위 사고력

|보기|**와 같은 방법으로 빈 곳에 알맞은 모양을 그리시오.**

|보기|

$+$ $-$ $=$

$+$ $-$ $=$

정답과 풀이 49쪽 ►

10-3. 표에서 관계 찾기

1 규칙에 따라 빈칸에 알맞은 모양의 기호를 쓰시오.

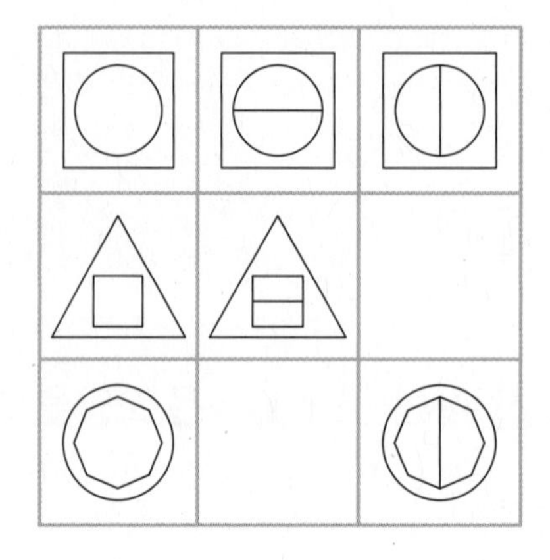

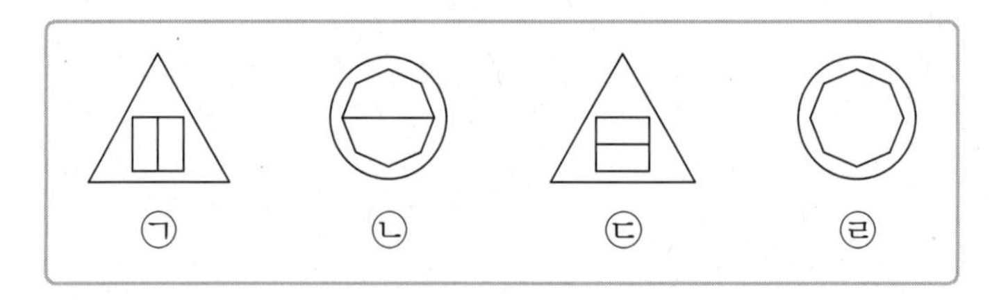

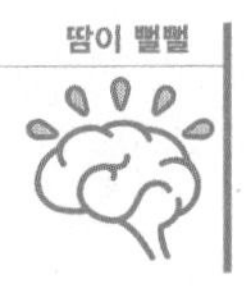

2 규칙에 따라 빈칸에 알맞은 모양을 그리시오.

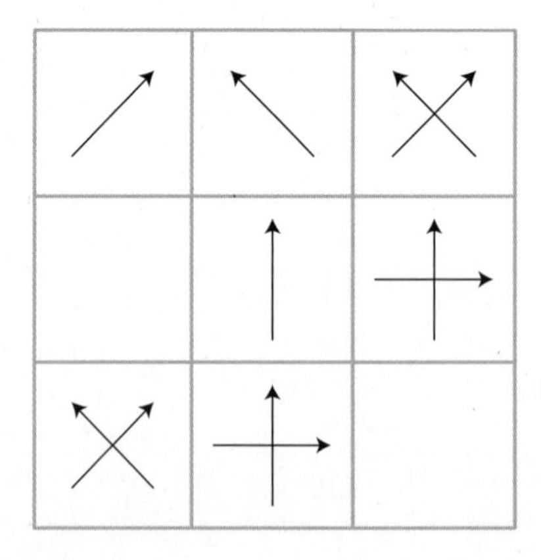

뇌가 번쩍

빈칸에 알맞은 모양은 어떻게 찾을까?

1번째 2번째 3번째

➡ 1번째 모양과 2번째 모양을 겹치면 3번째 모양이 되므로

빈칸에 알맞은 모양은 입니다.

어떤 규칙에 따라 모양이 변하는지 살펴봅니다.

최상위 사고력

규칙에 따라 빈칸에 알맞은 모양을 그리시오.

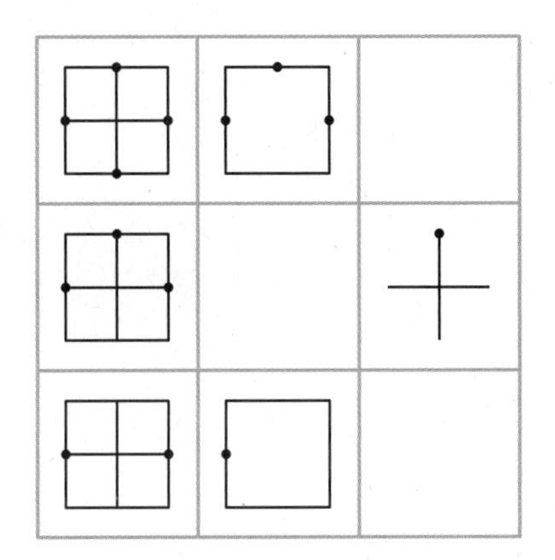

1 다른 하나를 찾아 기호를 쓰시오.

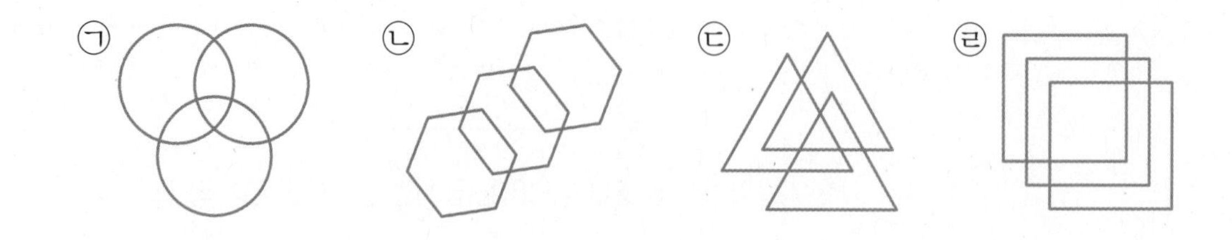

| 경시대회 기출 |

2 |보기|와 같은 방법으로 빈 곳에 알맞은 모양을 그리시오.

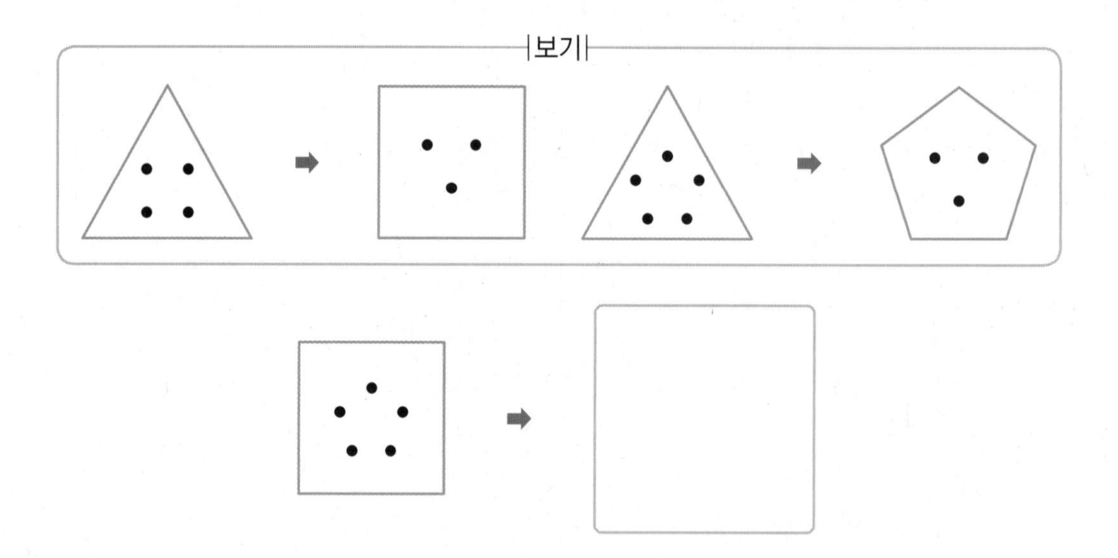

3 규칙에 따라 빈칸에 알맞은 모양을 그리시오.

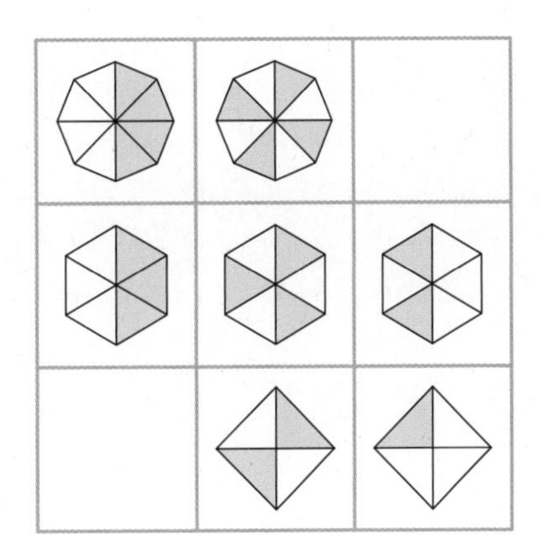

4 규칙에 따라 빈 곳에 알맞은 모양을 그리시오.

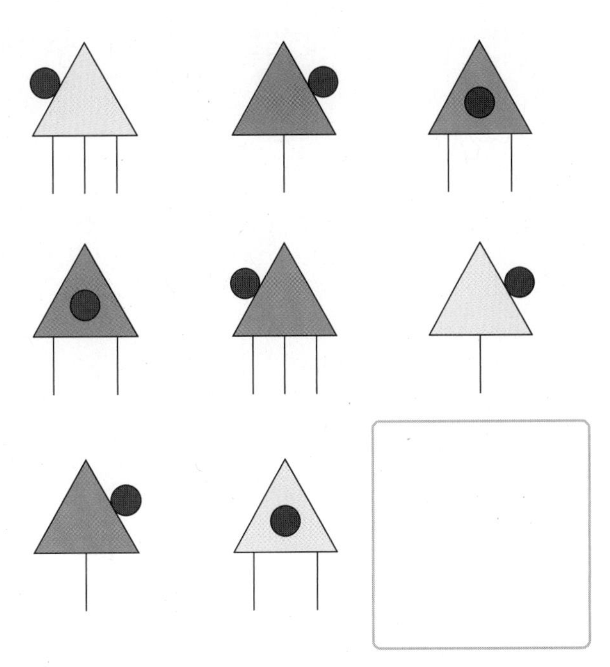

11-1. 숨겨진 수의 규칙 찾기

1 규칙에 따라 마지막 도미노를 완성하시오.

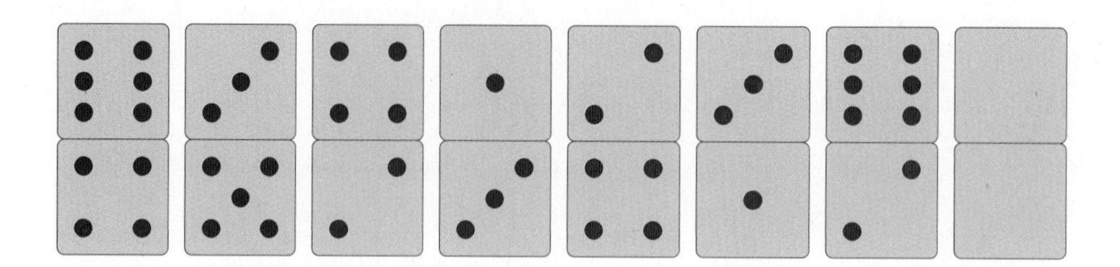

땀이 뻘뻘

2 |보기|와 같은 규칙으로 □ 안에 알맞은 수를 써넣으시오.

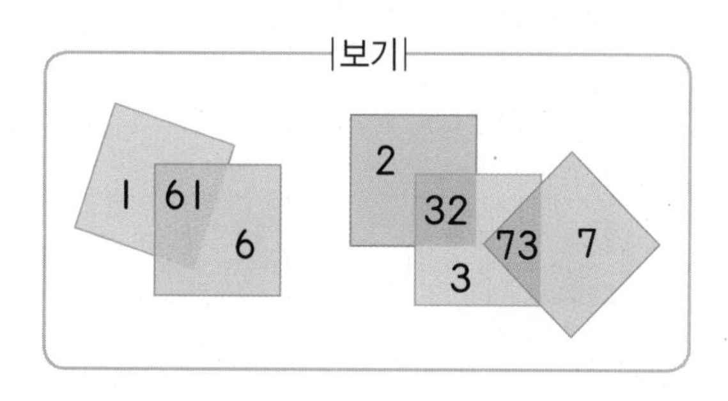

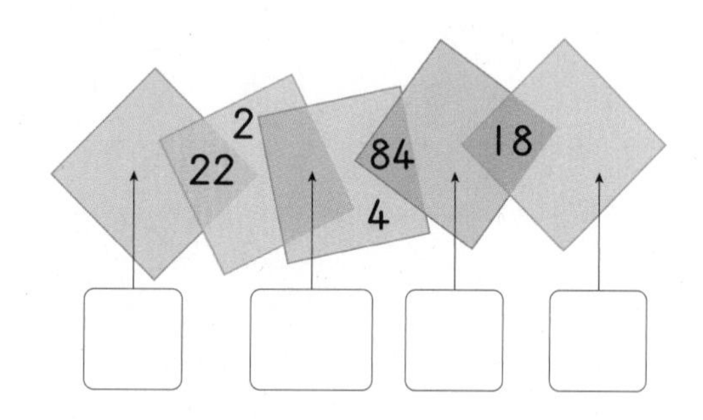

최상위 사고력

|보기|와 같은 규칙으로 ◯ 안에 알맞은 수를 써넣으시오.

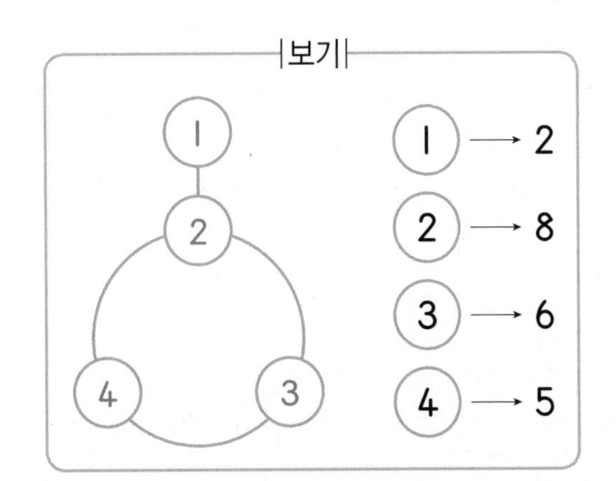

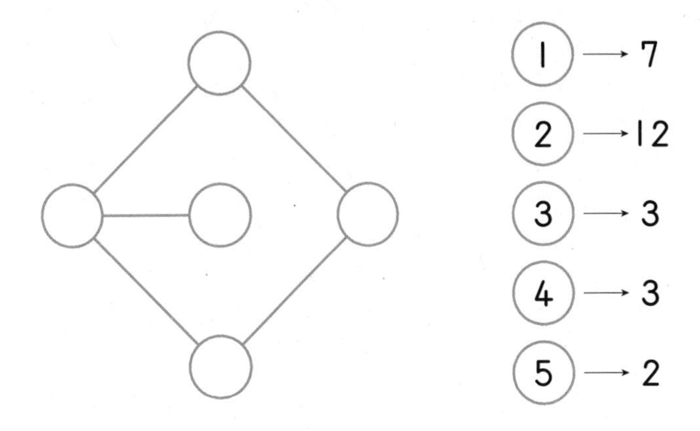

TIP |보기|에서 규칙을 찾아 연결된 선이 1개만 있는 ◯ 안의 수부터 써넣습니다.

11-2. 수 배열하기

1 |보기|와 같은 규칙으로 ◯ 안에 알맞은 수를 써넣으시오.

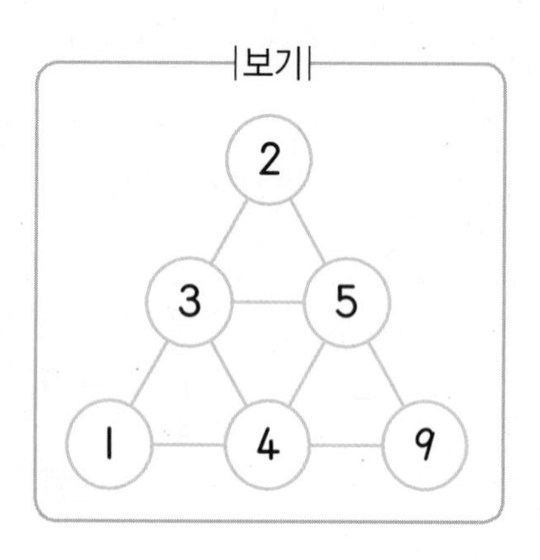

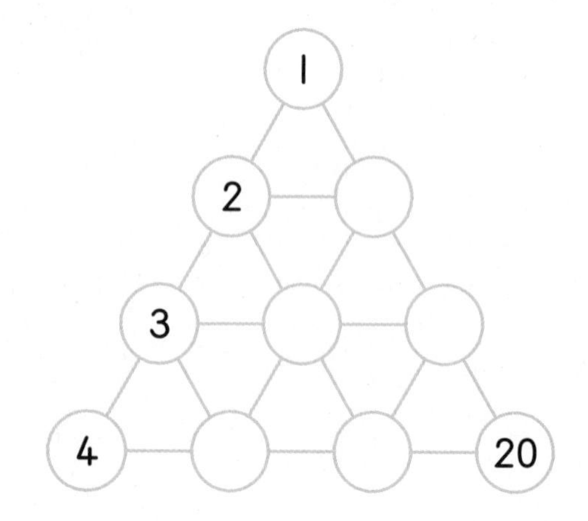

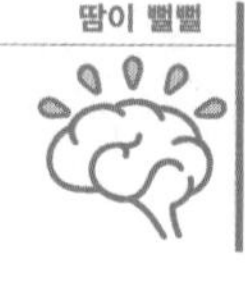

2 규칙에 따라 수를 쓴 것입니다. □ 안에 알맞은 수를 써넣으시오.

1 → 10

2 → 11, 20

3 → 12, 21, 30

4 → 13, 22, 31, 40

5 → □, 23, □, 41, □

수 배열에서 규칙을 찾을 수 있을까?

➡ 각 자리 숫자의 합이 10인 두 자리 수이므로 빈 곳에 알맞은 수는 91입니다.

최상위 사고력

다음과 같이 1부터 3씩 뛰어서 셀 때 25번째는 어떤 수인지 구하시오.

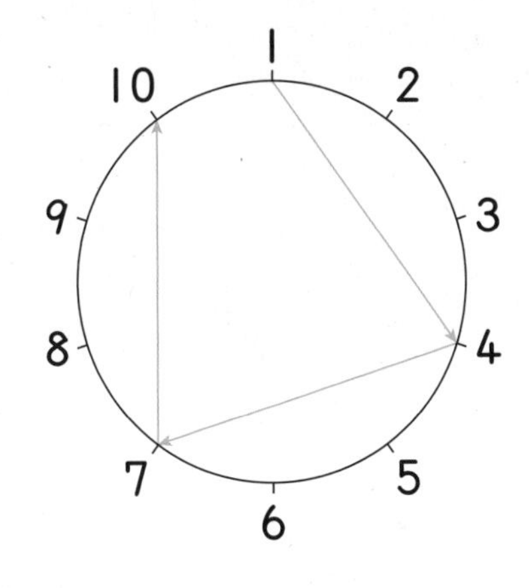

1 → 4 → 7 → 10 → ……

11-3. 수 배열표에서 규칙 찾기

1 규칙에 따라 수를 써넣은 표입니다. 34 아래에 알맞은 수를 구하시오.

1	20	19	18	17	16
2	21				15
3					14
4					13
5					12
6	7	8	9	10	11

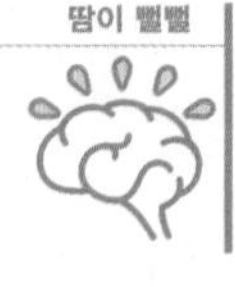

2 다음과 같이 규칙에 따라 수를 써넣으면 꺾이는 곳에 놓인 수가 2, 3, 5, 7……입니다. 12번째 꺾이는 곳에 놓인 수를 구하시오.

			2	3		
			1	4		
		7	6	5		

수 배열의 규칙을 찾는 방법은?

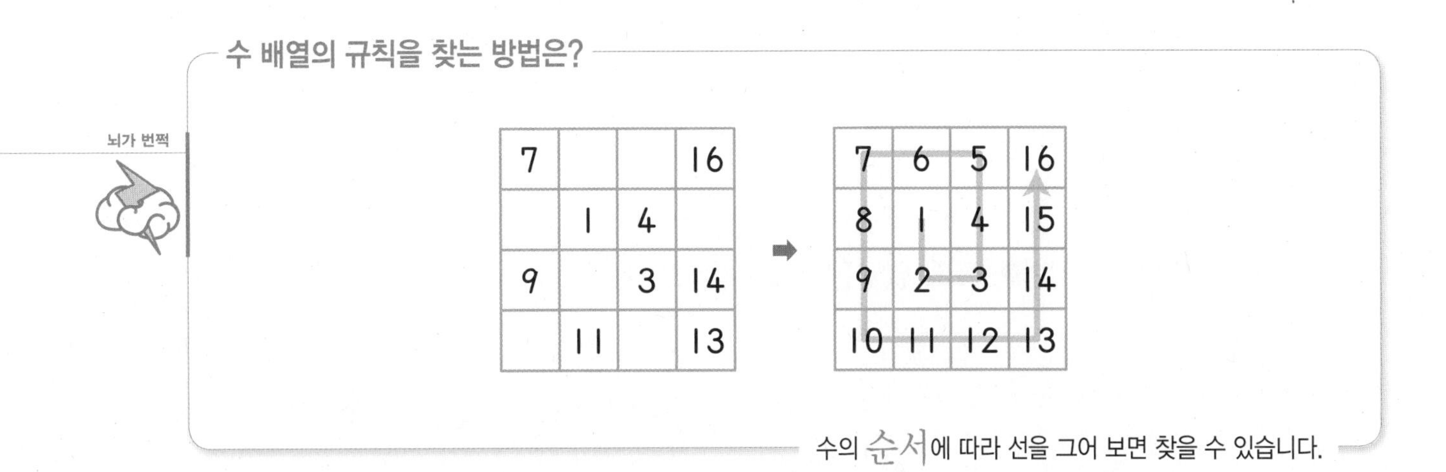

수의 순서에 따라 선을 그어 보면 찾을 수 있습니다.

최상위 사고력

규칙에 따라 수를 써넣은 표입니다. 11행 6열의 수를 구하시오.

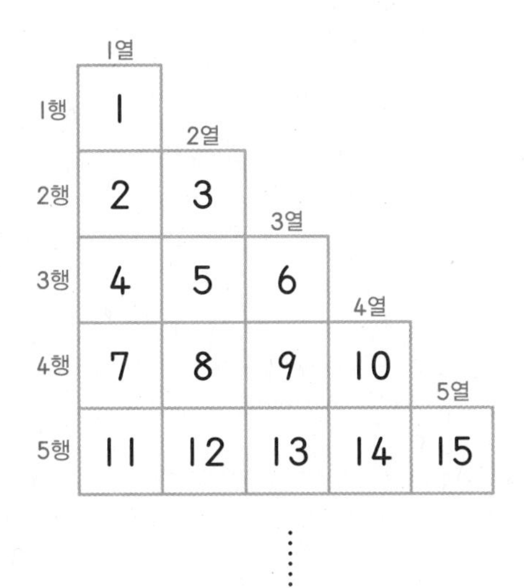

TIP 8은 4행 2열의 수입니다.

최상위 사고력

1 규칙에 따라 5번째 표에 알맞은 수를 써넣으시오.

1	2	3	4
3	1	1	4
2	1	3	4
2	3	4	1

1번째

4	3	2	1
1	1	4	3
4	2	1	3
3	4	1	2

2번째

1	2	3	4
1	4	3	1
3	4	2	1
4	1	2	3

3번째

4	3	2	1
4	3	1	1
1	3	4	2
1	2	3	4

4번째

5번째

| 경시대회 기출 |

2 둥근 통에 1부터 9까지의 수가 쓰인 종이를 다음과 같이 차례로 붙였습니다. 1에서부터 오른쪽 방향으로 네 칸씩 움직일 때 20번째에 나오는 수를 구하시오.

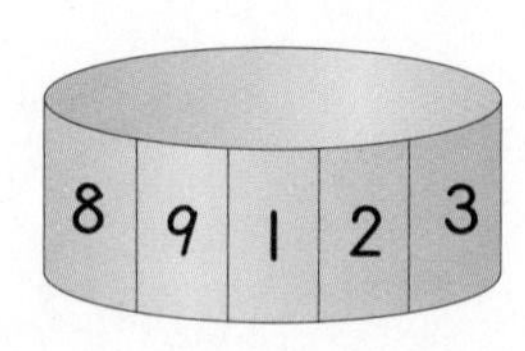

1 → 5 → 9 → 4 → 8 → ……

3 규칙에 따라 ㉠에 알맞은 수를 구하시오.

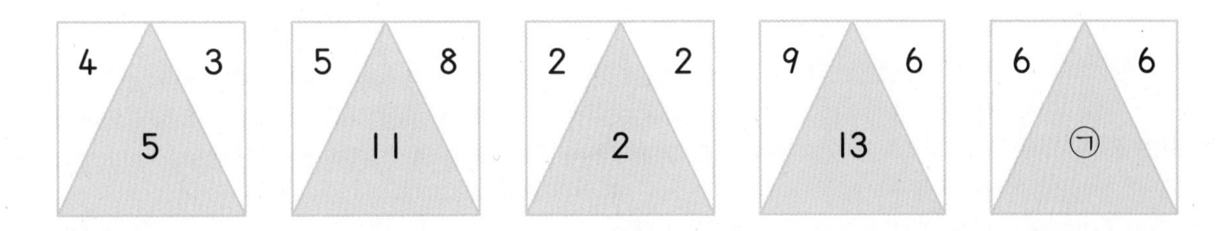

4 ▢ 안에 화살표를 따라 1부터 92까지 수를 차례로 씁니다. 각 줄에 놓인 ▢의 개수가 모두 같을 때 ㉠에 알맞은 수를 구하시오.

문제풀이

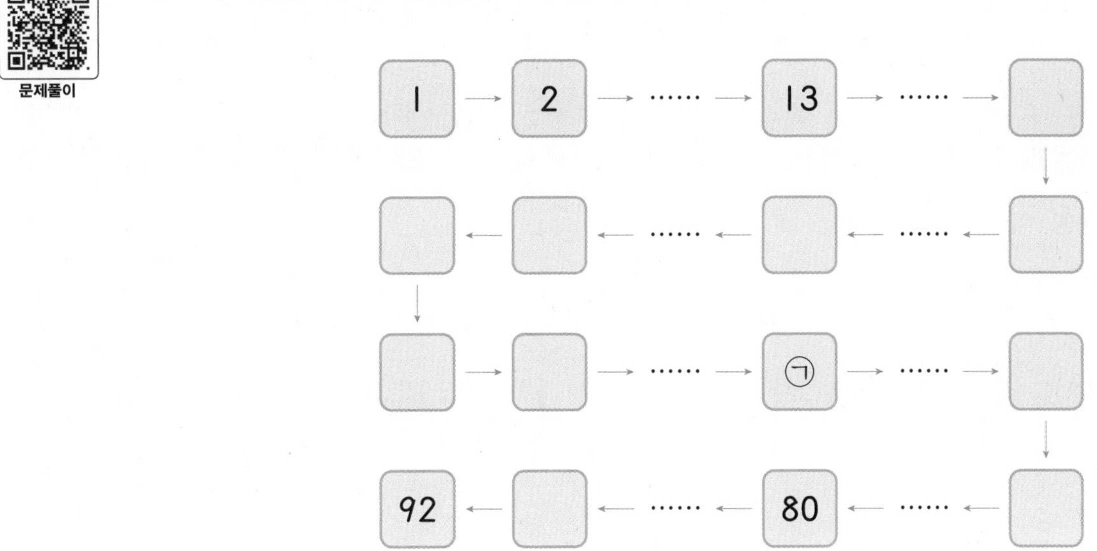

12-1. 개수 구하기

1 다음과 같이 성냥개비로 모양을 만들고 있습니다. 5번째 모양을 만드는 데 필요한 성냥개비는 몇 개인지 구하시오.

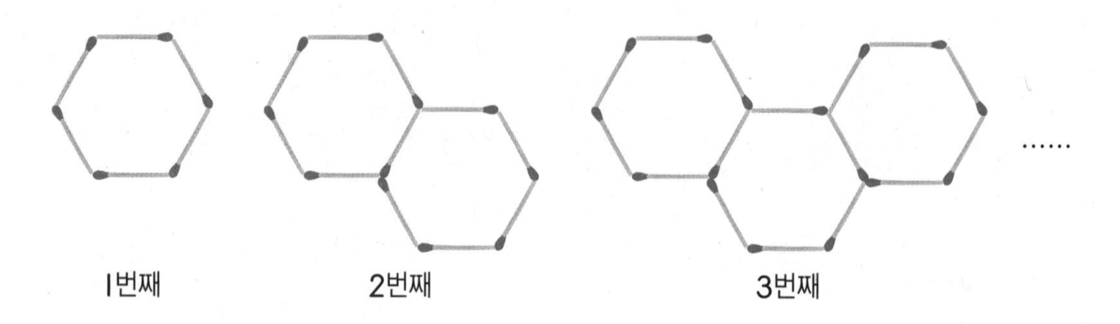

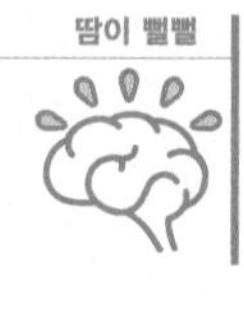

2 다음과 같이 성냥개비로 모양을 만들고 있습니다. 성냥개비 28개로 만들 수 있는 가장 작은 네모 모양은 몇 개인지 구하시오.

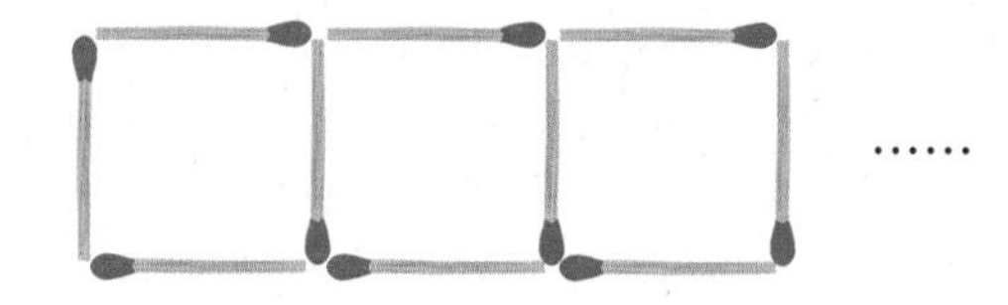

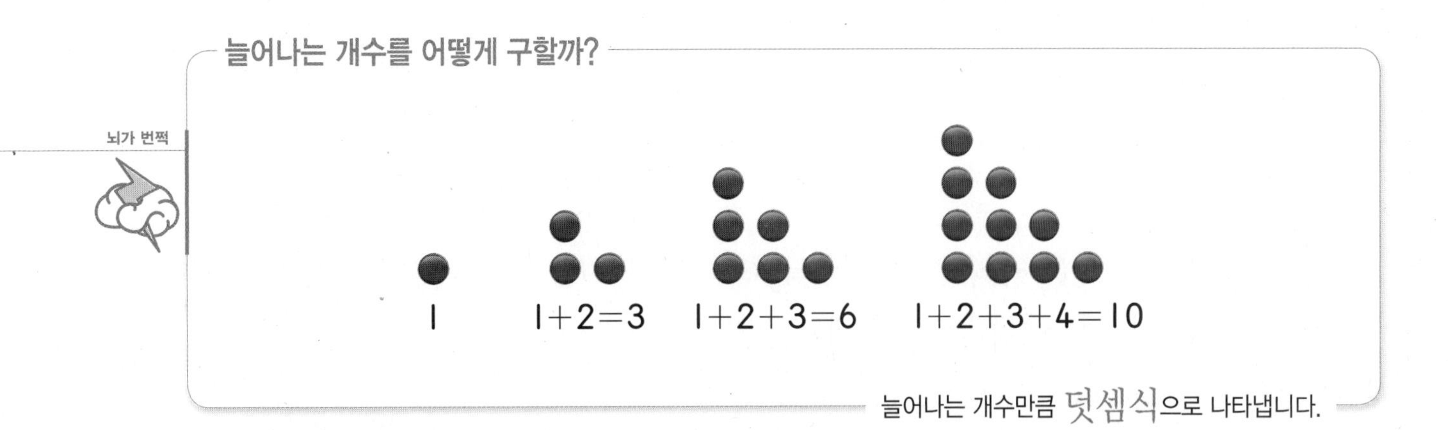

최상위 사고력

고리 모양으로 이어진 줄을 점선을 따라 잘랐습니다. 한 번 자르면 2조각, 두 번 자르면 4조각이 된다고 할 때, 열 번 자르면 모두 몇 조각인지 구하시오.

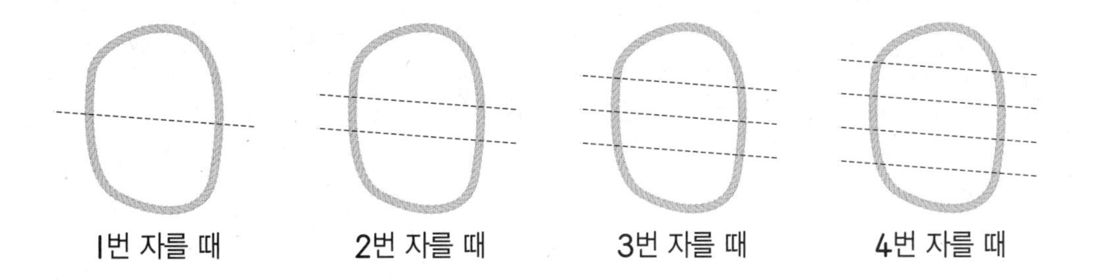

정답과 풀이 56쪽 ►

12-2. 개수의 차

1 다음과 같은 규칙에 따라 흰 타일과 검은 타일을 놓았습니다. 10번째 모양에서 검은 타일은 흰 타일보다 몇 개 더 많은지 구하시오.

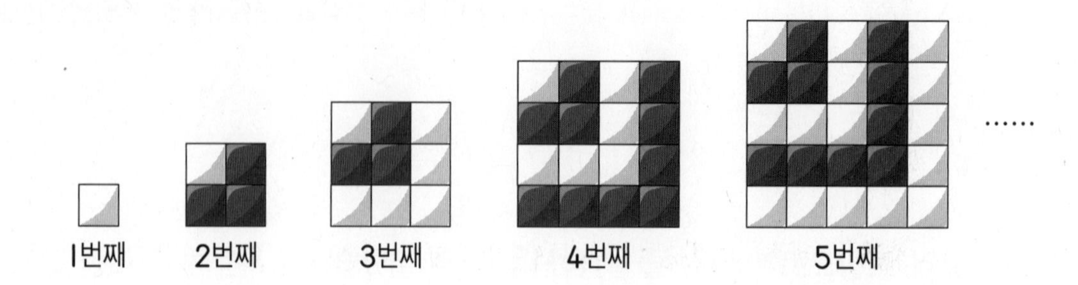

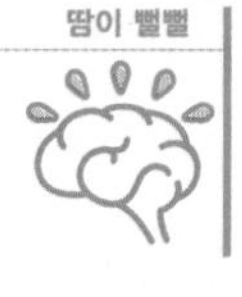

2 다음과 같은 규칙에 따라 바둑돌을 놓았습니다. 흰 바둑돌이 검은 바둑돌보다 5개 더 많을 때 검은 바둑돌은 몇 개인지 구하시오.

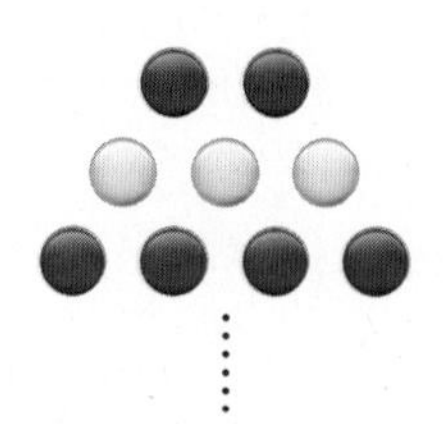

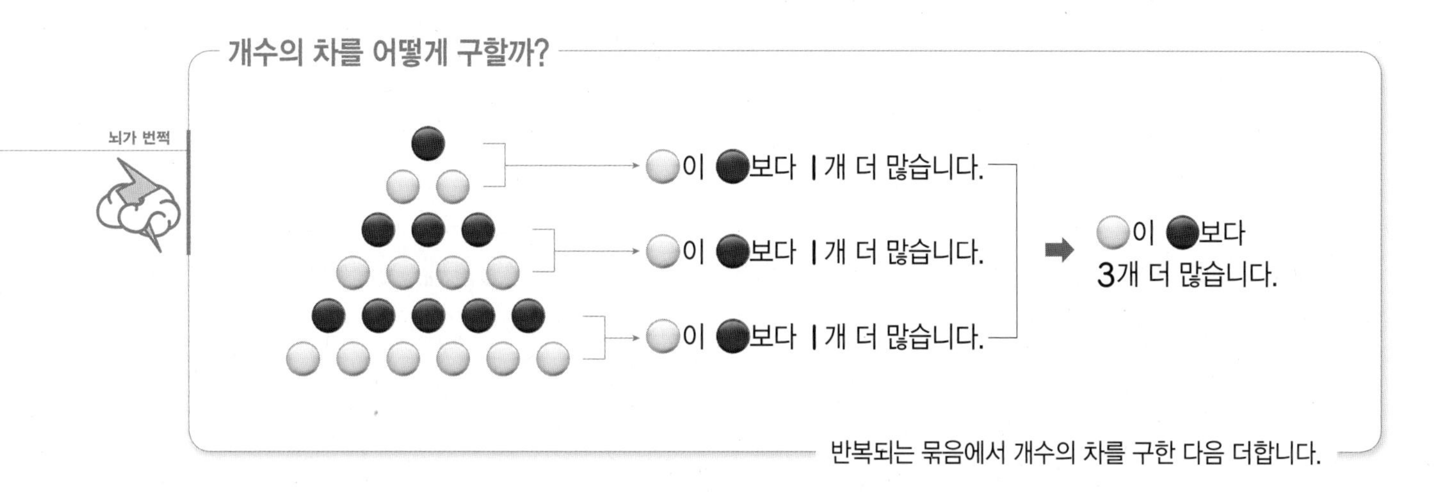

최상위 사고력

다음과 같은 규칙에 따라 ■과 ▲을 놓았습니다. ■이 ▲보다 9개 더 많을 때 ▲은 몇 개인지 구하시오.

정답과 풀이 57쪽 ►

12-3. 시계 규칙

1 다음은 일정한 규칙에 따라 시계를 놓은 것입니다. 5번째 시계에 알맞은 긴바늘과 짧은바늘을 그리시오.

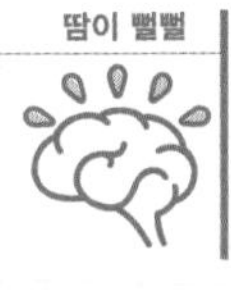

2 민아네 집에 있는 뻐꾸기 시계는 1시에 한 번, 2시에 두 번…… 12시에 12번 울고, 긴바늘이 6을 가리킬 때마다 한 번 웁니다. 이 뻐꾸기 시계는 민아가 학교에 있는 오전 9시부터 오후 2시까지 모두 몇 번 우는지 구하시오.

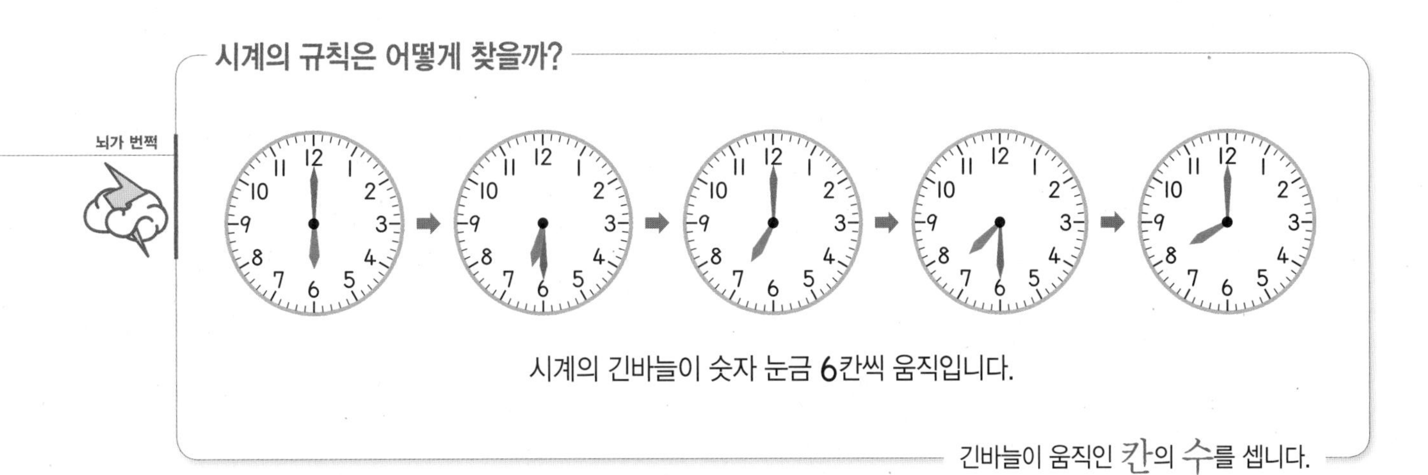

최상위 사고력

학생들이 놀이터에 3시부터 6시 30분까지 차례로 왔습니다. 3시 정각에 5명의 학생들이 놀이터에 왔고, 그후 30분 간격으로 앞에 온 학생들보다 1명씩 더 많은 학생들이 왔습니다. 10명의 학생들이 놀이터에 온 시각을 시계에 나타내시오.

정답과 풀이 58쪽 ►

1 어느 라디오에서 정각마다 노래 2곡을 틀고, 매시 30분마다 노래 1곡을 틉니다. 지오가 8시 30분부터 1시 10분 전까지 이 라디오를 들었다면 지오가 들은 노래는 모두 몇 곡인지 구하시오. (단, 노래는 1분을 넘지 않습니다.)

2 다음과 같은 규칙에 따라 면봉으로 모양을 만들고 있습니다. 면봉 100개로 몇 번째까지 만들 수 있는지 구하시오.

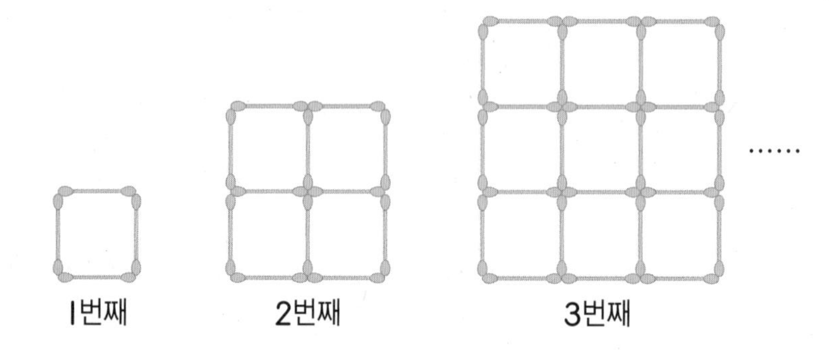

면봉 100개로 모양을 완성할 수 있는 순서까지만 생각합니다.

3 |보기|와 같이 타일 77개를 모두 사용하여 위로 갈 때마다 타일이 2개씩 줄어들도록 붙이려고 합니다. 타일을 가장 높게 붙이려면 몇 층까지 붙일 수 있는지 구하시오.

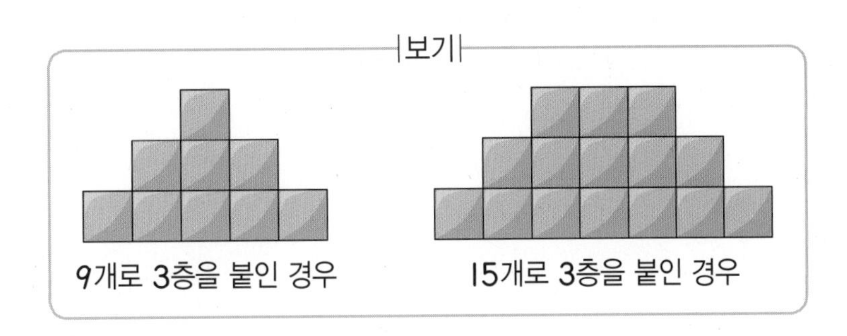

| 경시대회 기출 |

4 다음과 같이 흰 바둑돌과 검은 바둑돌을 규칙에 따라 놓았습니다. 흰 바둑돌과 검은 바둑돌의 개수의 차가 1개일 때는 몇 번째인지 구하시오.

문제풀이

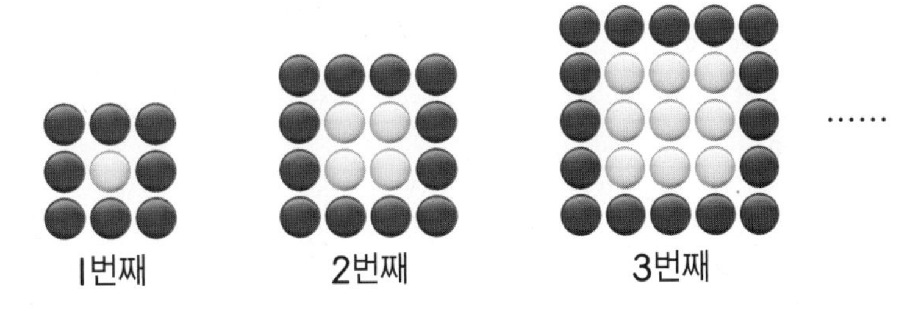

1 규칙에 따라 빈 곳에 알맞은 모양을 완성하시오.

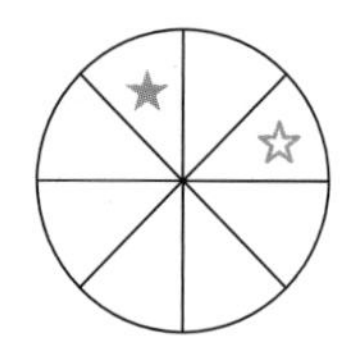 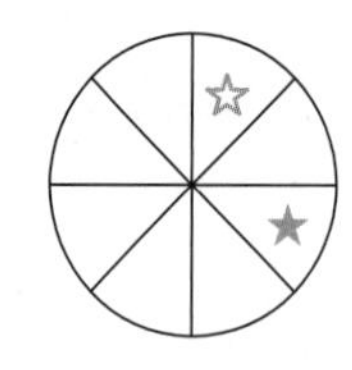 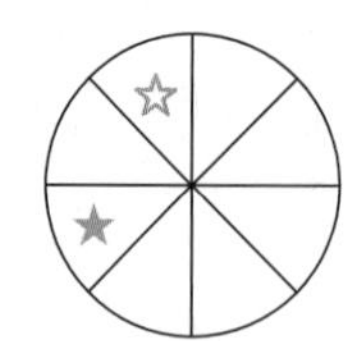 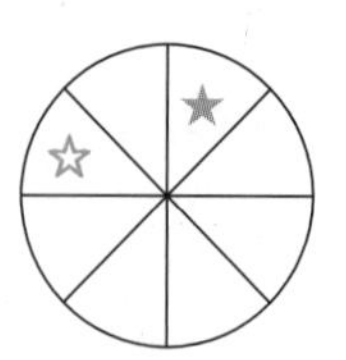 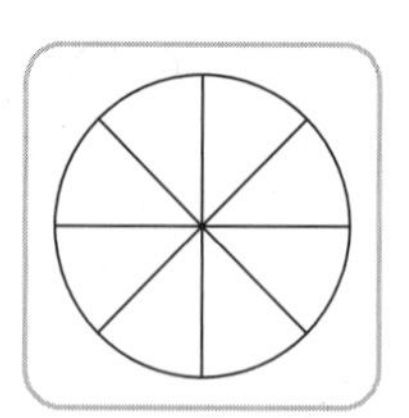

2 규칙에 따라 빈 곳에 알맞은 모양을 그리시오.

3

|보기|와 같은 규칙으로 빈칸에 알맞은 수를 써넣으시오.

|보기|

1	2	3
3	1	2
2	3	1

3	1	2
2	3	1
1	2	3

2	3	1
3	1	2
1	2	3

1	4	2	3
	3		
		4	
2			

4

다음과 같이 성냥개비로 모양을 만들었습니다. 성냥개비 31개로 만들 수 있는 세모 모양은 모두 몇 개인지 구하시오.

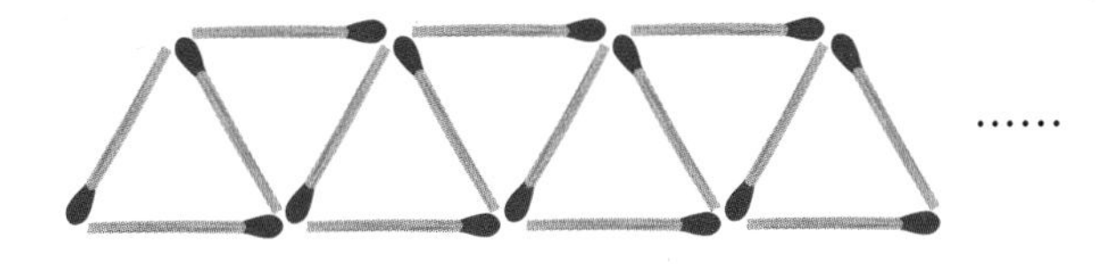

정답과 풀이 59쪽 ►

5 규칙에 따라 모양을 놓은 것입니다. 30번째까지 놓았을 때 △ 은 모두 몇 번 나오는지 구하시오.

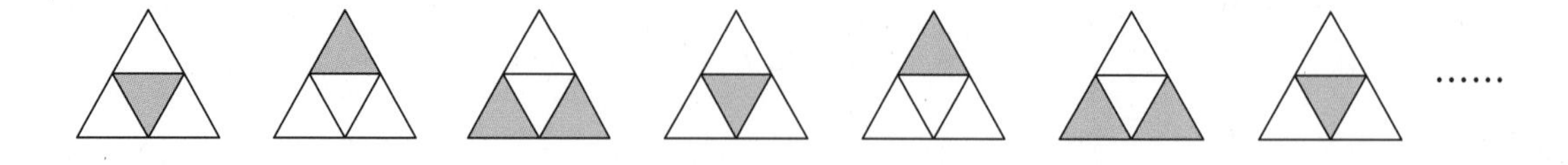

6 다음과 같이 바둑돌을 규칙에 따라 놓았습니다. 흰 바둑돌이 검은 바둑돌보다 많아지는 것은 몇 번째인지 구하시오.

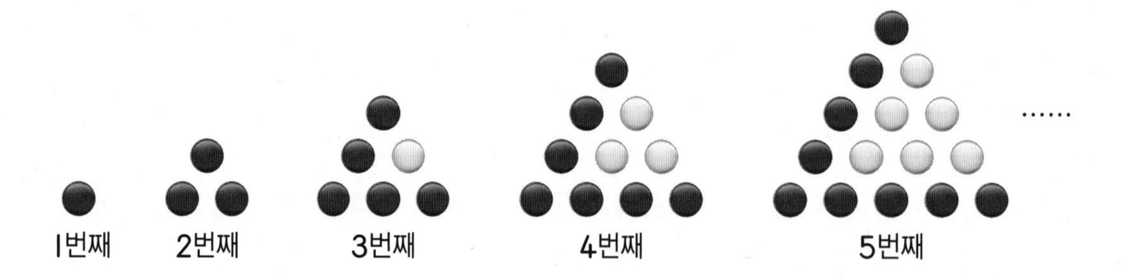

정답과 풀이 59쪽 ►

연산(2)

13 계산식

13-1 계산식 완성하기(1)
13-2 계산식 완성하기(2)
13-3 재미있는 연산

14 수 퍼즐

14-1 가르기와 모으기 퍼즐
14-2 수 배열하기
14-3 마방진

15 그림과 표를 이용하여 문제 해결하기

15-1 포함되는 것과 포함되지 않는 것
15-2 나누어 가지기
15-3 표와 연산

13-1. 계산식 완성하기(1)

1 □ 안에 1부터 8까지의 수를 한 번씩 써넣어 식을 완성하시오.

□+4+□=13　　□+4+□=13

□+4+□=13　　□+4+□=13

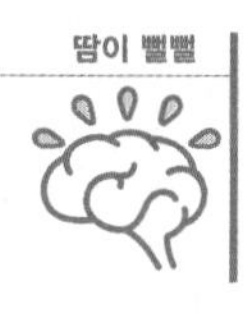

2 다음 수 카드를 한 번씩 사용하여 두 식을 완성하려고 합니다. □ 안에 알맞은 수를 써넣으시오.

5 1 6 8 7 9

□+□−□=10

□+□−□=10

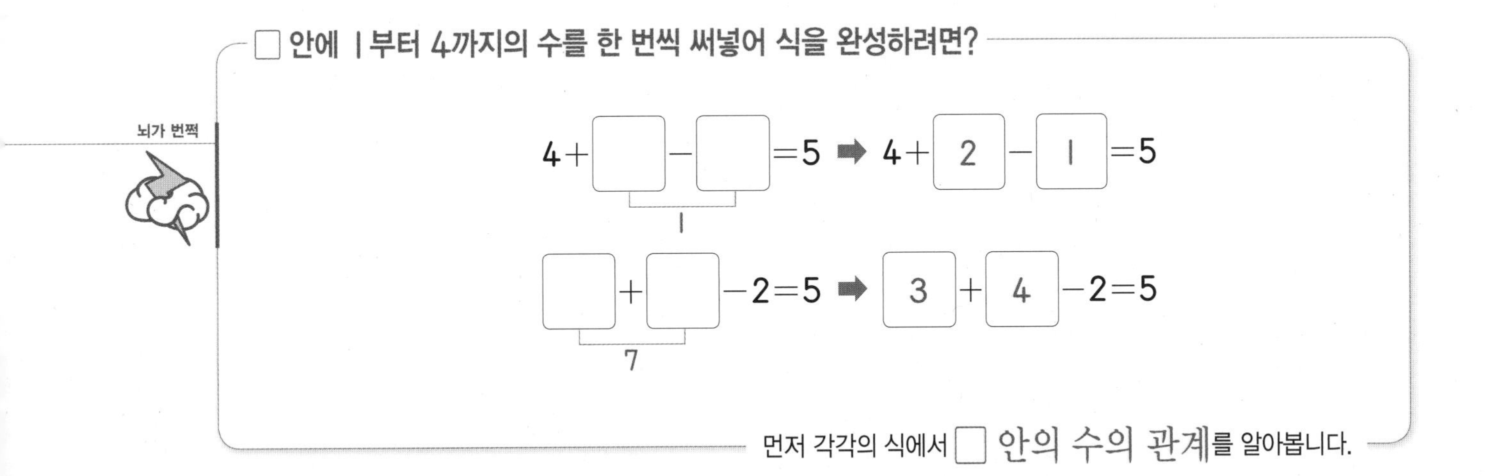

최상위 사고력

세 수(●, ▲, ■)는 0보다 큰 서로 다른 한 자리 수입니다. 다음 두 식을 만족하는 세 수(●, ▲, ■)는 모두 몇 가지인지 구하시오.

●+▲−■=3
●+■−▲=7

정답과 풀이 61쪽 ►

13-2. 계산식 완성하기(2)

1 식이 성립하도록 ○ 안에 + 또는 −를 알맞게 써넣으시오.

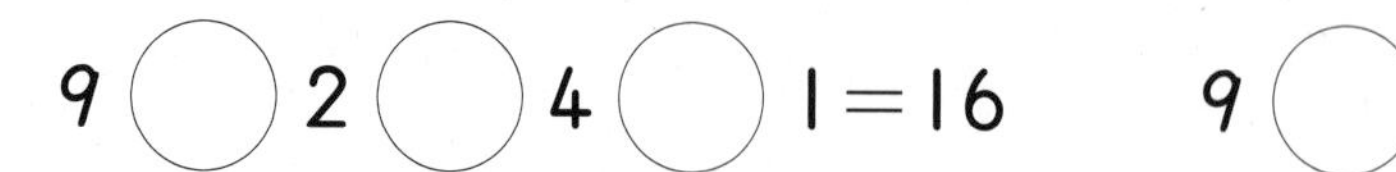

9 ○ 2 ○ 4 ○ 1 = 16   9 ○ 2 ○ 4 ○ 1 = 10

9 ○ 2 ○ 4 ○ 1 = 8   9 ○ 2 ○ 4 ○ 1 = 2

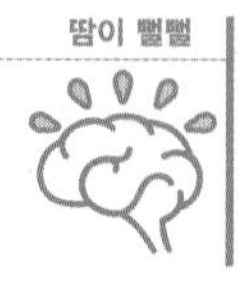

2 ○ 안에 + 또는 −를 써넣어 나온 계산 결과 중 두 번째로 작은 계산 결과가 11이라고 할 때 □ 안에 알맞은 수를 써넣고, 두 번째로 큰 계산 결과를 구하시오.

□ ○ 3 ○ 5 ○ 6

○ 안에 + 또는 −를 어떻게 써넣으면 계산 결과가 달라질까?

뇌가 번쩍

① $15 ⊕ 3 ⊕ 1 = 19$　② $15 ⊕ 3 ⊖ 1 = 17$

③ $15 ⊖ 3 ⊕ 1 = 13$　④ $15 ⊖ 3 ⊖ 1 = 11$

+ 또는 −의 수와 위치에 따라 계산 결과가 달라집니다.

최상위 사고력

다음 두 식의 ○ 안에 + 또는 −를 써넣어 나온 계산 결과가 각각 ●, ◆입니다. ●와 ◆의 차가 24가 되도록 ○ 안에 + 또는 −를 써넣고, ●와 ◆의 값을 차례로 구하시오.

18 ○ 1 ○ 9 = ●　　11 ○ 7 ○ 2 = ◆

정답과 풀이 61쪽 ►

13-3. 재미있는 연산

1 ◯ 안에 곧은 선 1개를 그어 두 부분으로 나누려고 합니다. 나눈 두 부분에 있는 수의 합이 같도록 곧은 선을 그으시오.

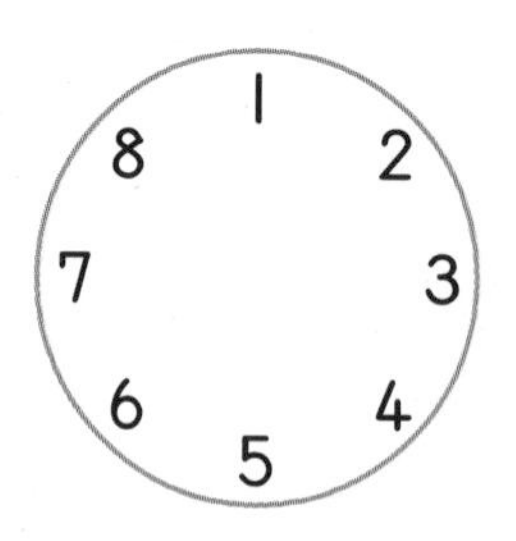

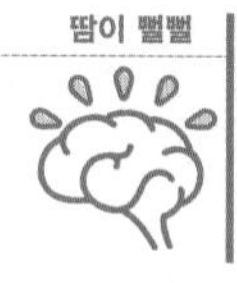

2 |보기|와 같이 오른쪽 표에서 모양으로 묶인 세 수의 합이 18이 되는 세 수를 찾아 묶으시오. (단, 주어진 모양을 돌리거나 뒤집지 않습니다.)

|보기|

1	4	7
2	5	8
3	6	9

세 수의 합이: 19
5+8+6=19

1	2	3	4	5
6	7	8	9	10
11	12	13	14	15

세 수의 합: 18

뇌가 번쩍

세 수의 합이 14가 되도록 묶는 방법은?

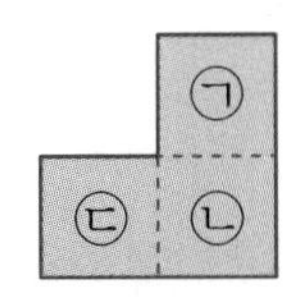

1	2	3
4	5	6
7	8	9

① ㉡에 알맞은 수를 먼저 정합니다.
② ㉡=6일 때 6+5+3=14입니다.

모양의 특징을 생각하여 묶습니다.

최상위 사고력

다음과 같이 수가 적힌 종이 테이프의 세 곳 중 두 곳을 잘라서 나온 세 수로 계산 결과가 16이 되는 (두 자리 수)+(한 자리 수)−(한 자리 수)의 식을 만들려고 합니다. 빈 곳에 알맞은 수를 써넣으시오.

5	1	1	2

➡ □□ + □ − □ =16

최상위 사고력

1 1부터 9까지의 수 중 서로 다른 세 수를 사용하여 합이 13인 덧셈식을 만들려고 합니다. 만들 수 있는 덧셈식은 모두 몇 가지인지 구하시오. (단, 더하는 수의 순서만 다른 것은 같은 식으로 봅니다.)

$\square + \square + \square = 13$

| 경시대회 기출 |

2 ○ 안에 + 또는 −를 써넣었을 때 나온 계산 결과를 가장 작은 수부터 가장 큰 수까지 차례로 모두 쓰시오.

12 ○ 4 ○ 1 ○ 2

3

세 수(㉠, ㉡, ㉢)는 ㉠<㉡<㉢인 서로 다른 한 자리 수입니다. 다음 두 식을 만족하는 세 수(㉠, ㉡, ㉢)를 구하시오.

㉠+㉡=11
㉡+㉢=13

| 경시대회 기출 |

4

다음 과녁에 태경이는 화살 7발을 쏘아 모두 18점을 받았습니다. 화살을 맞힌 칸은 모두 다른 칸이고, 화살을 맞히지 않은 칸의 점수는 모두 다르다고 할 때, 화살을 맞히지 않은 칸의 점수는 각각 몇 점인지 구하시오. (단, 과녁을 빗나간 화살은 없습니다.)

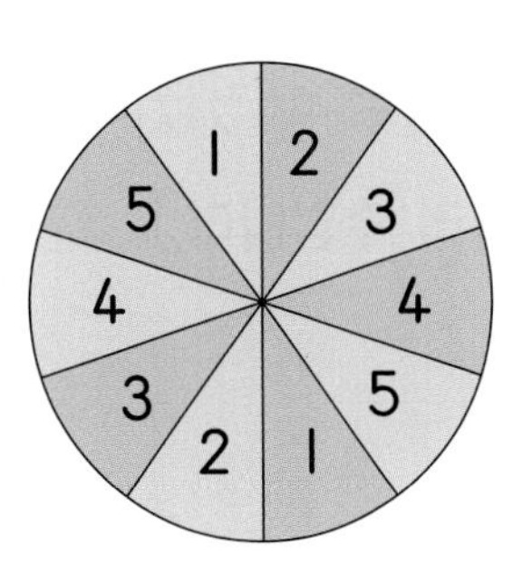

14-1. 가르기와 모으기 퍼즐

1 같은 모양에는 같은 수가, 다른 모양에는 다른 수가 들어갑니다. 빈 곳에 들어가는 수가 0보다 큰 한 자리 수일 때 빈 곳에 알맞은 수를 써넣으시오.

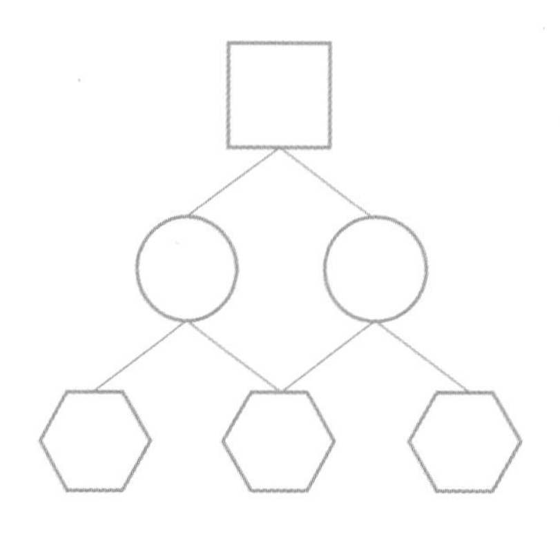

2 오른쪽과 같이 가르기와 모으기를 하였습니다. 서로 다른 수인 세 수(㉠, ㉡, ㉢)는 모두 몇 가지인지 구하시오. (단, ㉠, ㉡, ㉢은 0보다 큰 한 자리 수입니다.)

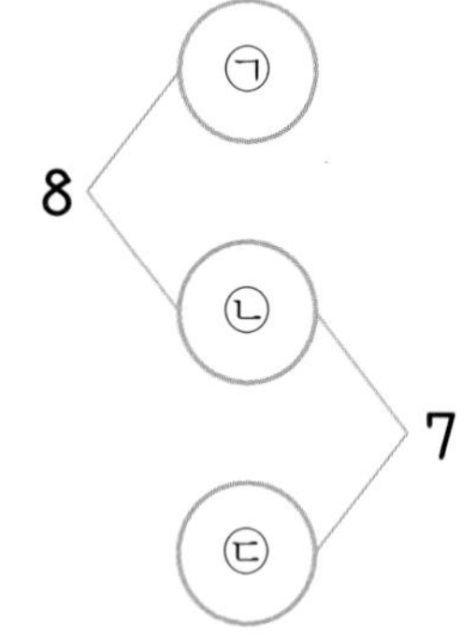

뇌가 번쩍

선이 나누어지고 합쳐지는 것은 어떤 의미일까?

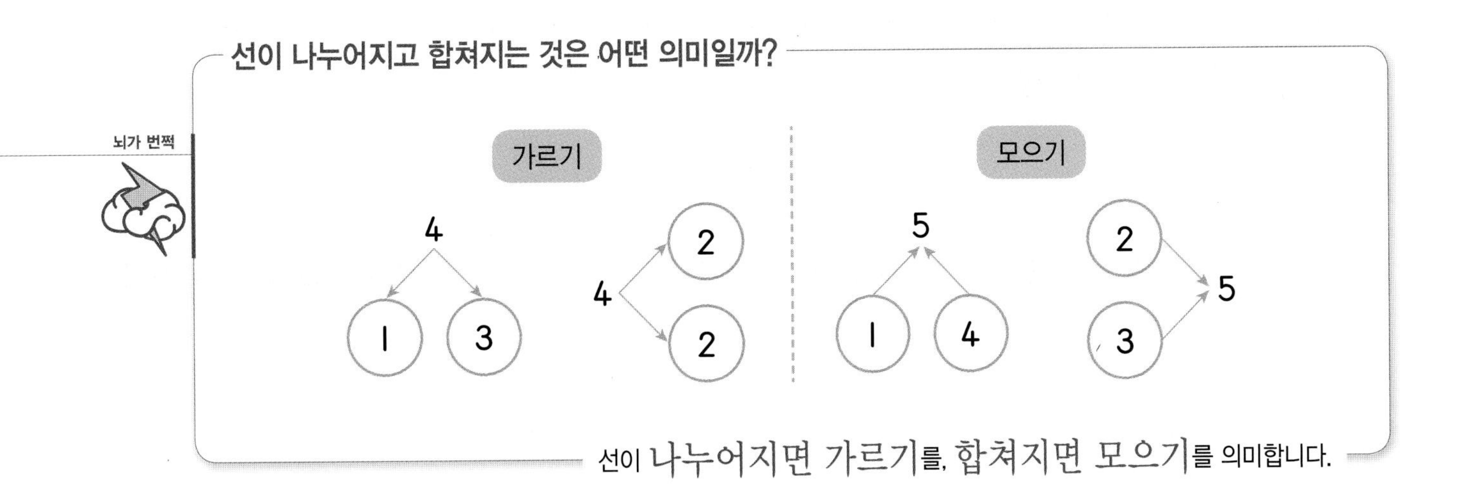

선이 나누어지면 가르기를, 합쳐지면 모으기를 의미합니다.

최상위 사고력

17을 가르기한 것입니다. 빈 곳에 1부터 9까지의 수 중 8개의 수를 한 번씩 써넣으시오.

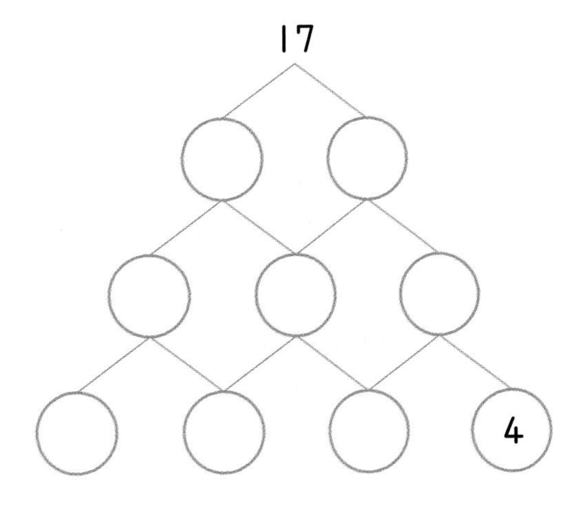

정답과 풀이 64쪽 ►

14-2. 수 배열하기

1 6장의 수 카드를 이웃한 수끼리의 차가 모두 같도록 큰 수부터 차례로 놓은 것입니다. 빈 곳에 알맞은 수를 써넣으시오.

19			10		

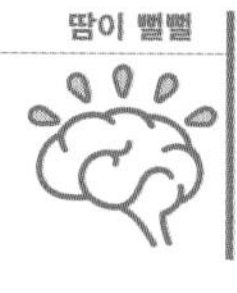

2 표에 1부터 9까지의 수를 한 번씩 써넣고, 각각의 가로줄에 써넣은 수의 합을 구하려고 합니다. 빈칸과 □ 안에 알맞은 수를 써넣으시오. (단, 가로, 세로로 이웃한 칸에는 1과 2, 2와 3처럼 이웃한 수를 써넣지 않습니다.)

		9	➡ □
	5		➡ □
4		2	➡ □

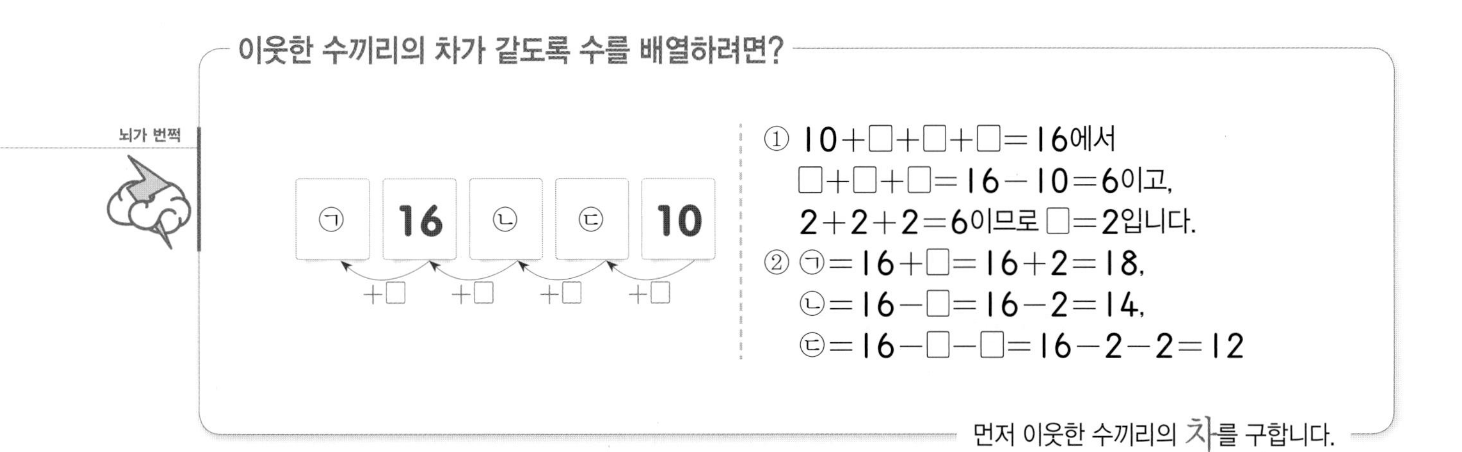

최상위 사고력

다음 |조건|에 맞게 빈칸에 1부터 7까지의 수를 한 번씩 써넣으시오.

|조건|
- 3과 7 사이의 수의 합은 18입니다.
- 5와 7 사이의 수의 합은 3입니다.
- 1과 6 사이의 수의 합은 7입니다.

정답과 풀이 65쪽 ►

14-3. 마방진

1 다음 표에 1부터 9까지의 수를 한 번씩 써넣어 가로, 세로, 대각선에 놓인 세 수의 합이 모두 같게 만들려고 합니다. 빈칸에 알맞은 수를 써넣으시오.

	1	
3	5	7
		2

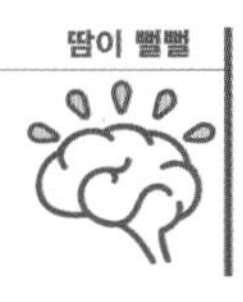

2 ◯ 안에 1부터 6까지의 수를 한 번씩 써넣어 세모 모양으로 연결된 세 수의 합이 모두 같게 만들려고 합니다. 빈 곳에 알맞은 수를 써넣으시오.

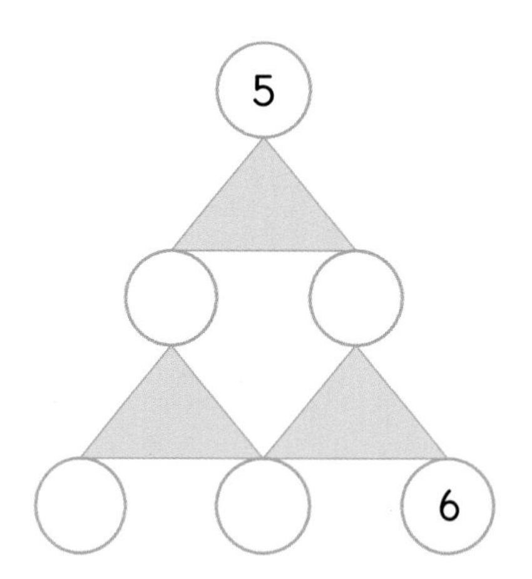

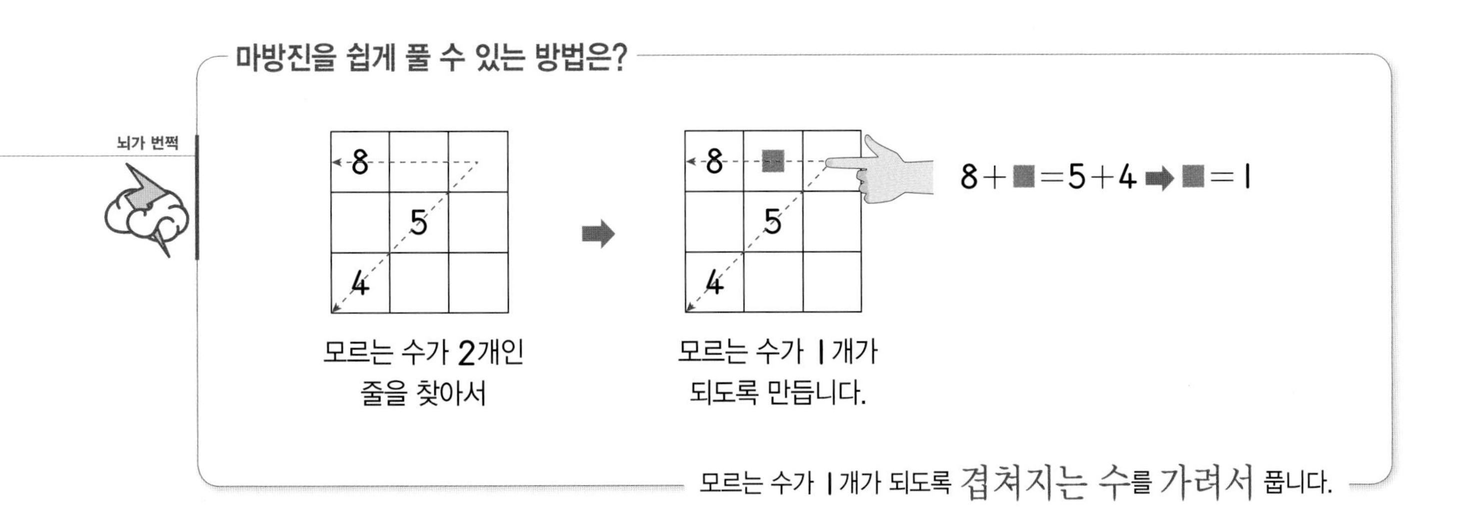

최상위 사고력

두 수의 위치를 서로 바꾸어 가로줄과 세로줄에 놓인 세 수의 합이 모두 같게 만들려고 합니다. 위치를 바꾼 두 수를 색칠하시오.

8	1	6
3		4
7	9	2

최상위 사고력

1 표에 왼쪽에서 오른쪽으로, 아래쪽에서 위쪽으로 더 큰 수가 놓이도록 1부터 12까지의 수를 한 번씩 써넣으려고 합니다. 빈칸에 알맞은 수를 써넣으시오.

	8	12	
4			11
1			9
	2	6	

2 다음과 같이 가르기와 모으기를 하였습니다. ㉠+㉡+㉢의 가장 큰 값과 가장 작은 값을 차례로 구하시오. (단, ㉠, ㉡, ㉢은 0보다 큰 한 자리 수입니다.)

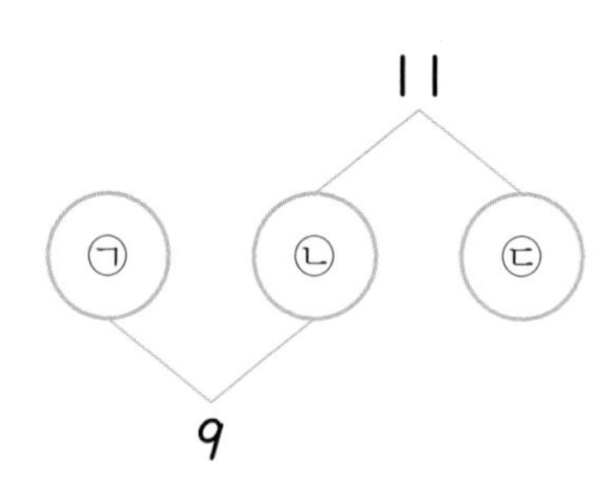

3

◯ 안에 0 또는 3을 써넣어 한 줄에 놓인 세 수의 합이 모두 3이 되는 3가지 경우를 완성하시오.

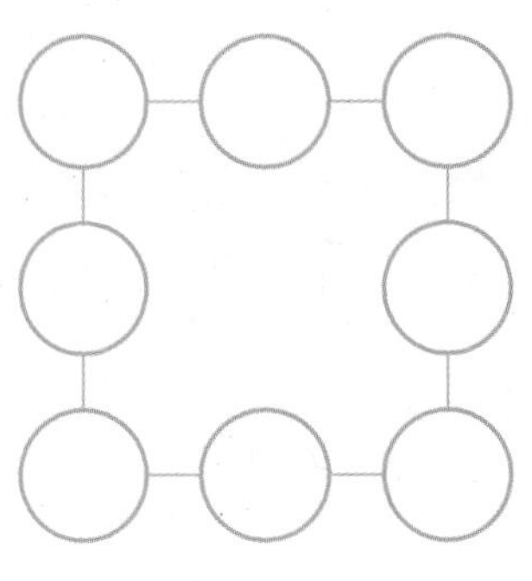
3이 2개인 경우

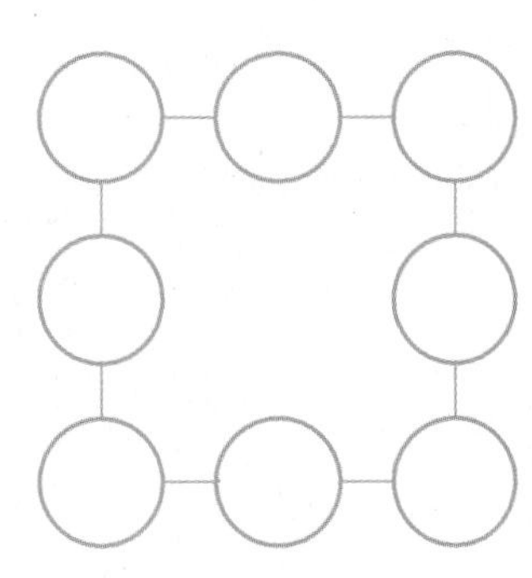
3이 3개인 경우

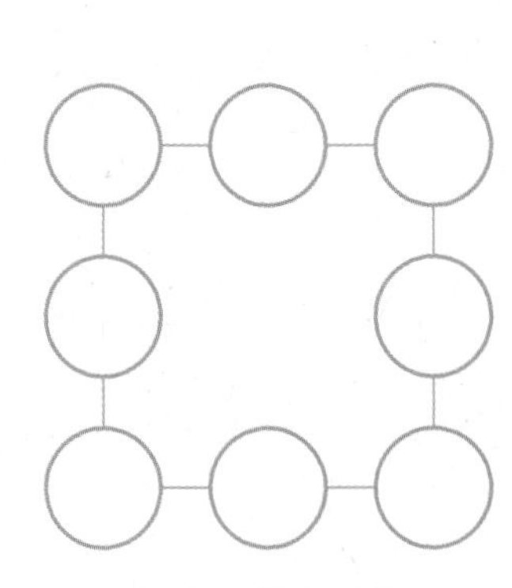
3이 4개인 경우

| 경시대회 기출 |

4

0부터 6까지의 수를 한 번씩 써넣어 가로줄과 세로줄에 놓인 세 수의 합이 모두 같게 만들려고 합니다. 빈칸에 알맞은 수를 써넣으시오.

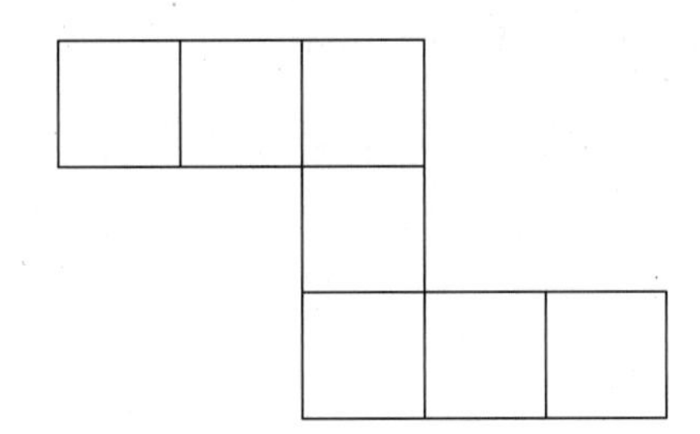

정답과 풀이 68쪽 ►

15-1. 포함되는 것과 포함되지 않는 것

1 학생 8명 중 6명은 피구를 좋아하고 4명은 배드민턴을 좋아합니다. 피구와 배드민턴을 모두 좋아하는 학생은 몇 명인지 구하시오. (단, 피구와 배드민턴을 모두 싫어하는 학생은 없습니다.)

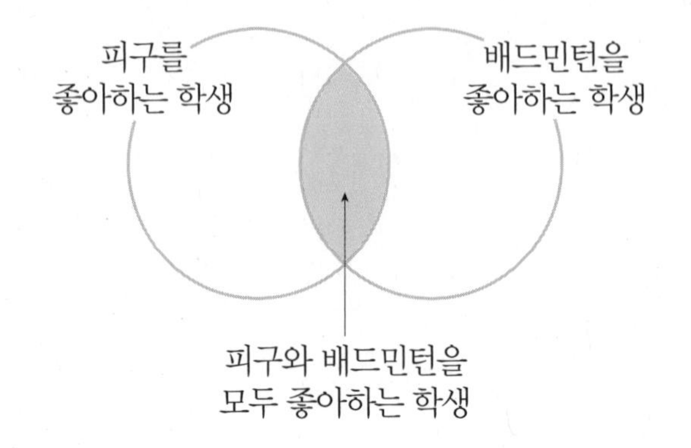

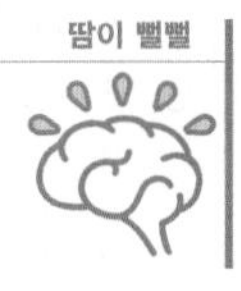

2 태훈이네 반 학생 중 9명은 피자를 좋아하고, 7명은 치킨을 좋아합니다. 피자와 치킨을 모두 좋아하는 학생이 4명일 때 태훈이네 반 학생은 모두 몇 명인지 구하시오. (단, 피자 또는 치킨을 모두 싫어하는 학생은 없습니다.)

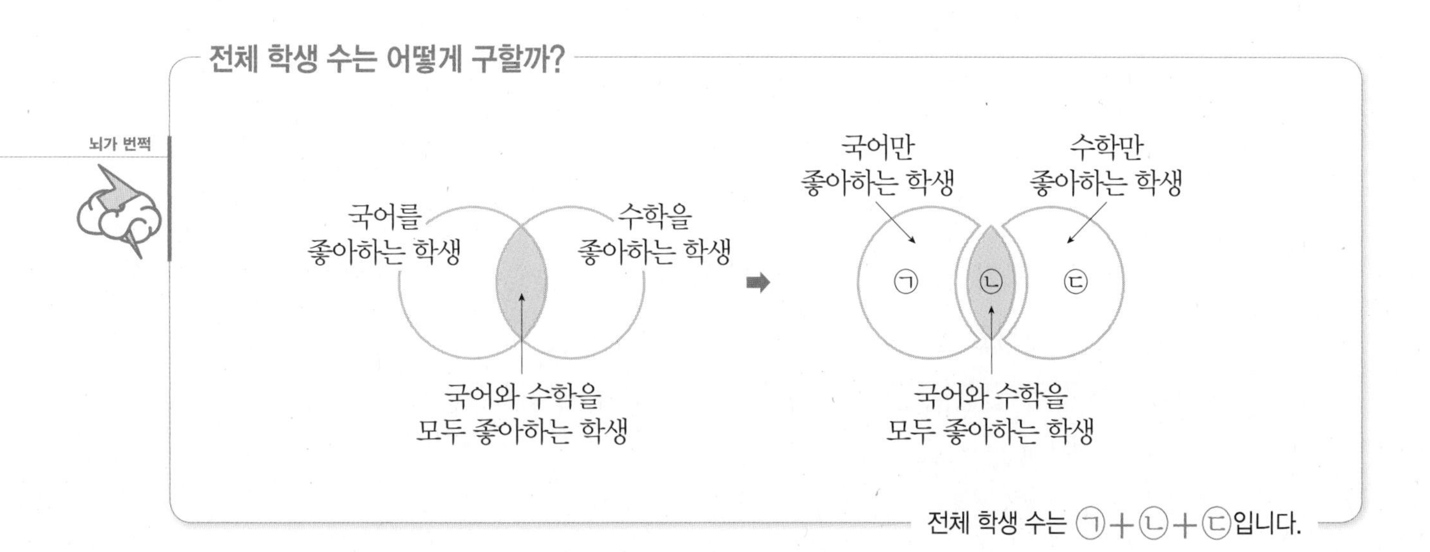

최상위 사고력

학생 15명 중 7명은 여학생이고, 게임을 좋아하는 학생은 9명입니다. 게임을 좋아하는 여학생의 수가 가장 적을 때와 가장 많을 때를 차례로 구하시오.

정답과 풀이 69쪽 ►

15-2. 나누어 가지기

1 연필 16자루가 있습니다. 운산이가 1자루를 갖고 남은 연필을 우용이와 범상이가 나누어 가지려고 합니다. 우용이가 범상이보다 3자루 더 많이 가지려면 우용이와 범상이는 각각 몇 자루를 가져야 하는지 차례로 구하시오.

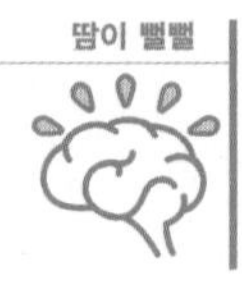

2 민경이와 희주는 사탕을 모두 14개 가지고 있었습니다. 민경이가 희주에게 사탕 2개를 주었더니 민경이가 희주보다 6개 더 많아졌습니다. 민경이가 처음에 가지고 있던 사탕은 몇 개인지 구하시오.

뇌가 번쩍

몇 개를 더 많이 가지려면?

㉠ 사탕 15개를 형과 동생이 나누어 가지려고 합니다. 형이 3개 더 많이 가지려면 형과 동생은 사탕을 각각 몇 개씩 가져야 하는지 구하시오.

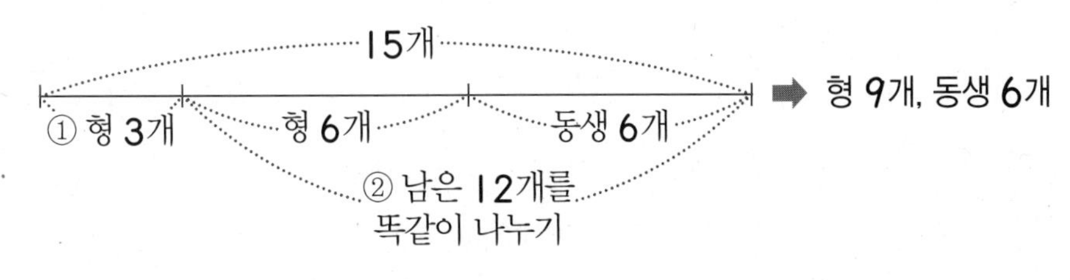

더 많이 가지는 수만큼을 뺀 남은 개수를 똑같이 나눕니다.

최상위 사고력

다음 순서에 따라 선생님께서 색종이를 학생 3명에게 나누어 주었습니다. 남은 색종이가 3장이라면 선생님께서 처음에 가지고 있던 색종이는 모두 몇 장인지 구하시오.

① 혜영이에게 색종이의 반을 주었습니다.
② 수미에게 색종이 1장을 주었습니다.
③ 정아에게 남은 색종이의 반을 주었습니다.

정답과 풀이 71쪽 ►

15-3. 표와 연산

1 지오와 지후가 1점부터 5점까지 있는 과녁에 화살을 쏘아 얻은 점수를 표로 나타내었습니다. 표의 빈칸에 알맞은 수를 써넣으시오.

- 지후의 총점은 지오의 총점보다 2점 더 높습니다.
- 3회 때 지오와 지후의 점수의 차는 1점입니다.

횟수	1	2	3	4	5	총점
지오	3			1	4	17
지후	2	4		3	5	

땅이 뻘뻘

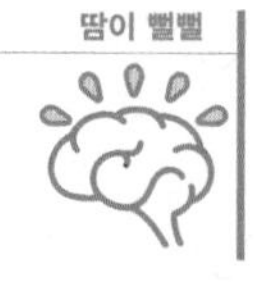

2 학교별로 미술 대회에 참가한 학생 수를 나타낸 표의 일부분이 찢어져 보이지 않습니다. ㉠+㉡+㉢+㉣+㉤의 값을 구하시오.

미술 대회에 참가한 학생 수

학교	가	나	다	라	마	합계
남학생 수(명)	1	3	㉠	㉡	2	11
여학생 수(명)	㉢	1	㉣	1	3	8
합계					㉤	

뇌가 번쩍

표의 빈칸에 알맞은 수는 어떻게 구할까?

모둠별 학생 수

모둠	1	2	3	합계
남학생 수(명)	㉠	3	2	6
여학생 수(명)	2	1	㉡	5 ②
합계	3	4	㉢	11
	①		③	

① ㉠+2=3, ㉠=3−2=1
② 2+1+㉡=5, 3+㉡=5,
㉡=5−3=2
③ 2+㉡=㉢, 2+2=㉢, ㉢=4

가로줄과 세로줄에 놓인 수를 이용하여 표를 완성합니다.

최상위 사고력

서울 지하철 9호선의 김포공항역과 여의도역 사이에 가양역, 염창역, 당산역이 있습니다. 다음은 |보기|와 같이 각각의 역까지 가는 데 지나야 하는 역의 수를 나타낸 표입니다. 빈칸에 알맞은 수를 써넣으시오.

|보기|

가역		
4	나역	
9	5	다역

가역 → 나역: 4정거장
나역 → 다역: 5정거장
가역 → 다역: 9정거장

김포공항역				
5	가양역			
	3	염창역		
	6		당산역	
13		5	2	여의도역

정답과 풀이 72쪽 ►

1 정아와 가연이는 딱지를 모두 18장 가지고 있습니다. 정아가 가연이에게 딱지 4장을 주었더니 두 사람이 가진 딱지 수가 같아졌습니다. 가연이가 처음에 가지고 있던 딱지는 몇 장인지 구하시오.

2 학생들이 좋아하는 과목을 조사하였더니 미술을 좋아하는 학생은 6명, 체육을 좋아하는 학생은 9명, 미술과 체육을 모두 좋아하는 학생은 3명이었습니다. 조사한 학생 중 4명은 미술과 체육을 모두 좋아하지 않을 때 조사한 학생은 모두 몇 명인지 구하시오.

3 은서와 시원이가 각각 같은 돈을 내고 연필 몇 자루를 샀습니다. 연필을 두 사람이 똑같이 나누어 가진 후 시원이가 은서에게 연필 몇 자루를 주었더니 은서가 시원이보다 4자루 더 많이 가졌습니다. 은서가 시원이에게 받은 연필의 값의 합이 200원일 때 연필 한 자루의 값은 얼마인지 구하시오.

| 경시대회 기출 |

4 동아리별 가입한 학생 수를 조사하여 나타낸 표입니다. 빈칸에 알맞은 수를 써넣으시오.

동아리별 가입한 학생 수

동아리	미술	음악	만화	체육	독서	합계
남학생 수(명)	2		2			14
여학생 수(명)		3		1	4	15
합계		7	3	6	5	

정답과 풀이 73쪽 ►

1 두 식의 ○ 안에 + 또는 −를 써넣어 나온 계산 결과가 각각 ●, ◆입니다. 나온 계산 결과 중 두 번째로 큰 ●와 두 번째로 작은 ◆의 차를 구하시오.

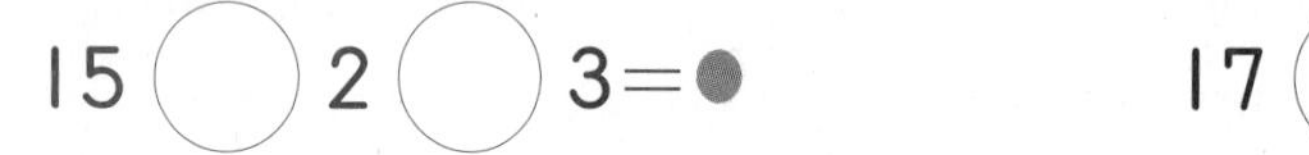

2 주어진 모양을 돌리거나 뒤집은 모양으로 묶은 네 수의 합이 33인 경우가 3가지입니다. 네 수를 찾아 색칠하시오.

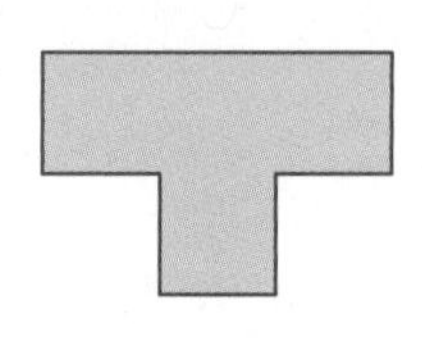

11	4	2
3	9	12
10	6	8
5	1	7

11	4	2
3	9	12
10	6	8
5	1	7

11	4	2
3	9	12
10	6	8
5	1	7

3 다음 |조건|에 맞게 빈칸에 1부터 7까지의 수를 한 번씩 써넣으시오.

|조건|
- 2와 7 사이의 수의 합은 18입니다.
- 1과 4 사이의 수의 합은 2입니다.
- 2와 3 사이의 수의 합은 9입니다.

4 ○ 안에 1부터 6까지의 수를 한 번씩 써넣어 한 줄에 놓인 세 수의 합이 주어진 수가 되도록 만들려고 합니다. 빈 곳에 알맞은 수를 써넣으시오.

(1)

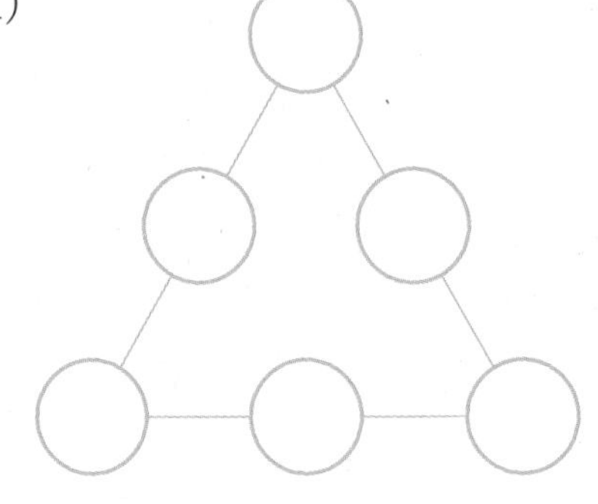

세 수의 합: 9

(2)

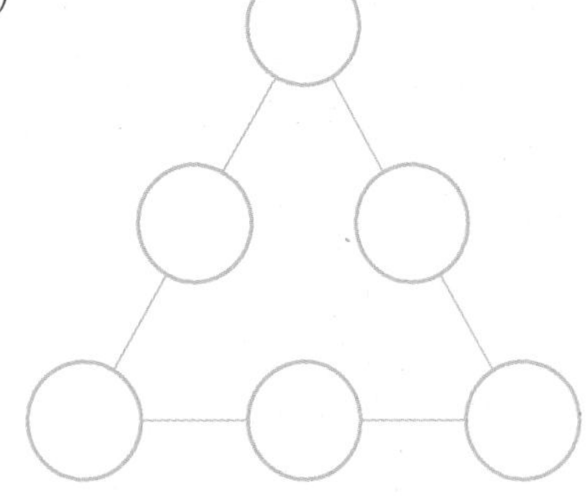

세 수의 합: 12

5 학생 12명 중 9명은 떡볶이를 좋아하고, 6명은 튀김을 좋아하고, 4명은 떡볶이와 튀김을 모두 좋아합니다. 떡볶이와 튀김을 모두 좋아하지 않는 학생은 몇 명인지 구하시오.

6 치즈 12개를 경미, 소영, 윤희 세 사람이 나누어 가지려고 합니다. 경미는 소영이보다 1개 더 많이 가지고, 소영이는 윤희보다 1개 더 많이 가지려고 합니다. 경미, 소영, 윤희는 치즈를 각각 몇 개씩 가져야 하는지 차례로 구하시오.

정답과 풀이 74쪽 ►

정답과 풀이

초등 1B

초등 1B

상위권의 기준

최상위 사고력

수학 좀 한다면

디딤돌

I 수

최상위 사고력 1 수 만들기 10~17쪽

1-1. 금액 만들기

1 100원, 60원, 51원, 20원, 11원, 2원

2 1개

최상위 사고력 50, 10, 10, 5, 5, 5

1-2. 묶음과 낱개

1 6개, 33개 2 17 최상위 사고력 7개

1-3. 여러 가지 방법으로 수 나타내기

1 (위에서부터) ●● △△△△ / 25, 18

2 19 최상위 사고력 11

최상위 사고력

1 예 가: 5, 1, 1, 5, 10, 50, 10 나: 1, 5, 10, 1, 10, 10, 1, 10, 5, 10, 1, 10

2 5원, 10원 3 62

4 (1) 6 (2) 22

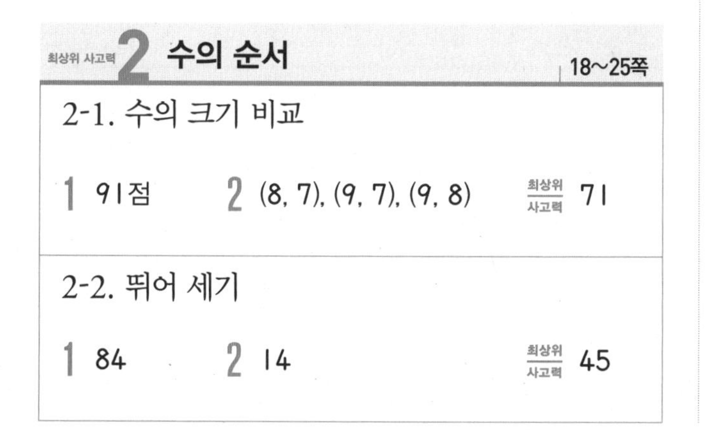

최상위 사고력 2 수의 순서 18~25쪽

2-1. 수의 크기 비교

1 91점 2 (8, 7), (9, 7), (9, 8) 최상위 사고력 71

2-2. 뛰어 세기

1 84 2 14 최상위 사고력 45

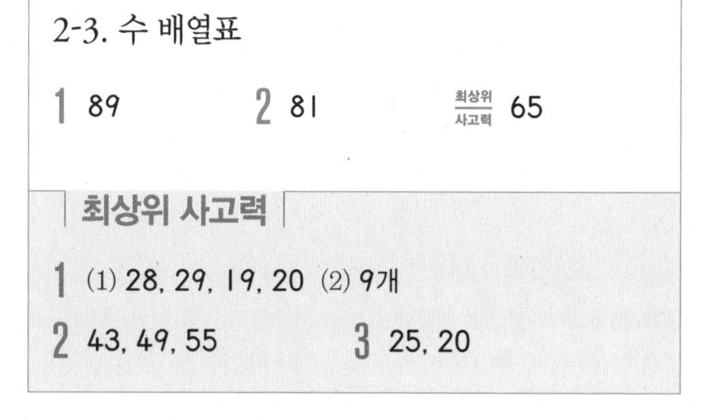

2-3. 수 배열표

1 89 2 81 최상위 사고력 65

최상위 사고력

1 (1) 28, 29, 19, 20 (2) 9개

2 43, 49, 55 3 25, 20

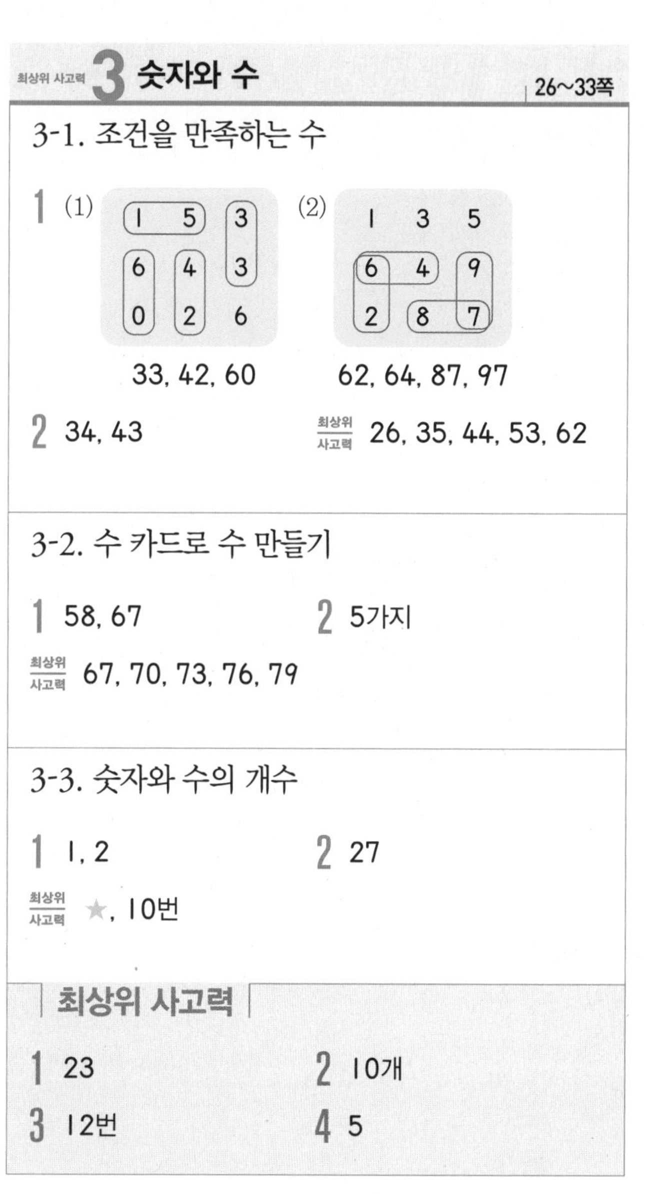

최상위 사고력 3 숫자와 수 26~33쪽

3-1. 조건을 만족하는 수

1 (1) 33, 42, 60 (2) 62, 64, 87, 97

2 34, 43 최상위 사고력 26, 35, 44, 53, 62

3-2. 수 카드로 수 만들기

1 58, 67 2 5가지

최상위 사고력 67, 70, 73, 76, 79

3-3. 숫자와 수의 개수

1 1, 2 2 27

최상위 사고력 ★, 10번

최상위 사고력

1 23 2 10개

3 12번 4 5

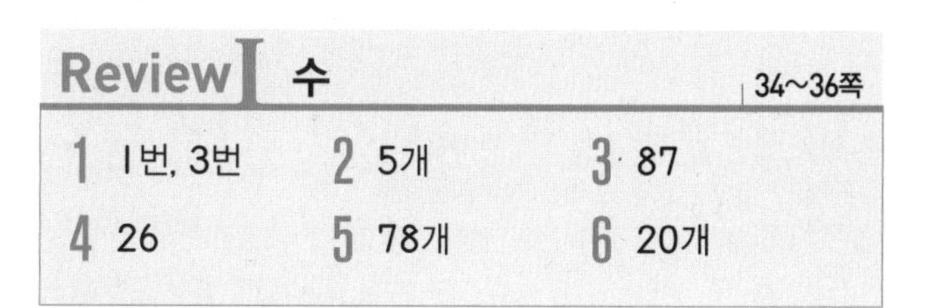

Review I 수 34~36쪽

1 1번, 3번 2 5개 3 87

4 26 5 78개 6 20개

Ⅱ 연산(1)

최상위 사고력 4 덧셈과 뺄셈 38~45쪽

4-1. 복면산

1 (1, 8), (2, 7), (3, 6), (4, 5), (5, 4), (6, 3), (7, 2), (8, 1)

2 (1) ●=4, ■=3 (2) ◆=5, ▲=2

최상위 사고력 ■=4, ●=2

4-2. 수 카드 연산

1 예 32+54=86
23+54=77
23+45=68
24+35=59
54−23=31
35−24=11

2 예 53+42=95 최상위 사고력 2, 8

4-3. 어떤 수 구하기

1 63, 66, 69 2 11, 12, 13 최상위 사고력 61

최상위 사고력

1 3, 3, 3, 3, 3, 3 2 ◆=9, ●=6, ■=3
3 81 4 47, 32

최상위 사고력 5 규칙과 연산 46~53쪽

5-1. 연산 규칙

1 (위에서부터) 72, 18 2 (1) 131 (2) 144

최상위 사고력 (1) 41 (2) 3

5-2. 연산표

1 2
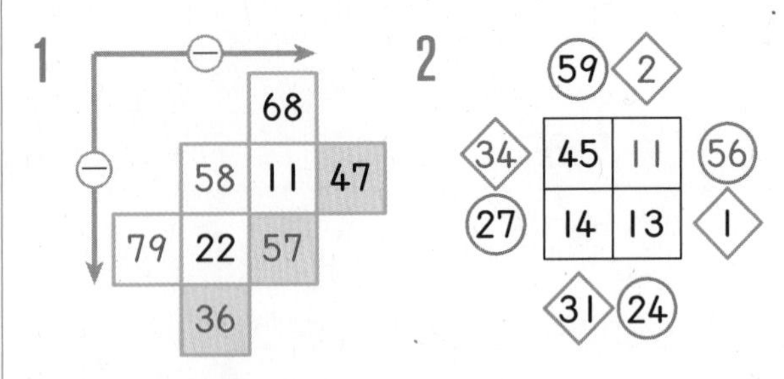

최상위 사고력 ⬢=4, ■=3, ●=1

5-3. 성냥개비 연산

1 (1)
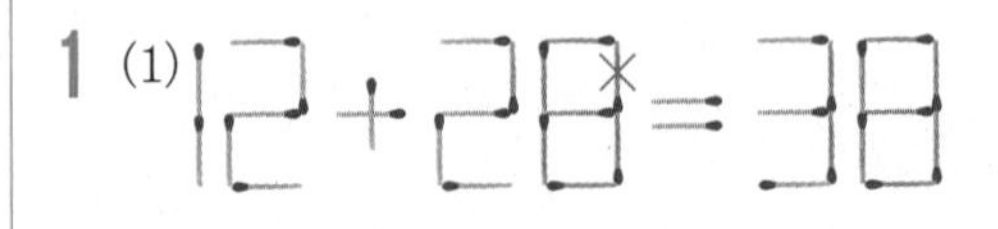
(2)

2

최상위 사고력 (1)
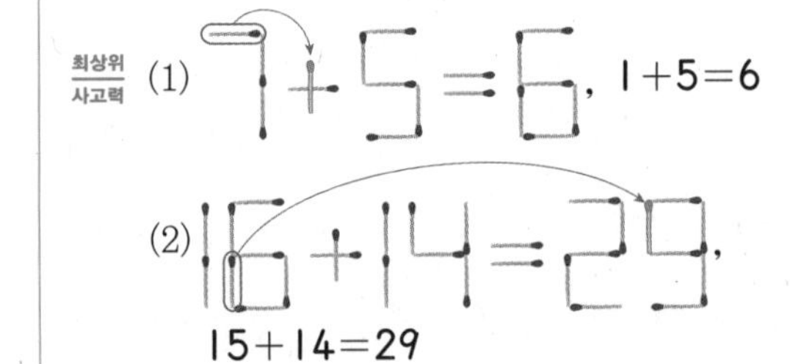
1+5=6
(2) 15+14=29

최상위 사고력

1 (1) 21 (2) 24 2 55, 34, 76

3
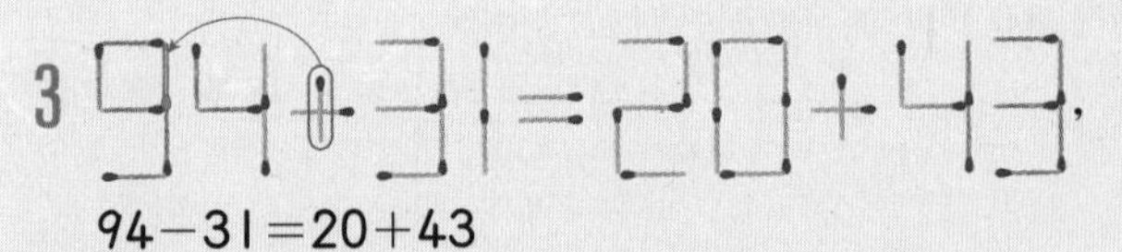
94−31=20+43

4 21

Review Ⅱ 연산(1) 54~56쪽

1 ●=31, ▲=12, ■=54

2
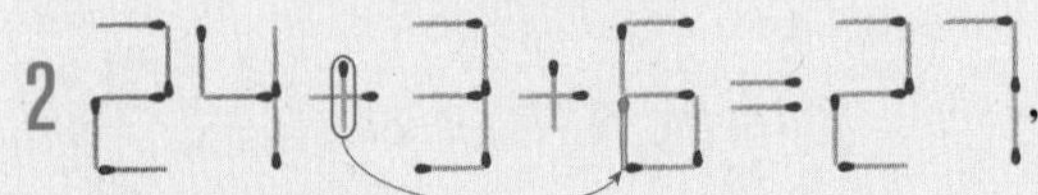
24−3+6=27

3 (1) 19 (2) 1 4 예 13+24=37
5 53, 62, 71 6 9가지

Ⅲ 도형

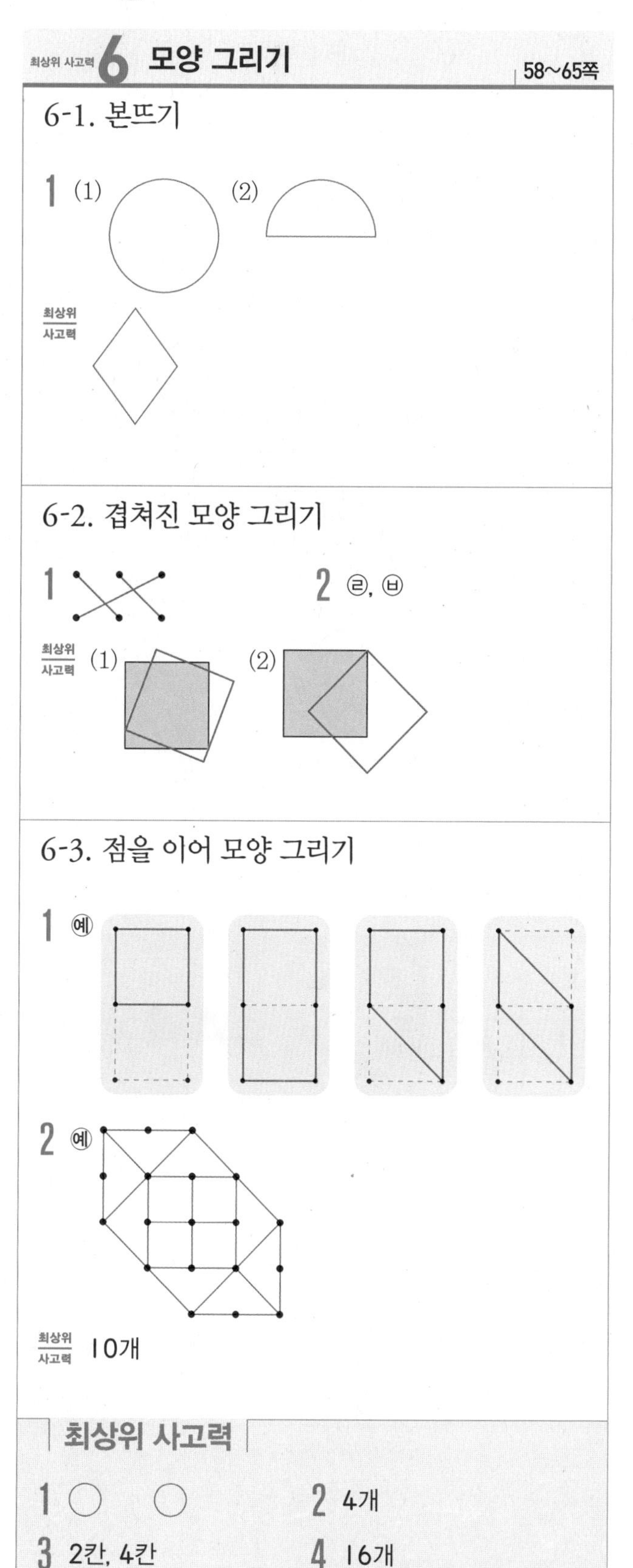

최상위 사고력 6 모양 그리기 58~65쪽

6-1. 본뜨기

1 (1) (2)

최상위 사고력

6-2. 겹쳐진 모양 그리기

1

2 ㉣, ㉥

최상위 사고력 (1) (2)

6-3. 점을 이어 모양 그리기

1 예

2 예

최상위 사고력 10개

최상위 사고력

1 ○ ○

2 4개

3 2칸, 4칸

4 16개

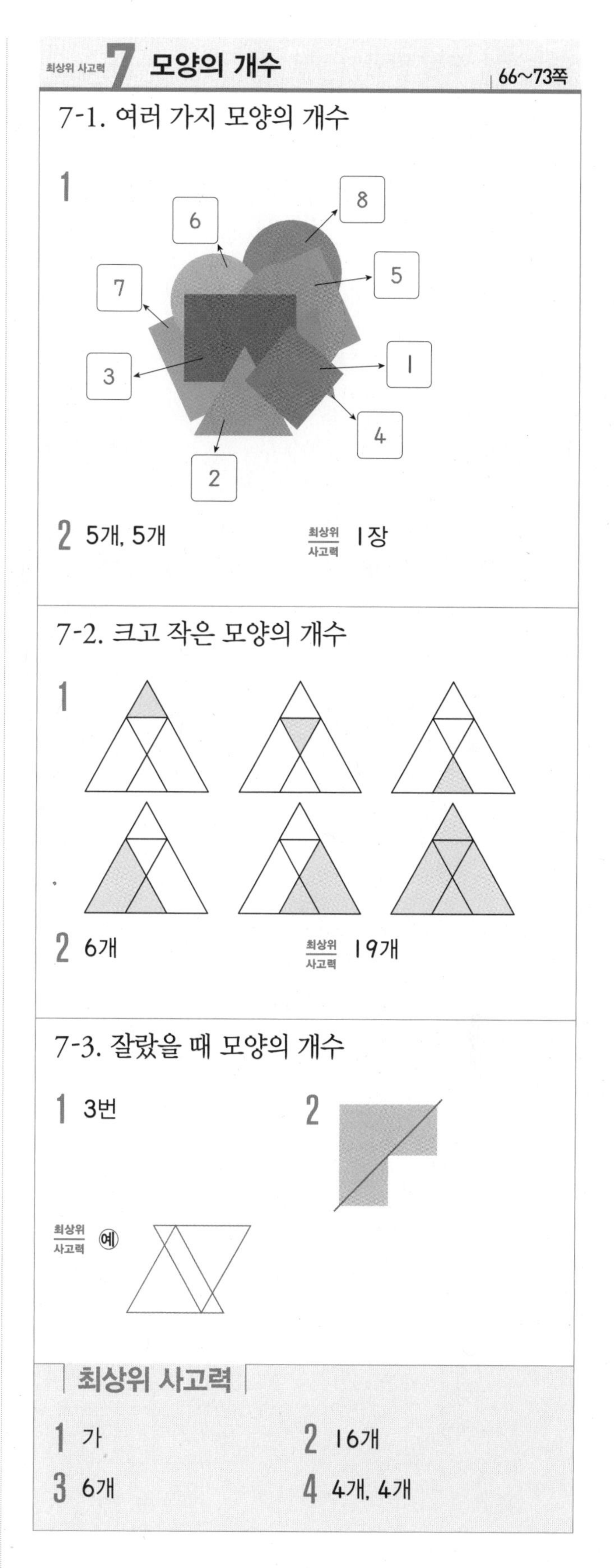

최상위 사고력 7 모양의 개수 66~73쪽

7-1. 여러 가지 모양의 개수

1

2 5개, 5개

최상위 사고력 1장

7-2. 크고 작은 모양의 개수

1

2 6개

최상위 사고력 19개

7-3. 잘랐을 때 모양의 개수

1 3번

2

최상위 사고력 예

최상위 사고력

1 가

2 16개

3 6개

4 4개, 4개

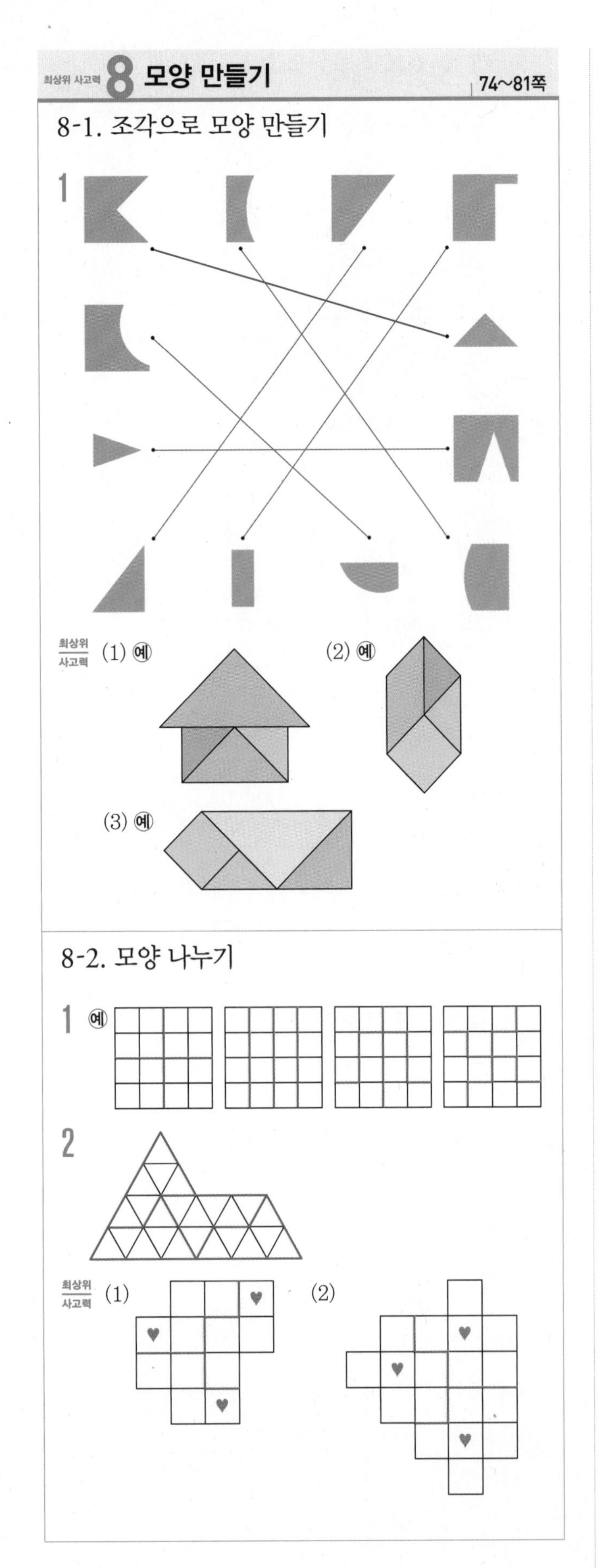
최상위 사고력 8 모양 만들기
74~81쪽
8-1. 조각으로 모양 만들기
1
최상위 사고력 (1) 예
(2) 예
(3) 예
8-2. 모양 나누기
1 예
2
최상위 사고력 (1)
(2)

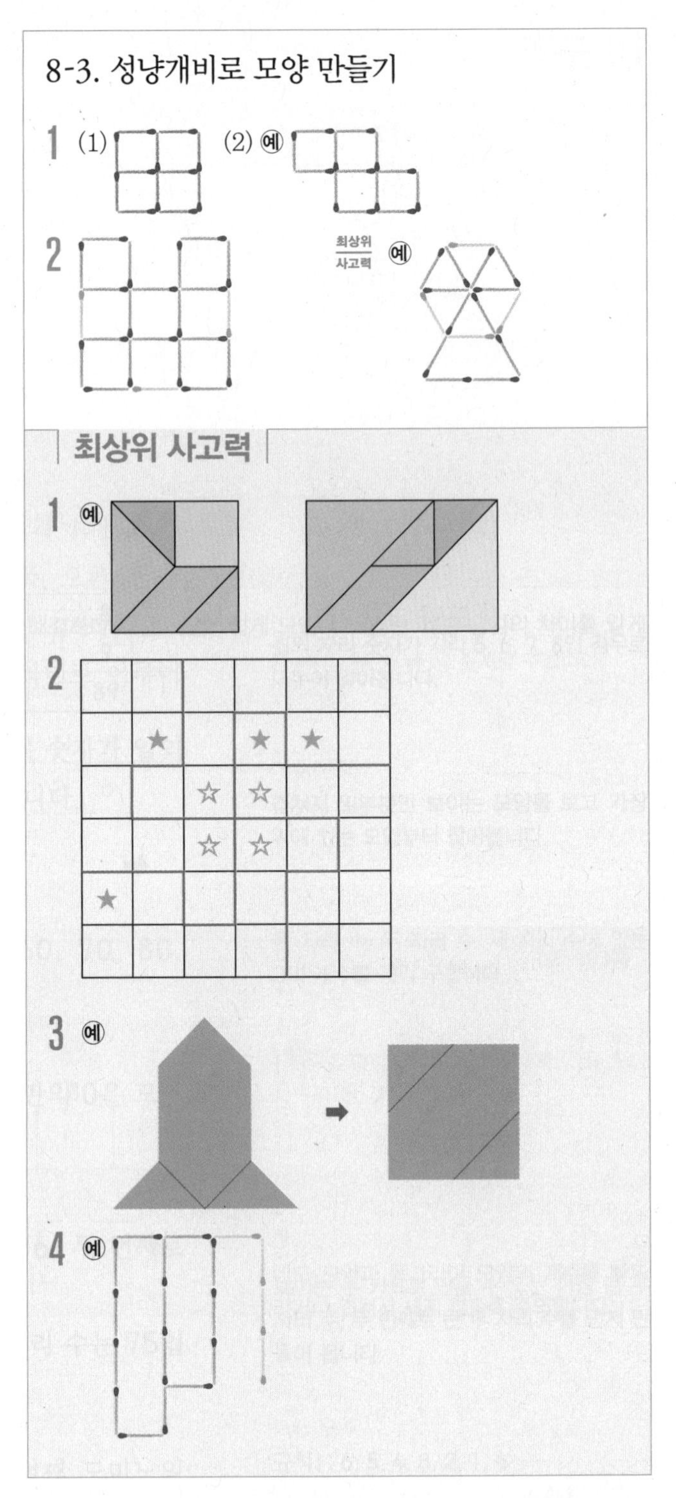
8-3. 성냥개비로 모양 만들기
1 (1)
(2) 예
2
최상위 사고력 예
최상위 사고력
1 예
2
3 예
4 예

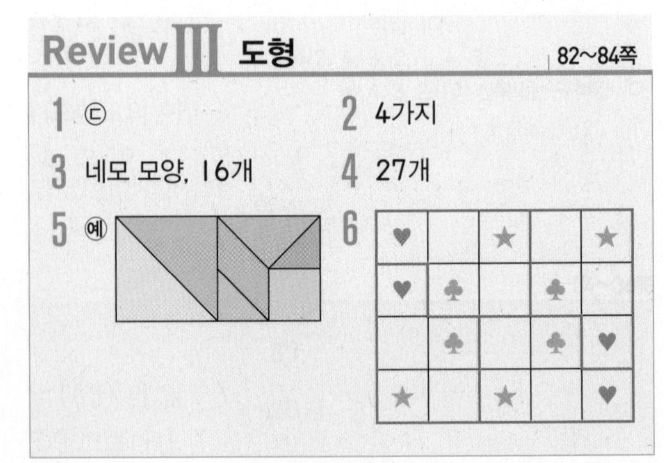
Review III 도형
82~84쪽
1 ㉢
2 4가지
3 네모 모양, 16개
4 27개
5 예
6

Ⅳ 규칙

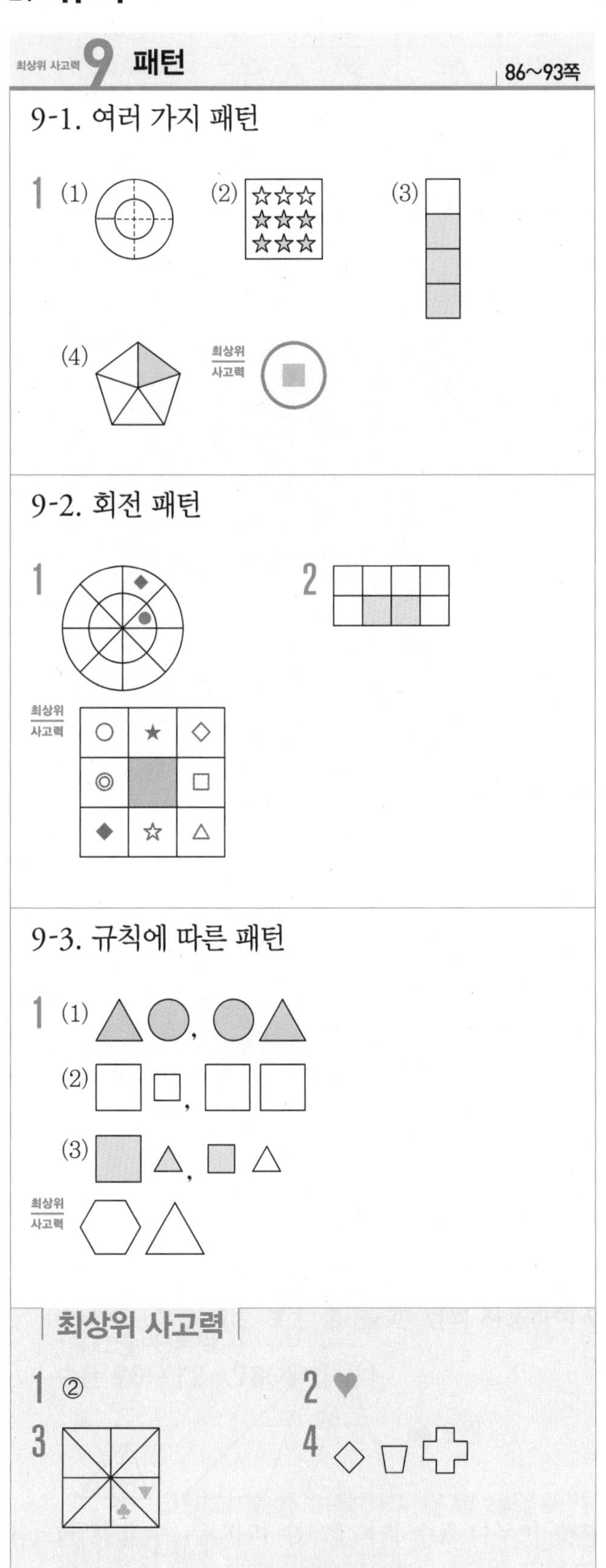
최상위 사고력 9 패턴
86~93쪽
9-1. 여러 가지 패턴
1 (1) (2) (3)
(4) 최상위 사고력
9-2. 회전 패턴
1
2
최상위 사고력
9-3. 규칙에 따른 패턴
1 (1)
(2)
(3)
최상위 사고력
최상위 사고력
1 ②
2 ♥
3
4

최상위 사고력 10 모양에서 규칙찾기
94~101쪽
10-1. 다른 하나
1 (1)
(2)
(3)
(4)
최상위 사고력
ㄹ ㄴ ㅌ ㅁ ㄷ
10-2. 모양의 관계 찾기
1 (1) (2) (3)
2 ㉠과 ㉢, ㉡과 ㉣
최상위 사고력
10-3. 표에서의 관계 찾기
1 (위에서부터) ㉠, ㉡
2
최상위 사고력

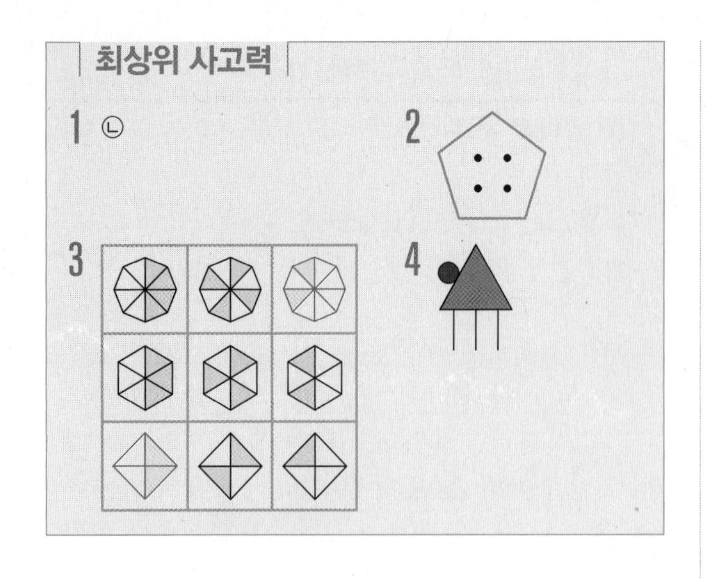

최상위 사고력

1 ㉡

2

3

4

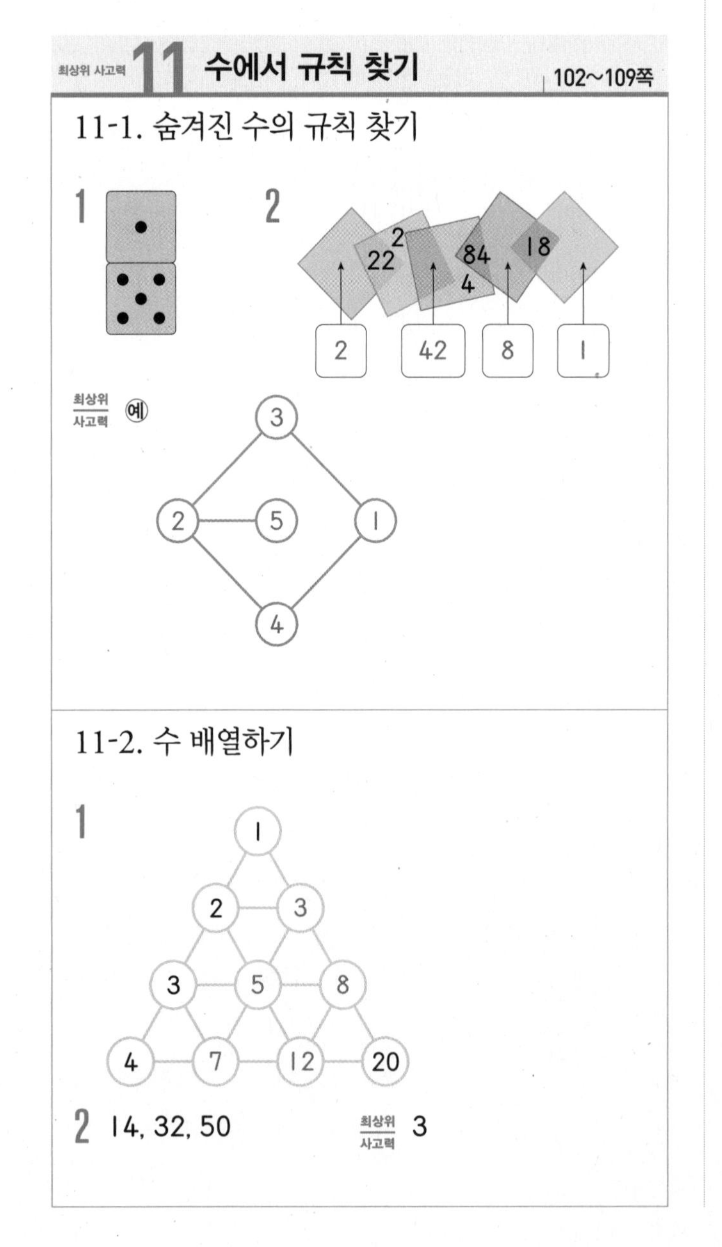

최상위 사고력 11 수에서 규칙 찾기 102~109쪽

11-1. 숨겨진 수의 규칙 찾기

1

2

최상위 사고력 예

11-2. 수 배열하기

1

2 14, 32, 50

최상위 사고력 3

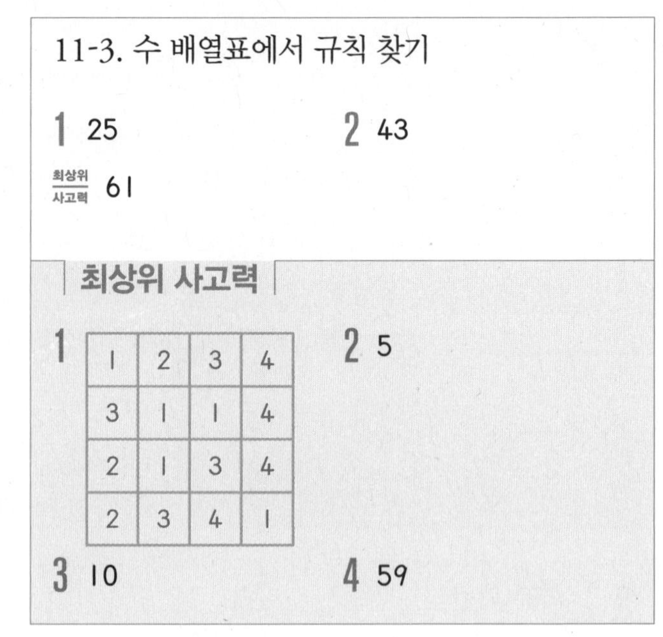

11-3. 수 배열표에서 규칙 찾기

1 25

2 43

최상위 사고력 61

최상위 사고력

1

1	2	3	4
3	1	1	4
2	1	3	4
2	3	4	1

2 5

3 10

4 59

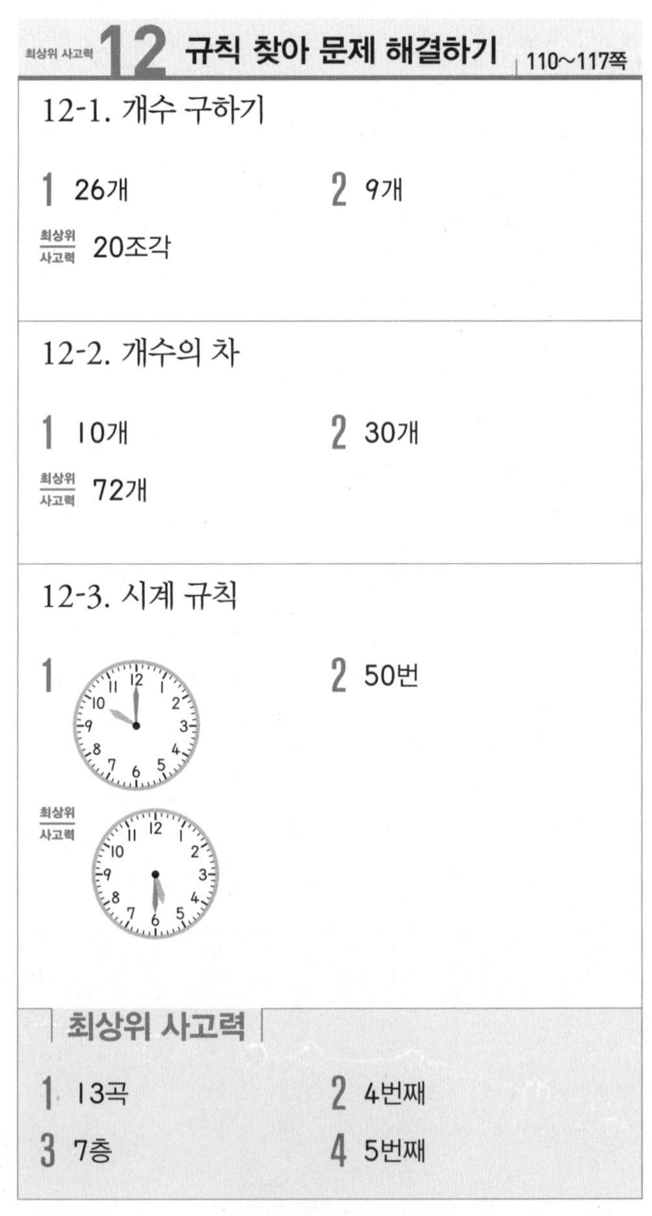

최상위 사고력 12 규칙 찾아 문제 해결하기 110~117쪽

12-1. 개수 구하기

1 26개

2 9개

최상위 사고력 20조각

12-2. 개수의 차

1 10개

2 30개

최상위 사고력 72개

12-3. 시계 규칙

1

2 50번

최상위 사고력

최상위 사고력

1 13곡

2 4번째

3 7층

4 5번째

Review Ⅳ 규칙 118~120쪽

1

2

3

1	4	2	3
4	3	1	2
3	2	4	1
2	1	3	4

4 15개

5 10번

6 7번째

최상위 사고력

1 7가지

2 5, 7, 9, 11, 13, 15, 17, 19

3 (5, 6, 7)

4 3점, 4점, 5점

V 연산(2)

최상위 사고력 13 계산식 122~129쪽

13-1. 계산식 완성하기 (1)

1 예 1, 8 / 2, 7 / 3, 6 / 4, 5

2 예 9, 8, 7 / 6, 5, 1 최상위 사고력 5가지

13-2. 계산식 완성하기 (2)

1 +, +, + / −, +, − / +, −, + / −, −, −

2 19, 27 최상위 사고력 −, + / −, − / 26, 2

13-3. 재미있는 연산

1 예

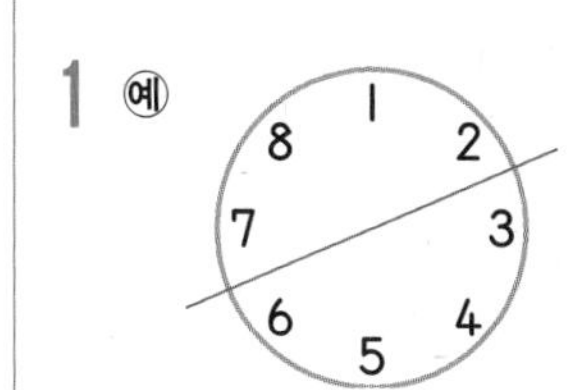

2

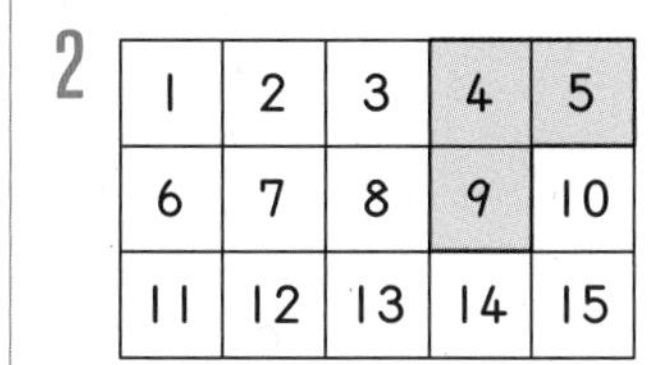

1	2	3	4	5
6	7	8	9	10
11	12	13	14	15

최상위 사고력

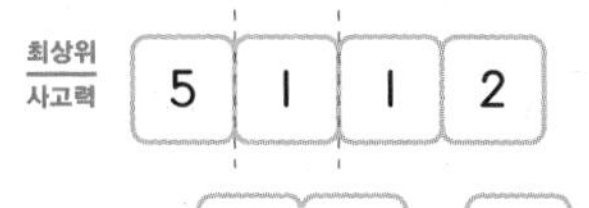

➡ 1 2 + 5 − 1 = 16

최상위 사고력 14 수 퍼즐 130~137쪽

14-1. 가르기와 모으기 퍼즐

1 예

2 5가지

최상위 사고력 예

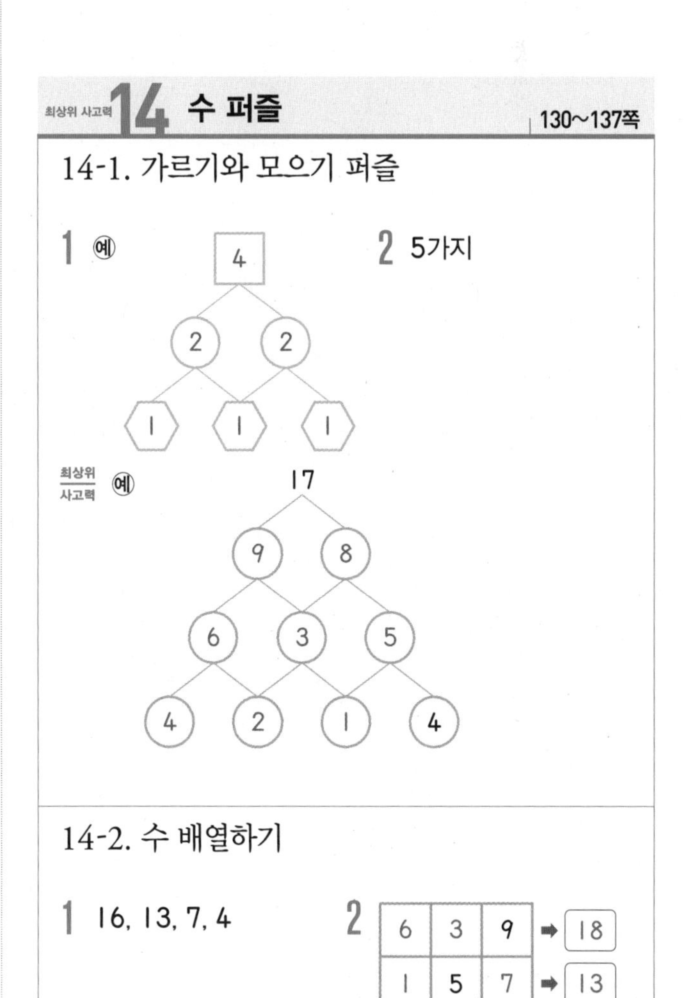

14-2. 수 배열하기

1 16, 13, 7, 4

2

6	3	9	➡ 18
1	5	7	➡ 13
4	8	2	➡ 14

최상위 사고력 예

3	4	6	5	2	1	7

14-3. 마방진

1

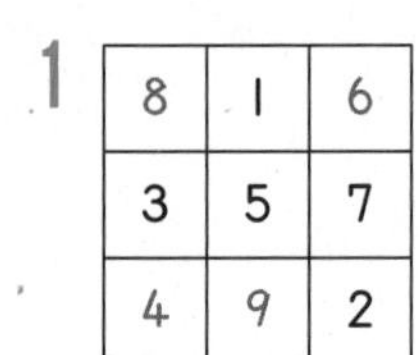

8	1	6
3	5	7
4	9	2

2

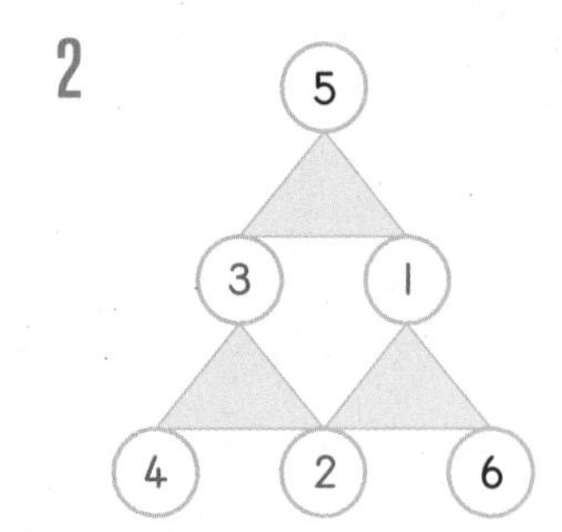

최상위 사고력

8	1	6
3		4
7	9	2

최상위 사고력

1

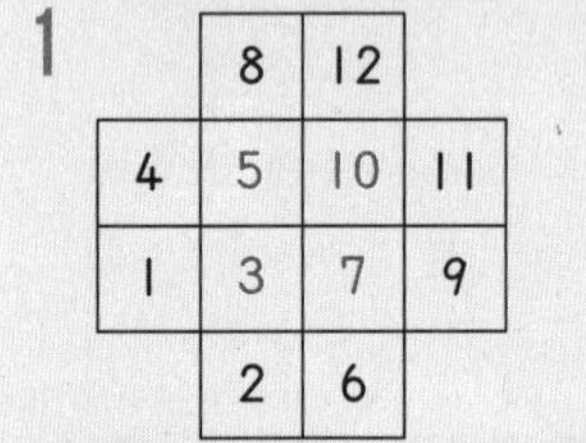

	8	12	
4	5	10	11
1	3	7	9
	2	6	

2 18, 12

3 예

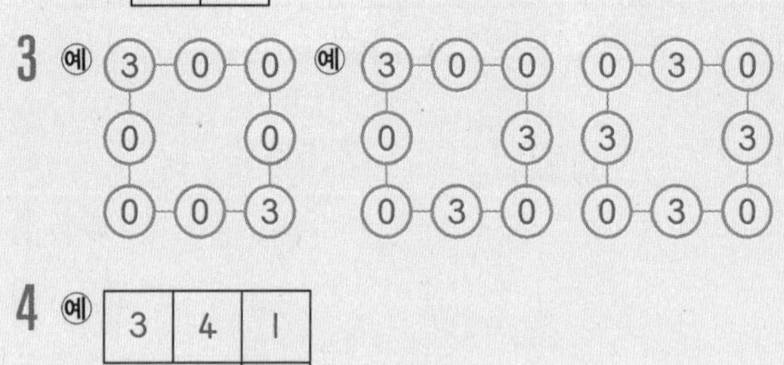

4 예

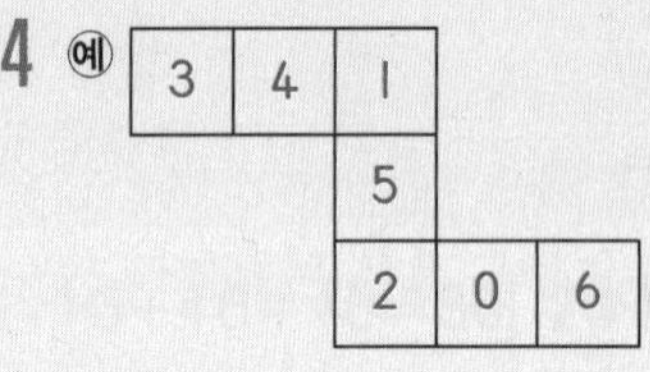

최상위 사고력 15 그림과 표를 이용하여 문제 해결하기 138~145쪽

15-1. 포함되는 것과 포함되지 않는 것

1 2명

2 12명

최상위 사고력 1명, 7명

15-2. 나누어 가지기

1 9자루, 6자루

2 12개

최상위 사고력 14장

15-3. 표와 연산

1 (위에서부터) 5, 4 / 5, 19

2 13

최상위 사고력

김포공항역				
5	가양역			
8	3	염창역		
11	6	3	당산역	
13	8	5	2	여의도역

최상위 사고력

1 5장

2 16명

3 100원

4 (위에서부터) 4, 5, 1 / 6, 1 / 8, 29

Review V 연산(2) 146~148쪽

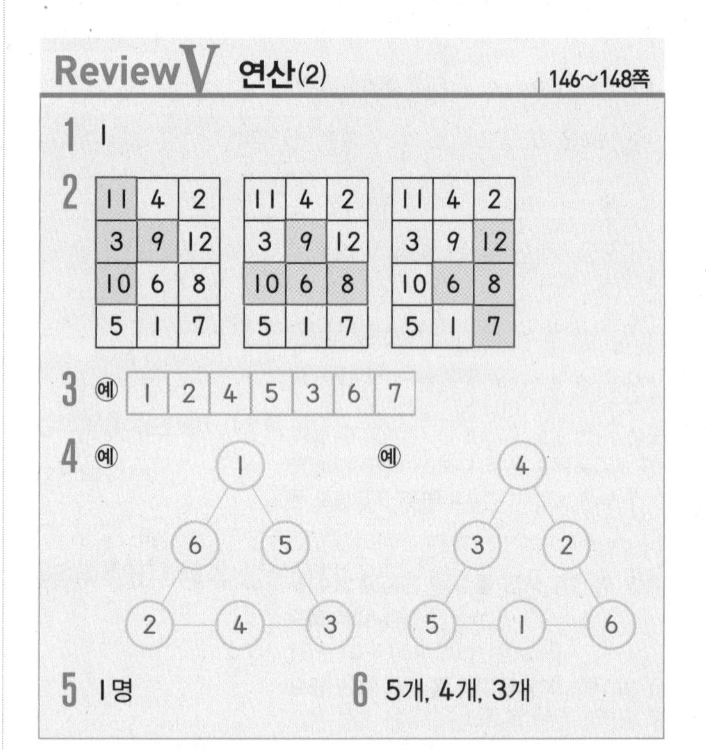

1 1

2

11	4	2
3	9	12
10	6	8
5	1	7

11	4	2
3	9	12
10	6	8
5	1	7

11	4	2
3	9	12
10	6	8
5	1	7

3 예

1	2	4	5	3	6	7

4 예 예

5 1명

6 5개, 4개, 3개

최상위 사고력

Final 평가

1회

1~4쪽

01 18개

02 50

03 ■=2, ●=3

04 30

05 3가지

06 8개

07

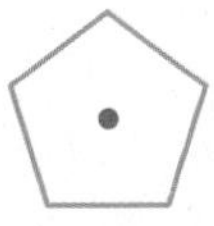

08

09

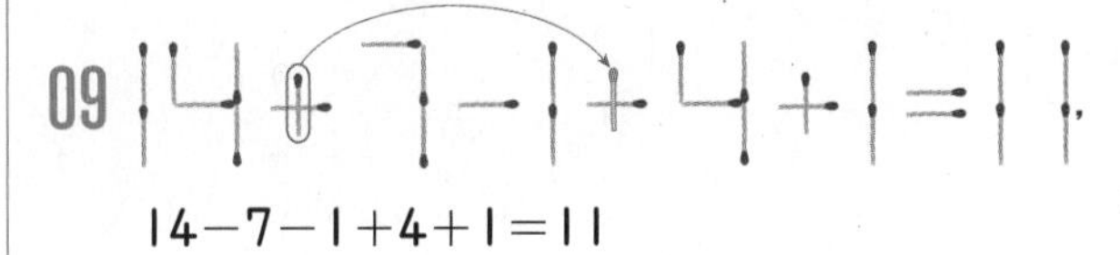

14−7−1+4+1=11

10 ■=4, ▲=2

2회

5~8쪽

01 5개

02 8, 92

03 ■=14, ★=10, ●=2

04 15

05

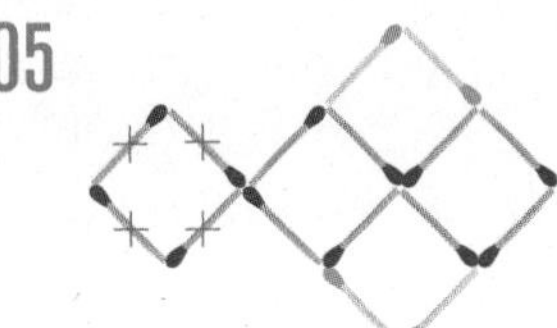

06 13개

07 7번째

08 64

09 형우: 11개, 유미: 9개, 민우: 8개

10 1, 5, 9

I 수

이번 단원에서는 100까지의 수의 개념과 수의 크기 비교 등을 바탕으로 알게 된 수의 구성 방법을 이용하여 여러 가지 방법으로 수를 조작해 봅니다.

1 수 만들기에서는 십진법의 원리를 내포하고 있는 10개씩 묶음과 낱개를 이용하여 수를 만듭니다. 학생이 어려워하는 경우 실생활에서 접할 수 있는 동전과 수수깡 묶음들을 이용하여 연습하면 좀 더 쉽게 이해시킬 수 있습니다.

2 수의 순서에서는 두 자리 수의 크기 비교를 이용하여 수의 배열을 완성하고, 조건에 맞는 수를 만들 수 있습니다. 수의 크기 비교를 활용한 난이도 높은 문제도 십의 자리 숫자부터 비교하여 해결합니다.

3 숫자와 수에서는 숫자와 수의 개념을 구분합니다. 숫자와 수의 구분은 여러 진법을 이해하는 기본 개념이 됩니다. 또한 숫자의 개수, 수의 개수를 구하는 과정에서 수의 체계에 대한 개념을 강화시킬 수 있습니다.

최상위 사고력 **1**

수 만들기

1-1. 금액 만들기

10~11쪽

1 100원, 60원, 51원, 20원, 11원, 2원

2 1개

최상위 사고력

50 10 10 5 5 5

저자 톡! 동전을 사용하여 여러 가지 금액을 만들어 보면서 자연스럽게 수 감각을 기를 수 있습니다. 1원짜리 동전과 5원짜리 동전은 현재 사용하고 있지 않지만 수 모형을 대신하여 동전으로 100까지 수를 익힐 수 있습니다. 여러 가지 종류의 동전을 사용하면서 자연스럽게 다음 차시에 나오는 묶음과 낱개에 대한 개념도 익힐 수 있습니다.

1

50원(개)	2	1	1	0	0	0
10원(개)	0	1	0	2	1	0
1원(개)	0	0	1	0	1	2
금액(원)	100	60	51	20	11	2

따라서 동전 2개를 사용하여 만들 수 있는 금액은 100원, 60원, 51원, 20원, 11원, 2원입니다.

해결 전략

표를 그린 후 50원짜리 동전을 가장 많이 사용한 경우부터 차례로 구합니다.

2 먼저 큰 금액의 동전부터 사용하여 100원을 만들고, 작은 금액의 동전으로 바꾸어 가며 동전의 수를 맞춥니다.

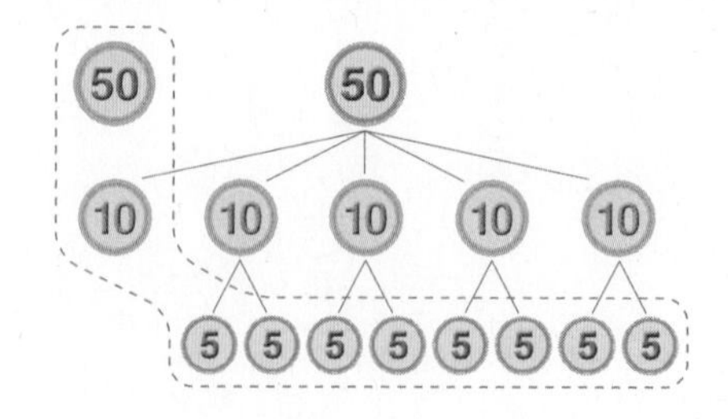

➡ 50원짜리 동전 1개, 10원짜리 동전 1개, 5원짜리 동전 8개
따라서 10원짜리 동전은 1개 필요합니다.

최상위 사고력 지우는 50원짜리, 10원짜리, 5원짜리 동전만 가지고 있으므로 처음 가지고 있던 금액의 일의 자리 숫자는 0 또는 5입니다. 거스름돈으로 받은 1원짜리 동전 2개는 2원입니다. 83원짜리 사탕을 사고 2원을 거스름돈으로 받았으므로 지우가 처음 가지고 있던 돈은 85원입니다. 50원짜리, 10원짜리, 5원짜리 동전 6개로 85원을 만들면 다음과 같습니다.

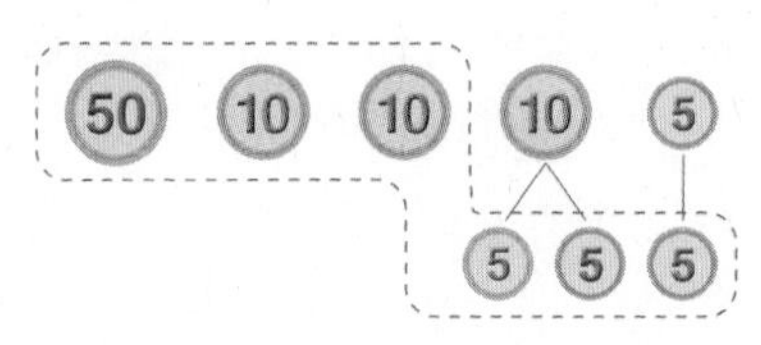

➡ 50원짜리 동전 1개, 10원짜리 동전 2개, 5원짜리 동전 3개

주의
동전의 수와 금액이 모두 맞아야 합니다.

1-2. 묶음과 낱개

12~13쪽

1 6개, 33개　　2 17　　최상위 사고력 7개

저자 톡! 수가 커짐에 따라 '묶어 세기'라는 다른 수 세기 전략을 필요로 하게 됩니다. 10씩 묶어 세기를 통해 학생들은 수 세기를 기초로 한 개념에서 묶어 세기를 한 개념으로 발전하게 됩니다. 10씩 묶어 세기는 자연수에서 이후 학습하는 큰 수에 모두 적용되는 십진법의 원리를 학생들이 경험할 수 있는 토대가 됩니다.

1 • 남은 초의 수가 가장 적은 경우: 긴 초 3개, 짧은 초 35개
➡ 남은 초의 수는 $8-3+36-35=6$(개)입니다.
• 남은 초의 수가 가장 많은 경우: 긴 초 6개, 짧은 초 5개
➡ 남은 초의 수는 $8-6+36-5=33$(개)입니다.

해결 전략
짧은 초를 많이 사용하면 남은 초의 수가 적어지고, 긴 초를 많이 사용하면 남은 초의 수가 많아집니다.

2 지오가 모은 딱지의 수: 10개씩 묶음 3개와 낱개 27개
➡ 10개씩 묶음 $(3+2)$개와 낱개 7개
➡ 10개씩 묶음 5개와 낱개 7개 ➡ 57개
(지오가 모은 딱지의 수)=(선우가 모은 딱지의 수)이므로
57개 ➡ 10개씩 묶음 5개와 낱개 7개
➡ 10개씩 묶음 $(4+1)$개와 낱개 7개
➡ 10개씩 묶음 4개와 낱개 17개
따라서 □ 안에 알맞은 수는 17입니다.

해결 전략
10개씩 묶음 ■개와 낱개 ●▲개인 수는 10개씩 묶음 (■+●)개와 낱개 ▲개인 수입니다.

최상위 사고력 ㉠ 10개씩 묶음 5개와 낱개 21개인 수는 10개씩 묶음 7개와 낱개 1개인 수이므로 71입니다.

㉡ 96보다 10 작은 수는
96−95−94−93−92−91−90−89−88−87−86이므로
86입니다.

따라서 71과 86 사이에 있는 수 중에서 홀수는 73, 75, 77, 79, 81, 83, 85이므로 모두 7개입니다.

> **보충 개념**
> • 짝수: 2, 4, 6……과 같이 둘씩 짝을 지을 수 있는 수
> • 홀수: 1, 3, 5……와 같이 둘씩 짝을 지을 수 없는 수

1-3. 여러 가지 방법으로 수 나타내기 14~15쪽

1 (위에서부터) ●● △△△△ / 25, 18 2 19 최상위 사고력 11

1 ●●●△△=32, ●●●△=31이므로 ●=10, △=1을 나타냅니다.
●●△△△△△은 ●이 2개, △이 5개이므로 25입니다.
●△△△△△△△△은 ●이 1개, △이 8개이므로 18입니다.
24는 ●을 2개, △을 4개 그립니다.

> **해결 전략**
> 각각의 모양이 나타내는 수를 먼저 찾아봅니다.

2 •=1, •••(선)=8이므로 ——은 5, •은 1을 나타냅니다.
따라서 ••••(선 3개)은 ——이 3개, •이 4개이므로
5+5+5+1+1+1+1=19를 나타냅니다.

최상위 사고력 도형을 서로 비교하여 각각의 칸이 나타내는 수를 찾습니다.

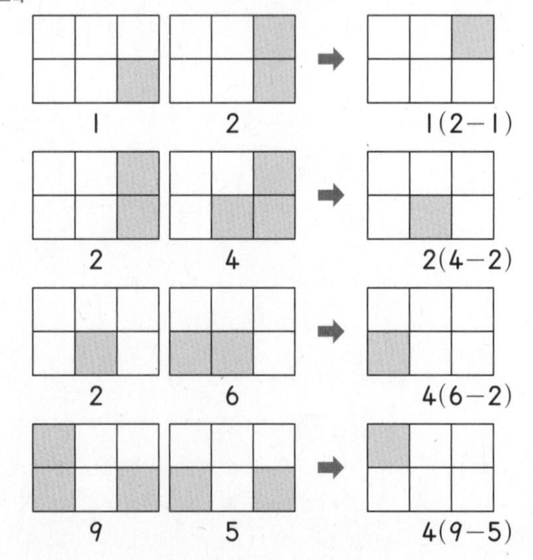

> **해결 전략**
> 도형이 나타내는 수는 도형에서 색칠한 각각의 칸이 나타내는 수의 합입니다.

➡ 도형에서 각각의 칸이 나타내는 수는

4		1
4	2	1

입니다.

따라서 (도형)은 4+4+2+1=11을 나타냅니다.

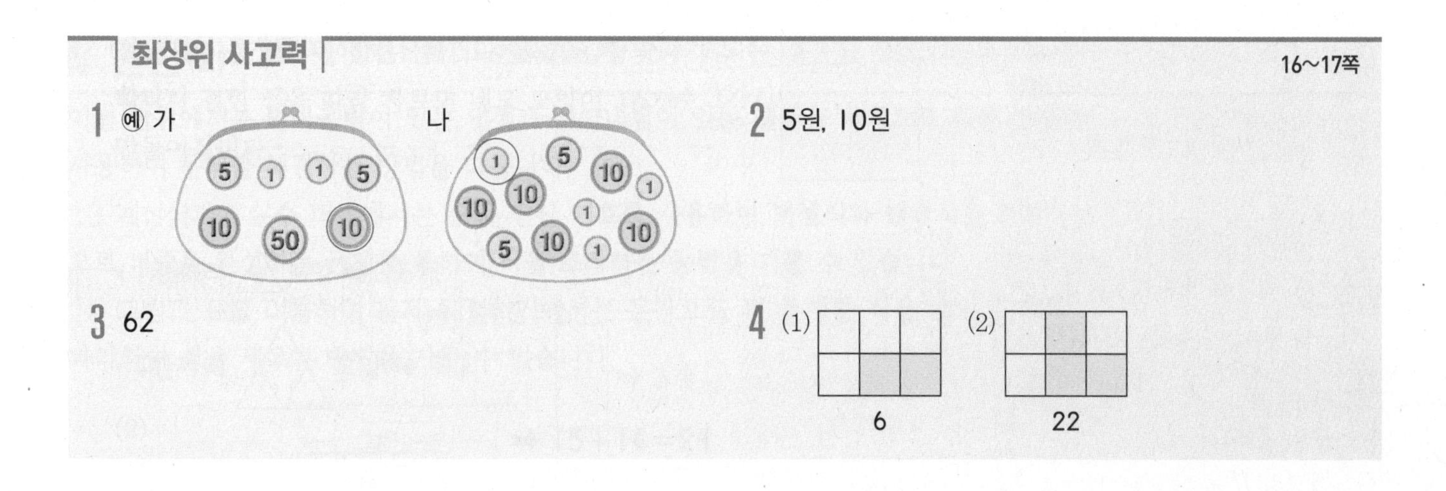

1 가 지갑에 있는 금액은 50+10+10+5+5+1+1=82(원)입니다.
나 지갑에 있는 금액은
10+10+10+10+10+5+5+1+1+1+1=64(원)입니다.
가 지갑에 있는 큰 금액의 동전과 나 지갑에 있는 적은 금액의 동전을 서로 바꾸어야 합니다.
82−9=64+9이므로 가 지갑의 10원짜리 동전과 나 지갑의 1원짜리 동전을 서로 바꾸면 가, 나 지갑에 있는 금액이 73원으로 같습니다.

해결 전략
10 ↔ 5 ➡ 5원만큼 적어지고 많아집니다.
10 ↔ 1 ➡ 9원만큼 적어지고 많아집니다.
5 ↔ 1 ➡ 4원만큼 적어지고 많아집니다.

2 왼쪽 주머니에 보이는 동전은
10+10+10+10+5+5+1+1+1+1+1=55(원)이고,
오른쪽 주머니에 보이는 동전은 10+10+10+10+5+5=50(원)입니다.
양쪽 주머니에 각각 보이지 않는 동전 1개씩을 더해서 같아질 수 있는 금액은 60원이므로 보이지 않는 동전은 왼쪽 주머니가 5원, 오른쪽 주머니가 10원입니다.

3 두 수의 합이 8이 되는 경우는 (1, 7), (2, 6), (3, 5), (5, 3), (6, 2), (7, 1)입니다. 두 수를 이용하여 만든 두 자리 수를 작은 수부터 차례로 쓰면 17, 26, 35, 53, 62, 71입니다.
따라서 5번째로 작은 수는 62입니다.

주의
㉠과 ㉡은 0이 아닌 서로 다른 수이므로 (4, 4)가 될 수 없습니다.

4 도형에서 각각의 칸이 나타내는 수는 다음과 같습니다.

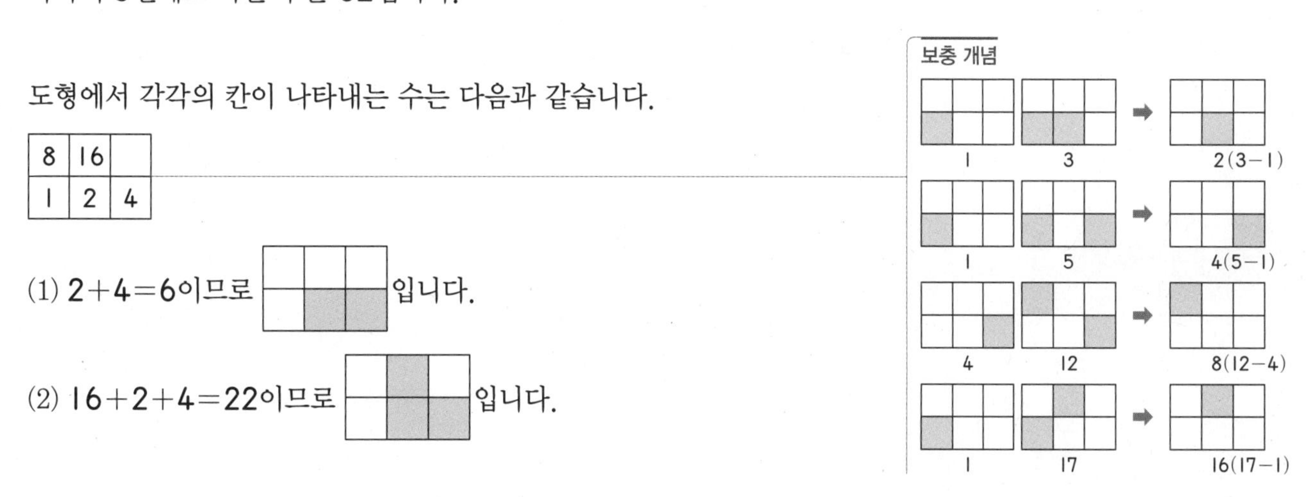

2-1. 수의 크기 비교

18~19쪽

1 91점　　2 (8, 7), (9, 7), (9, 8)　　최상위 사고력 71

저자 톡! 두 자리 수의 크기를 비교할 때는 십의 자리 수부터 비교한 뒤 십의 자리 수가 같으면 일의 자리 수를 비교합니다. 두 자리 수의 한 자리 수를 모르는 경우에도 십의 자리 수와 일의 자리 수를 차례로 비교하면 모르는 수를 찾을 수 있습니다.

1 수학 점수가 낮은 학생부터 차례로 쓰면 민서, 지오, 가연, 강혁, 지겸이므로 7ⓜ<ⓒ0<ⓛ6<ⓡ1<ⓖ3입니다.
7ⓜ<ⓒ0이므로 ⓒ0은 80 또는 90입니다.
① ⓒ0=80인 경우
80<ⓛ6<ⓡ1<ⓖ3 ➡ 80<86<91<93이므로 강혁이의 수학 점수는 91점입니다.
② ⓒ0=90인 경우
90<ⓛ6<ⓡ1<ⓖ3을 만족하는 ⓛ, ⓡ, ⓖ을 구할 수 없습니다.
따라서 강혁이의 수학 점수는 91점입니다.

보충 개념
80<ⓛ6<ⓡ1
6>1
일의 자리 수가 6>1이므로 ⓛ=8, ⓡ=9입니다.

2 6ⓖ<ⓛ7이므로 ⓛ은 6, 7, 8, 9가 될 수 있습니다.
① ⓛ=6인 경우 ⓖ>ⓛ이므로 ⓖ에 알맞은 수는 없습니다.
② ⓛ=7인 경우 ⓖ>ⓛ이므로 ⓖ=8, 9입니다. ➡ (ⓖ, ⓛ)=(8, 7) 또는 (9, 7)
③ ⓛ=8인 경우 ⓖ>ⓛ이므로 ⓖ=9입니다. ➡ (ⓖ, ⓛ)=(9, 8)
④ ⓛ=9인 경우 ⓖ>ⓛ이므로 ⓖ에 알맞은 수는 없습니다.
따라서 ⓖ, ⓛ에 알맞은 수는 (8, 7), (9, 7), (9, 8)입니다.

최상위 사고력 주어진 수 카드를 작은 수부터 차례로 쓰면 0<1<5<7<9입니다.
나뭇가지 그림의 높은 자리부터 작은 수를 놓아 두 자리 수를 만듭니다.

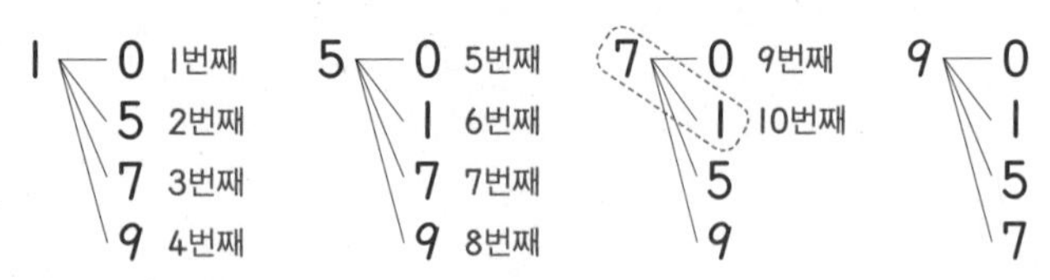

따라서 만들 수 있는 수 중에서 10번째로 작은 수는 71입니다.

주의
십의 자리에 0을 놓을 수 없고, 한 번 사용한 수는 중복하여 사용할 수 없습니다.

2-2. 뛰어 세기

20~21쪽

1 84　　2 14　　최상위 사고력 45

저자 톡! 10씩 뛰어 세기, 1씩 뛰어 세기, 2씩 뛰어 세기 등을 통하여 어느 자리 숫자가 어떻게 변하는지 추측하고 분석할 수 있는 능력을 기를 수 있습니다.

1 →, ←는 2를 뛰어 세고 다시 거꾸로 2를 뛰어 세므로 처음 수가 됩니다.
같은 방법으로 ↑, ↓는 10을 뛰어 세고 다시 거꾸로 10을 뛰어 세므로 처음 수가 됩니다.
따라서 →와 ←, ↑와 ↓를 쌍으로 지우고 나머지 화살표 방향에 따라 뛰어 세기를 합니다.

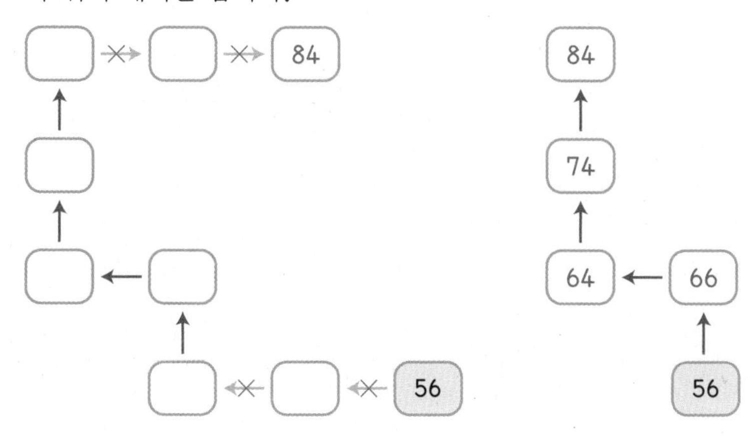

> 해결 전략
> 같은 방향은 같은 규칙으로 커지거나 작아집니다.

2 15부터 2씩 7번 뛰어서 세면
15－17－19－21－23－25－27－29이므로 준이가 말한 수는 29입니다.
두 사람이 말한 수가 같으므로 가연이가 어떤 수부터 3씩 5번 뛰어서 센 수도 29입니다. 29부터 3씩 5번 거꾸로 뛰어서 세면 가연이가 뛰어 세기 시작한 수를 구할 수 있습니다.
따라서 29－26－23－20－17－14이므로 어떤 수는 14입니다.

최상위 사고력 형우와 영미가 동시에 뛰어 세기를 하면 다음과 같습니다.

형우 27－29－31－33－35－37－39－41－43－45

영미 18－21－24－27－30－33－36－39－42－45

따라서 뛰어 세기를 하여 동시에 같은 수 쓸 때 그 수는 45입니다.

> 주의
> 동시에 같은 수를 쓰는 경우이므로 답으로 33이나 39를 쓰지 않습니다.

2-3. 수 배열표

22~23쪽

1 89　　2 81　　최상위 사고력 65

저자 톡! 수 배열표에 관한 문제는 수 배열표에서 수를 나열한 규칙을 찾는 것이 가장 중요합니다. 수 배열표에 쓰인 가장 작은 수부터 수의 크기에 따라 차례로 선을 그어 보면 나열된 수의 규칙을 찾을 수 있습니다.

1 수 배열표에서 오른쪽으로 한 칸 이동할 때 1씩 커지고, 왼쪽으로 한 칸 이동할 때 1씩 작아집니다.
위쪽으로 한 칸 이동할 때 10씩 작아지고, 아래쪽으로 한 칸 이동할 때 10씩 커집니다.
따라서 ㉠에 알맞은 수는 79보다 10 큰 수인 89입니다.

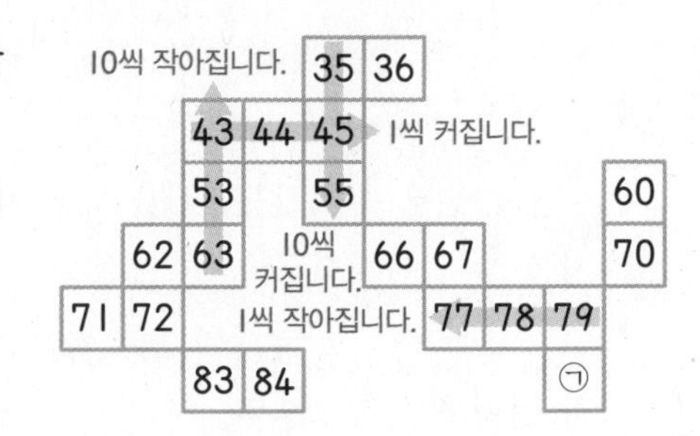

2 다음과 같은 방법으로 수를 써넣었습니다.

1	2	3	4	5	6	7	8	9
32	33							10
31								11
30								12
29				㉠				13
28								14
27								15
26								16
25	24	23	22	21	20	19	18	17

모두 81칸인 표의 가장 마지막에 ㉠을 써넣으므로
㉠에 알맞은 수는 81입니다.

해결 전략
가장 작은 수부터 수의 크기에 따라 차례로 선을 그어 봅니다.

최상위 사고력 첫째 줄은 왼쪽에서부터 차례로 수를 씁니다. 둘째 줄은 오른쪽에서부터 차례로 수를 씁니다. 8의 한 칸 아래의 수가 17이고, 첫째 줄의 8 오른쪽에 4칸이 더 있으므로 가로는 12칸입니다.
54가 있는 줄은 왼쪽에서부터 차례로 수를 쓰는 줄이므로 54의 오른쪽은 차례로 55, 56이고, 그 줄에서 가장 오른쪽의 수는 60입니다.
따라서 ★이 있는 줄은 오른쪽에서부터 차례로 수를 쓰는 줄이고, 가장 오른쪽의 수는 61이므로 ★에 알맞은 수는 65입니다.

1	2	3	4	5	6	7	8	9	10	11	12
					19	18	17	16	15	14	13
25	26										
						⋮					
					54	55	56				60
							★	64	63	62	61

최상위 사고력

24~25쪽

1 (1) 28, 29, 19, 20 (2) 9개 2 43, 49, 55 3 25, 20

1 (1) 나열한 수를 표에서 찾아 색칠하면 다음과 같습니다.

1	2	3	4	5	6	7	8	9	10
11	12	13	14	15	16	17	18	19	20
21	22	23	24	25	26	27	28	29	30

따라서 빈 곳에 알맞은 수는 28, 29, 19, 20입니다.

(2) 나열한 수를 표에서 찾아 색칠하면 오른쪽과 같습니다.

같은 규칙으로 수를 나열하면

1 − 11 − 12 − 22 − 23 − 33 − 34 − 44 − 45 − 55

− 56 − 66 − 67 − 77 − 78 − 88 − 89 − 99 − 100 (9개)

입니다.

따라서 55 다음에 나열하는 수는 모두 9개입니다.

1	2	3	4	5	6	7	8	9	10
11	12	13	14	15	16	17	18	19	20
21	22	23	24	25	26	27	28	29	30
31	32	33	34	35	36	37	38	39	40
41	42	43	44	45	46	47	48	49	50
51	52	53	54	55	56	57	58	59	60

2 민우는 25부터 2씩 뛰어서 센 수, 연우는 31부터 3씩 뛰어서 센 수를 말합니다.

민우: 25 − 27 − 29 − 31 − 33 − 35 − 37 − 39 − 41 − **43** − 45 − 47 − **49** − 51 − 53 − **55** − 57 − 59 − 61

연우: 31 − 34 − 37 − 40 − **43** − 46 − **49** − 52 − **55** − 58 − 61

따라서 두 사람이 말한 40보다 크고 60보다 작은 수 중에서 같은 수는 43, 49, 55입니다.

3 수직선을 이용하여 ㉠, ㉡, ㉢, ㉣의 크기를 비교합니다.

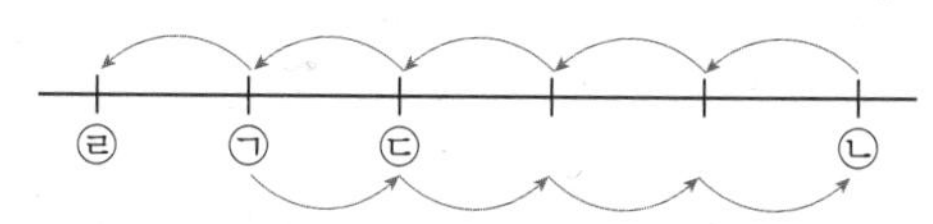

가장 큰 수가 가장 작은 수보다 5만큼 크므로 주어진 수 중에서 가장 큰 수와 가장 작은 수가 될 수 있는 두 수는 20과 25 또는 21과 26입니다.

① 가장 큰 수가 25인 경우

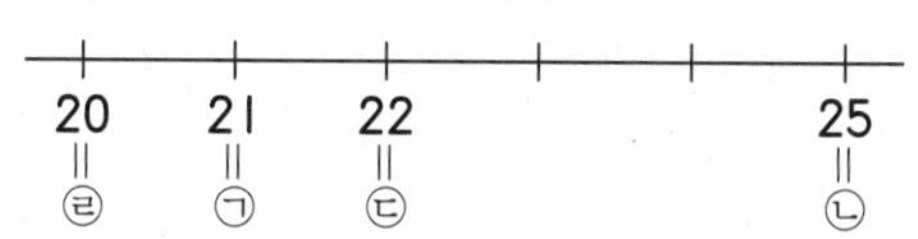

② 가장 큰 수가 26인 경우: 23인 수 카드가 없습니다.

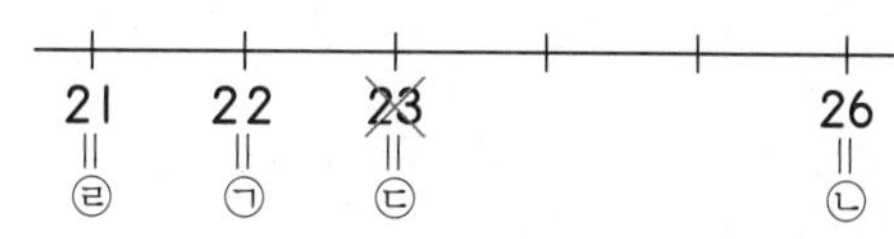

따라서 수 카드 ㉠=21, ㉡=25, ㉢=22, ㉣=20이므로 ㉡과 ㉣을 차례로 쓰면 25, 20입니다.

최상위 사고력 **3 숫자와 수**

3-1. 조건을 만족하는 수

26~27쪽

1 (1)

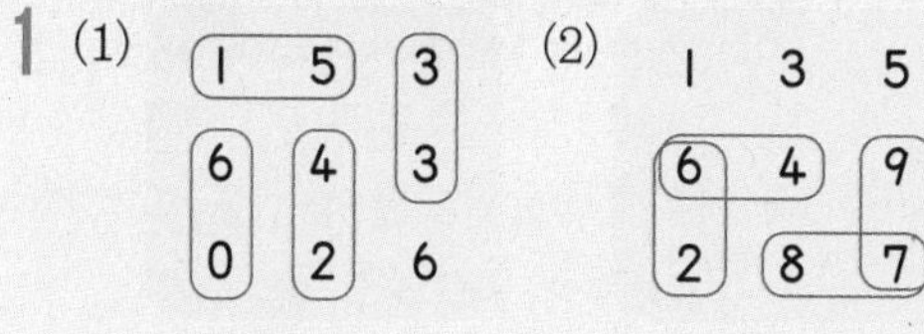

33, 42, 60

(2)

1 3 5
6 4 9
2 8 7

62, 64, 87, 97

2 34, 43

최상위 사고력 26, 35, 44, 53, 62

1 (1) 각 자리 숫자의 합이 6인 수

각 자리 숫자의 합이 6인 수의 두 숫자의 쌍을 모두 구하면 (0, 6), (1, 5), (2, 4), (3, 3)입니다. 이 쌍으로 이루어진 수를 찾으면 15, 33, 42, 60입니다.

해결 전략

가로줄부터 조건을 만족하는 수를 찾은 후 세로줄에서 조건을 만족하는 수를 찾습니다.

(2) 십의 자리 숫자가 일의 자리 숫자보다 큰 수

십의 자리 숫자가 일의 자리 숫자보다 큰 수의 각 자리 숫자의 쌍을 모두 구하면 (6, 2), (6, 4)), (8, 7), (9, 7)입니다. 이 쌍으로 이루어진 수를 찾으면 62, 64, 87, 97입니다.

2 각 자리 숫자의 합이 7인 수의 두 숫자의 쌍을 모두 구하면 (7, 0), (6, 1), (5, 2), (4, 3)입니다. 이 중에서 각 자리 숫자의 차가 1인 쌍은 (4, 3)이고, 이 쌍으로 만들 수 있는 두 자리 수는 34, 43입니다.

해결 전략
첫 번째 조건 ➡ 두 번째 조건
순서로 수를 구합니다.

최상위 사고력 각 자리 숫자의 합이 8인 두 자리 수는 17, 26, 35, 44, 53, 62, 71, 80입니다.
주사위는 1부터 6까지의 수만 있으므로 17, 71, 80은 만들 수 없습니다.
따라서 만들 수 있는 수 중에서 각 자리 숫자의 합이 8인 수는 26, 35, 44, 53, 62입니다.

주의
각 자리 숫자의 합이 8인 두 자리 수 중에서 주사위로 만들 수 있는 수만 답으로 써야 합니다.

3-2. 수 카드로 수 만들기

28~29쪽

1 58, 67 **2** 5가지 **최상위 사고력** 67, 70, 73, 76, 79

1 두 번째 조건에서 각 자리 숫자의 합은 13이므로 [5]와 [8], [6]과 [7]을 사용하여 수를 만들어야 합니다.
첫 번째 조건에서 일의 자리 숫자가 십의 자리 숫자보다 크므로 조건을 만족하는 두 자리 수는 58, 67입니다.

해결 전략
두 번째 조건 ➡ 첫 번째 조건
차례로 조건을 만족하는 두 자리 수를 만들어 봅니다.

2 ① (3, 4, 5) ➡ 3—4, 3—5 / 4—3, 4—5 / 5—3, 5—4 (×) (35보다 크지 않습니다.)

② (3, 6, 7) ➡ 3—6, 3—7 / 6—3, 6—7 / 7—3, 7—6 (○)

③ (4, 5, 6) ➡ 4—5, 4—6 / 5—4, 5—6 / 6—4, 6—5 (○)

④ (4, 5, 7) ➡ 4—5, 4—7 / 5—4, 5—7 / 7—4, 7—5 (○)

⑤ (4, 6, 7) ➡ 4—6, 4—7 / 6—4, 6—7 / 7—4, 7—6 (○)

⑥ (5, 6, 7) ➡ 5—6, 5—7 / 6—5, 6—7 / 7—5, 7—6 (○)

해결 전략
3장의 수 카드를 사용하여 35보다 크고 79보다 작은 두 자리 수 6개를 만들어야 하므로 3보다 작은 [1], [2]와 7보다 큰 [8], [9]는 사용할 수 없습니다.

따라서 3장의 수 카드가 될 수 있는 경우는
(3, 6, 7), (4, 5, 6), (4, 5, 7), (4, 6, 7), (5, 6, 7)로 모두 5가지입니다.

최상위 사고력 65보다 크고 80보다 작은 수를 만들어야 하므로 십의 자리 숫자가 6, 7인 수를 모두 만들고, 그중 조건을 만족하는 수를 찾습니다.
따라서 60, 63, 65, 67, 70, 73, 76, 79 중 65보다 크고 80보다 작은 수는 67, 70, 73, 76, 79입니다.

주의
수 카드의 앞면과 뒷면에 수가 적혀 있으므로 같은 수 카드에 있는 수는 동시에 사용할 수 없습니다.

3-3. 숫자와 수의 개수 30~31쪽

1 1, 2　　2 27　　최상위 사고력 ★, 10번

저자 톡! 한 자리 수는 숫자 1개, 두 자리 수는 숫자 2개, 100은 숫자 3개를 사용하여 만든 수입니다. 숫자와 수의 개수는 수를 관찰하고 논리적으로 분석하여 구할 수 있으므로 체계적으로 사고하는 능력을 기를 수 있습니다.

1 수 카드 1, 2를 제외하고 나머지 수 카드는 사용된 수가 같습니다.

	1	2	0, 3 ~ 9
0부터 9까지의 수에 사용된 수 카드	1장	1장	각각 1장씩
10부터 19까지의 수에 사용된 수 카드	11장	1장	각각 1장씩
20부터 29까지의 수에 사용된 수 카드	1장	11장	각각 1장씩

따라서 부족한 수 카드는 1, 2입니다.

보충 개념
일의 자리 숫자에 1장, 십의 자리 숫자에 10장 사용했습니다.

2 6부터 차례로 수를 쓸 때 한 자리 수는 6, 7, 8, 9로 네 개입니다. 한 자리 수에 사용한 숫자를 빼고 남은 숫자는 36개입니다. 두 자리 수는 수 1개에 숫자가 2개씩 사용되므로 36개의 숫자를 사용하여 쓸 수 있는 두 자리 수는 18개입니다. 10부터 차례로 두 자리 수를 썼을 때 18번째 두 자리 수는 27입니다.
따라서 지우가 쓴 수 중에서 가장 큰 수는 27입니다.

최상위 사고력 일의 자리 숫자와 십의 자리 숫자로 나누어 생각하여 숫자의 개수를 구합니다.
일의 자리 숫자가 3인 경우: 3, 13, 23, 33, 43 ➡ 5개
십의 자리 숫자가 3인 경우: 30, 31, 32, 33, 34, 35, 36, 37, 38, 39 ➡ 10개
일의 자리 숫자가 6인 경우: 6, 16, 26, 36, 46, ➡ 5개
따라서 ★은 15번, ●은 5번 나오므로 ★이 15－5＝10(번) 더 많이 나옵니다.

최상위 사고력

32~33쪽

1 23
2 10개
3 12번
4 5

1 짝수를 쓰는 데 사용한 20개의 숫자는 한 자리 수를 쓰는 데 4개가 사용되고, 두 자리 수를 쓰는 데 16개가 사용됩니다. 숫자 16개로 두 자리 수 8개를 쓸 수 있고 10, 12, 14, 16, 18, 20, 22, 24이므로 영하가 쓴 가장 큰 짝수는 24입니다.
따라서 영하가 쓴 가장 큰 홀수는 23입니다.

2

십의 자리 숫자	5	6	7	8
일의 자리 숫자	6, 7, 8, 9	7, 8, 9	8, 9	9
두 자리 수	56, 57, 58, 59	67, 68, 69	78, 79	89

따라서 50보다 크고 100보다 작은 수 중에서 십의 자리 숫자가 일의 자리 숫자보다 작은 수는 모두 $4+3+2+1=10$(개)입니다.

해결 전략
십의 자리 숫자가 각각 5, 6, 7, 8인 경우로 나누어 알아봅니다.

3 한 자리 수에 0이 있는 경우: 0 ➡ 1개
두 자리 수에 0이 있는 경우: 10, 20, 30, 40, 50, 60, 70, 80, 90 ➡ 9개
세 자리 수에 0이 있는 경우: 100 ➡ 2개
따라서 0의 개수는 $1+9+2=12$(개)이므로 키보드 자판의 0은 모두 12번 눌러야 합니다.

해결 전략
한 자리 수, 두 자리 수, 세 자리 수에 있는 0의 개수를 각각 구합니다.

4 보이는 수 카드로 만들 수 있는 가장 큰 두 자리 수는 76, 두 번째로 큰 두 자리 수는 74입니다.
세 번째로 큰 두 자리 수가 74이므로 두 번째로 큰 두 자리 수는 75입니다.
따라서 뒤집어진 수 카드에 적힌 수는 5입니다.

해결 전략
보이는 수 카드로 만들 수 있는 가장 큰 두 자리 수, 두 번째로 큰 두 자리 수를 먼저 만들어 봅니다.

Review 수

34~36쪽

1 1번, 3번
2 5개
3 87
4 26
5 78개
6 20개

1 주어진 과녁에서 점수의 합이 37점이 되는 경우를 알아봅니다.

10점	3번	2번	1번	0번
5점	1번	3번	5번	7번
1점	2번	2번	2번	2번
과녁의 수	6번	7번	8번	9번

따라서 5점에 맞힌 과녁은 성미가 1번, 은수가 3번입니다.

해결 전략
10점, 5점, 1점으로 37점을 만들 수 있는 여러 가지 방법을 생각해 봅니다.

2 ■, ▲가 모두 0보다 크고 합이 9가 되는 두 수의 쌍을 모두 구하면 (1, 8), (2, 7), (3, 6), (4, 5)입니다.
따라서 두 수로 만든 두 자리 수를 작은 수부터 차례로 쓰면 18, 27, 36, 45, 54, 63, 72, 81이고, 이 중 40보다 큰 수는 45, 54, 63, 72, 81로 모두 5개입니다.

3 수 배열표에서 홀수 번째 줄은 오른쪽으로 한 칸 이동할 때마다 1씩 커지고 아래쪽으로 두 칸 이동할 때마다 20씩 커집니다.
수 배열표에서 짝수 번째 줄은 왼쪽으로 한 칸 이동할 때마다 1씩 커지고 아래쪽으로 두 칸 이동할 때마다 20씩 커집니다.
따라서 ㉠에 알맞은 수는 87입니다.

21	22	23	24	25	26	27	28	29	30
			37	36	35	34	33	32	31
					46	47	48	49	50
									51
									70
									71
						87	88	89	90

4 2부터 2, 3, 4씩 뛰어 세기를 하면 세 줄에 모두 나오는 가장 작은 수는 2, 두 번째로 작은 수는 14, 세 번째로 작은 수는 26입니다.

2 - 4 - 6 - 8 - 10 - 12 - 14 - 16 - 18 - 20 - 22 - 24 - 26
2 - 5 - 8 - 11 - 14 - 17 - 20 - 23 - 26 - 29 - 32 - 35 - 38
2 - 6 - 10 - 14 - 18 - 22 - 26 - 30 - 34 - 38 - 42 - 46 - 50

5 수 카드 1, 5, 7, 8 을 한 번씩 사용하여 만들 수 있는 두 자리 수는 15, 17, 18, 51, 57, 58, 71, 75, 78, 81, 85, 87 ➡ 12개
수 카드 1, 5, 7, 8 을 한 번씩 사용하여 만들 수 없는 두 자리 수는 $90-12=78$(개)입니다.

보충 개념
두 자리 수는 10부터 99까지 모두 90개입니다. 90에서 수 카드 1, 5, 7, 8 을 한 번씩 사용하여 만들 수 있는 두 자리 수의 개수를 빼면 수 카드 1, 5, 7, 8 을 한 번씩 사용하여 만들 수 없는 두 자리 수의 개수를 알 수 있습니다.

6 한 자리 수, 두 자리 수, 세 자리 수로 나누어 숫자 1을 포함하는 수를 찾습니다.
한 자리 수: 1 ➡ 1개
두 자리 수: 10 ~19, 21, 31, 41, 51, 61, 71, 81, 91 ➡ 18개
세 자리 수: 100 ➡ 1개
따라서 숫자 1을 포함하는 수는 모두 $1+18+1=20$(개)입니다.

해결 전략
11과 같은 수는 숫자 1을 두 번 포함하지만 수는 1개입니다.

Ⅱ 연산

이번 단원에서는 두 자리 수의 받아올림이 없는 덧셈, 뺄셈을 바탕으로 연산 감각을 기르고 계산 원리를 이해하여 형식화하도록 합니다.

4 덧셈과 뺄셈에서는 복면산과 수 카드 연산을 통하여 십진법에 의한 덧셈과 뺄셈 과정을 이해할 수 있습니다. 학생이 어려워하는 경우에는 받아올림과 받아내림이 없으므로 같은 자리 숫자끼리의 합과 차를 이용하여 설명해 줍니다.

5 규칙과 연산에서는 연산표와 성냥개비 연산을 통하여 창의력, 연산 감각을 키울 수 있습니다.

최상위 사고력 4 덧셈과 뺄셈

4-1. 복면산 38~39쪽

1 (1, 8), (2, 7), (3, 6), (4, 5), (5, 4), (6, 3), (7, 2), (8, 1) **2** (1) ●=4, ■=3 (2) ◆=5, ▲=2

최상위 사고력 ■=4, ●=2

저자 톡! 일의 자리끼리, 십의 자리끼리 계산하여 각각의 모양이 나타내는 수를 구합니다. 모양이 나타내는 수를 구하는 과정에서 수 조작 능력을 기를 수 있습니다.

1 합이 9인 두 수는 1과 8, 2와 7, 3과 6, 4와 5입니다.
합이 9인 두 수로 식을 만듭니다.

$$\begin{array}{r} 18 \\ +\,81 \\ \hline 99 \end{array},\quad \begin{array}{r} 27 \\ +\,72 \\ \hline 99 \end{array},\quad \begin{array}{r} 36 \\ +\,63 \\ \hline 99 \end{array},\quad \begin{array}{r} 45 \\ +\,54 \\ \hline 99 \end{array},$$

$$\begin{array}{r} 54 \\ +\,45 \\ \hline 99 \end{array},\quad \begin{array}{r} 63 \\ +\,36 \\ \hline 99 \end{array},\quad \begin{array}{r} 72 \\ +\,27 \\ \hline 99 \end{array},\quad \begin{array}{r} 81 \\ +\,18 \\ \hline 99 \end{array}$$

따라서 ★과 ■에 알맞은 수는 (1, 8), (2, 7), (3, 6), (4, 5), (5, 4), (6, 3), (7, 2), (8, 1)입니다.

2 (1)

$$\begin{array}{r} ■\,2 \\ +\,1\,● \\ \hline ●\,6 \end{array}$$

일의 자리 계산에서 2+●=6 ➡ ●=6−2, ●=4입니다.
십의 자리 계산에서 ■+1=4 ➡ ■=4−1, ■=3입니다.

(2)

$$\begin{array}{r} 6\,◆ \\ -\,◆\,▲ \\ \hline 1\,3 \end{array}$$

십의 자리 계산에서 6−◆=1 ➡ 6=◆+1, 6−1=◆, ◆=5입니다.
일의 자리 계산에서 5−▲=3 ➡ 5=▲+3, 5−3=▲, ▲=2입니다.

해결 전략
(1) ● ➡ ■ 순서로 모양이 나타내는 수를 구합니다.
(2) ◆ ➡ ▲ 순서로 모양이 나타내는 수를 구합니다.

최상위 사고력

$$\begin{array}{r} 6\ ■ \\ -\ ■\ ● \\ \hline ●\ ● \end{array}$$

일의 자리 계산에서 ■－●＝●이므로 ■＝●＋●입니다.
식을 만족하는 (●, ■)은 (1, 2), (2, 4), (3, 6), (4, 8)입니다.
이 중에서 십의 자리 계산 6－■＝●를 만족하는 수는 ■＝4, ●＝2 입니다.

보충 개념
6－■＝●에서 ●＋■＝6입니다.

4-2. 수 카드 연산

40~41쪽

1 예 32+54=86, 23+54=77
23+45=68, 24+35=59
54−23=31, 35−24=11

2 예 53+42=95

최상위 사고력 2, 8

저자 톡! 수 카드 연산은 수 감각을 기르기 좋은 방법입니다. 주어진 수로 올바른 식 만들기, 합이 가장 큰 식 만들기, 조건에 맞는 식 만들기를 해결해 보면서 수 조작 능력을 키워 봅시다.

1 십의 자리 숫자끼리, 일의 자리 숫자끼리 위치를 바꾸는 방법에 따라 답은 여러 가지입니다.
예 $32+54=86$　　$23+54=77$
$23+45=68$　　$24+35=59$
$54-23=31$　　$35-24=11$

2 합이 가장 큰 식은 주어진 수 중 가장 큰 수와 두 번째로 큰 수를 십의 자리에 넣고, 세 번째로 큰 수와 네 번째로 큰 수를 일의 자리에 넣어 만듭니다.
$5>4>3>2>1$이므로 만들 수 있는 두 수는
53, 42입니다. ➡ $53+42=95$

보충 개념
순서를 바꾸어 더해도 계산 결과는 같습니다.
$53+42=95$ ⟺ $42+53=95$

지도 가이드
십의 자리 숫자끼리, 일의 자리 숫자끼리 위치를 바꾸는 방법에 따라 답은 여러 가지이므로 계산 결과가 95이면 정답으로 합니다.
예 $53+42=95$, $52+43=95$

최상위 사고력 ▒	0	1	2	4	6	8	9
가장 큰 수	75	75	75	75	76	87	97
가장 작은 수	30	13	23	34	35	35	35
차	45	62	52	41	41	52	62

따라서 뒤집어진 수 카드에 적힌 수가 될 수 있는 수는 2, 8입니다.

다른 풀이

뒤집어진 수 카드에 적힌 수를 □라 하여 0<□<3, □=4, □=6, 7<□<10인 경우로 나누어 생각합니다.

	0<□<3	□=4	□=6	7<□<10
가장 큰 수	75	75	76	□7
가장 작은 수	□3	34	35	35
차	75−□3	41	41	□7−35

0<□<3인 경우: 75−□3=52 ➡ □=2(○)

7<□<10인 경우: □7−35=52 ➡ □=8(○)

따라서 뒤집어진 수 카드에 적힌 수가 될 수 있는 수는 2, 8입니다.

4-3. 어떤 수 구하기

42~43쪽

1 63, 66, 69 **2** 11, 12, 13

최상위 사고력 61

1 10+10+10=30, 20+20+20=60, 30+30+30=90이므로 어떤 수를 세 번 더했을 때 60보다 크고 70보다 작은 수가 되려면 어떤 수는 십의 자리 숫자는 2입니다.

21+21+21=63, 22+22+22=66, 23+23+23=69이므로 어떤 수를 세 번 더한 수는 63, 66, 69입니다.

주의

60보다 크고 70보다 작은 수에 60과 70은 포함되지 않습니다.

보충 개념

세 수의 덧셈은 두 수를 먼저 더한 후 다른 수를 더합니다.

10+10+10=20+10=30

2 어떤 수를 □라고 하면 □+20<□+□+□<40입니다.

□+20<□+□+□에서 양쪽에서 □를 빼면 20<□+□이므로 □=11, 12, 13…… 입니다.

□=11인 경우: 11+20<11+11+11<40 ➡ 31<33<40 (○)

□=12인 경우: 12+20<12+12+12<40 ➡ 32<36<40 (○)

□=13인 경우: 13+20<13+13+13<40 ➡ 33<39<40 (○)

□=14인 경우: 14+20<14+14+14<40 ➡ 34<42<40 (×)

따라서 어떤 수가 될 수 있는 수는 11, 12, 13입니다.

해결 전략

~보다 크고, 작음을 부등호로 나타낼 수 있습니다.

어떤 수는 ■보다 크고 ▲보다 작습니다.

➡ ■<어떤 수<▲

최상위 사고력

가장 작은 세 수와 어떤 수를 더하여 97을 만들면 어떤 수가 가장 커집니다.
가장 작은 세 수는 11, 12, 13이므로 11+12+13=36입니다.
어떤 수를 □라 하면 세 수와 어떤 수의 합이 97이 되어야 하므로
36+□=97 ➡ □=97−36, □=61입니다.
따라서 뽑을 수 있는 수 카드에 적힌 수 중에서 가장 큰 수는 61입니다.

해결 전략
뽑을 수 있는 수 카드에 적힌 수 중 가장 큰 수를 구해야 하므로 나머지 세 수의 합이 가장 작은 경우를 생각합니다.

최상위 사고력

44~45쪽

1 3, 3, 3, 3, 3, 3
2 ◆=9, ●=6, ■=3
3 81
4 47, 32

1 일의 자리 계산에서 0+□+□+□=9이고,
3+3+3=9이므로 □=3입니다.

$$\begin{array}{r} 3\ 0 \\ 3\ 3 \\ 3 \\ +\ 3\ 3 \\ \hline 9\ 9 \end{array}$$

2 ㉠ $\begin{array}{r} ●■ \\ +\ ■\ 2 \\ \hline ◆\ 5 \end{array}$ ㉡ $\begin{array}{r} ◆● \\ -\ ■■ \\ \hline ●■ \end{array}$

㉠에서 일의 자리 계산을 하면
■+2=5 ➡ ■=5−2, ■=3입니다.
㉡에서 일의 자리 계산을 하면
●−■=■, ●−3=3 ➡ ●=3+3, ●=6입니다.
㉡에서 십의 자리 계산을 하면
◆−■=●, ◆−3=6 ➡ ◆=6+3, ◆=9입니다.
따라서 ■=3, ●=6, ◆=9입니다.

해결 전략
■ ➡ ● ➡ ◆의 순서로 각각의 모양이 나타내는 수를 구합니다.

3 주어진 수 카드로 만들 수 있는 가장 큰 두 자리 수는 96이고,
가장 작은 두 자리 수는 15입니다.

$$\begin{array}{r} 9\ 6 \\ -\ 1\ 5 \\ \hline 8\ 1 \end{array}$$

96 가장 크게, 15 가장 작게

따라서 두 수의 차가 가장 클 때의 계산 결과는 96−15=81입니다.

해결 전략
두 수의 차가 가장 큰 경우는 (가장 큰 두 자리 수)−(가장 작은 두 자리 수)입니다.

4

$$\begin{array}{r} ㉠㉡ \\ -\ ㉢㉣ \\ \hline 1\ 5 \end{array} \qquad \begin{array}{r} ㉠㉡ \\ +\ ㉢㉣ \\ \hline 7\ 9 \end{array}$$

- ㉡－㉣＝5, ㉡＋㉣＝9이므로 두 수의 차가 5인 수 중에서 합이 9인 수를 찾습니다.
  차가 5인 두 수는 (6, 1), (7, 2), (8, 3), (9, 4)이고, 이 중에서 합이 9인 경우는 (7, 2)입니다.
  ㉡>㉣이므로 ㉡＝7, ㉣＝2입니다.
- ㉠－㉢＝1, ㉠＋㉢＝7이므로 두 수의 차가 1인 수 중에서 합이 7인 수를 찾습니다.
  차가 1인 두 수는 (2, 1), (3, 2), (4, 3), (5, 4), (6, 5), (7, 6), (8, 7), (9, 8)이고, 이 중에서 합이 7인 경우는 (4, 3)입니다.
  ㉠>㉢이므로 ㉠＝4, ㉢＝3입니다.

따라서 ㉠㉡＝47, ㉢㉣＝32입니다.

보충 개념
두 수의 합이 9인 수 중에서 차가 5인 수를 찾아도 됩니다.
합이 9인 수: (5, 4), (6, 3), (7, 2), (8, 1)
차가 5인 수: 7－2＝5
➡ (7, 2)

보충 개념
두 수의 십의 자리 숫자가 서로 다르고, 차가 0보다 크므로 ㉠>㉢입니다.

최상위 사고력

5 규칙과 연산

5-1. 연산 규칙

46~47쪽

1 (위에서부터) 72, 18

2 (1) 131 (2) 144

최상위 사고력 (1) 41 (2) 3

저자 톡! 연산 규칙 문제에서는 합과 차를 2번 사용하는 경우가 많습니다. 연산을 적용하는 시행착오를 통해 연산 능력 향상에 많은 도움이 됩니다.

1 오른쪽 수는 왼쪽 수보다 5 작습니다.
따라서 ㉠에 알맞은 수는 77－5＝72,
㉡에 알맞은 수는 13＋5＝18입니다.

46	41
29	24
85	80
77	㉠ 72
㉡ 18	13

해결 전략
세로줄 규칙인지 가로줄 규칙인지 생각해 봅니다.

2 ♣의 규칙을 찾아봅니다.

3♣2 ➡ (3＋2), (3－2) ➡ 51
6♣1 ➡ (6＋1), (6－1) ➡ 75
8♣4 ➡ (8＋4), (8－4) ➡ 124
9♣2 ➡ (9＋2), (9－2) ➡ 117

♣의 규칙은 두 수의 합을 앞에, 두 수의 차를 뒤에 쓰는 것입니다.

(1) 7♣6 ➡ (7＋6), (7－6) ➡ 131
(2) 9♣5 ➡ (9＋5), (9－5) ➡ 144

보충 개념
7＋6＝13, 7－6＝1
➡ 7♣6 ➡ 131

최상위 사고력 ◈의 규칙을 찾아봅니다.

15◈3=15−3−1=11

28◈1=28−1−1=26

36◈4=36−4−1=31

75◈2=75−2−1=72

69◈5=69−5−1=63

97◈4=97−4−1=92

◈의 규칙은 두 수의 차에서 1만큼을 더 빼는 것입니다.

➡ ㉠◈㉡=㉠−㉡−1

(1) 48◈6=48−6−1=41

(2) 54−□−1=50 ➡ 53−□=50, 53−50=□, □=3

해결 전략

연산 기호의 앞, 뒤에 있는 두 수를 더하거나 빼서 규칙을 찾아봅니다.

보충 개념

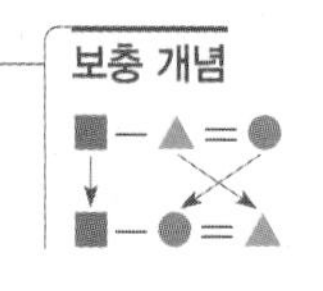

5-2. 연산표

48~49쪽

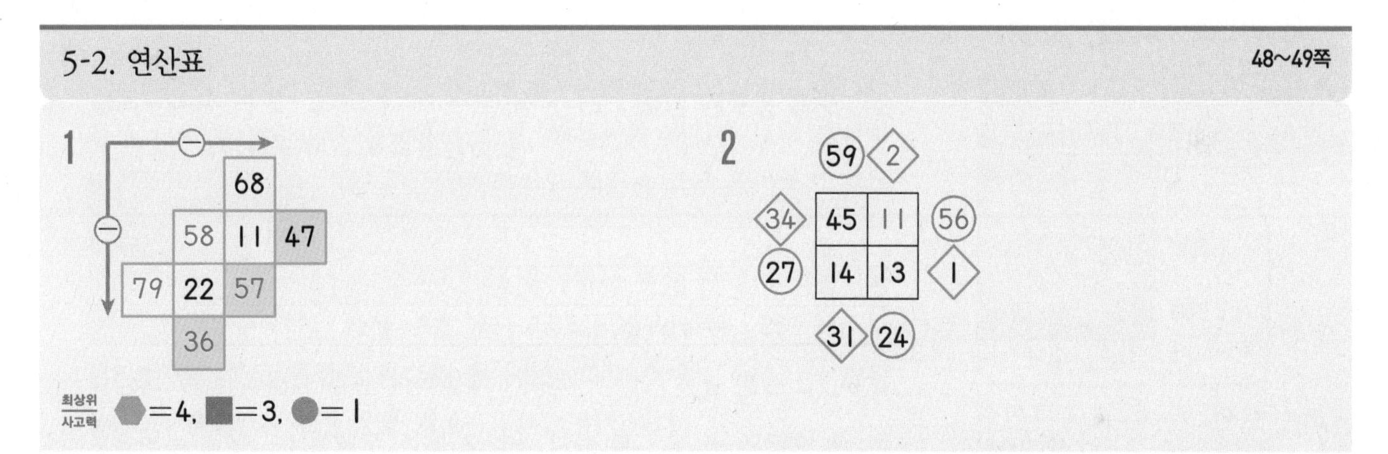

저자 톡! 연산표에서는 모양이 나타내는 수를 찾기 쉬운 식에서부터 모양이 나타내는 수를 구하여 계산합니다.

1 ① 68−11=㉢에서 ㉢=57입니다.

② ㉠−11=47에서 ㉠=47+11=58 입니다.

③ ㉡−22=57에서 ㉡=57+22=79 입니다.

④ 58−22=㉣에서 ㉣=36입니다.

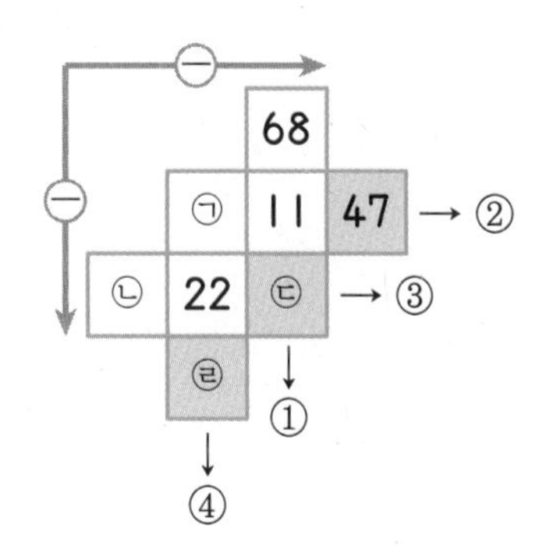

해결 전략

68−11의 계산 결과를 먼저 구합니다.

2 14−13=1, 14+13=27이고 45−14=31, 45+14=59 이므로 가로, 세로 방향으로 ○에는 두 수의 합을, ◇에는 두 수의 차를 써넣는 규칙입니다.

㉠+13=24에서 ㉠=24−13=11입니다.

가로, 세로 방향으로 ○에는 두 수의 합을, ◇에는 두 수의 차를 써넣습니다.

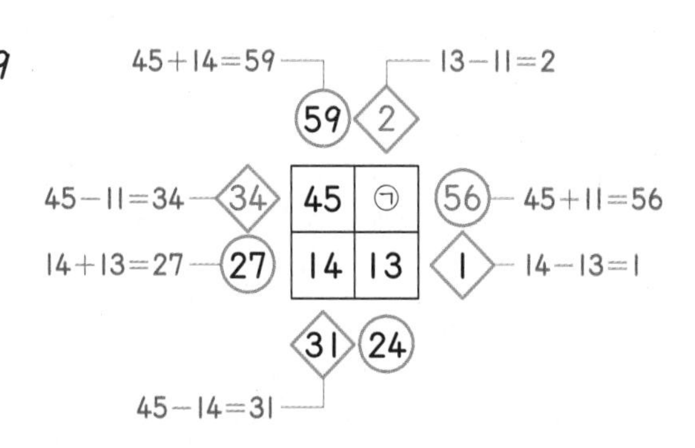

최상위 사고력

11 ⊕ ■ ⊕ ⬢ ⊜ 18 → ②
⊖ ⊕ ⊖ (① ↑)
● ⊕ 22 ⊖ ■ ⊜ 20
⊕ ⊕ ⊕
⬢ ⊕ ■ ⊕ ● ⊜ 8 → ③
⊜ ⊜ ⊜
14 28 2

① ■+22+■=28 ➡ ■+■=28−22, ■+■=6입니다.
3+3=6이므로 ■=3입니다.

② 11+■+⬢=18 ➡ 11+3+⬢=18, 14+⬢=18,
⬢=18−14, ⬢=4입니다.

③ ⬢+■+●=8 ➡ 4+3+●=8, 7+●=8, ●=8−7, ●=1
입니다.

따라서 ⬢=4, ■=3, ●=1입니다.

해결 전략
같은 모양이 있는 ①에서 ■을 먼저 구한 다음 ■을 이용하여 ⬢과 ●을 구합니다.

5-3. 성냥개비 연산

50~51쪽

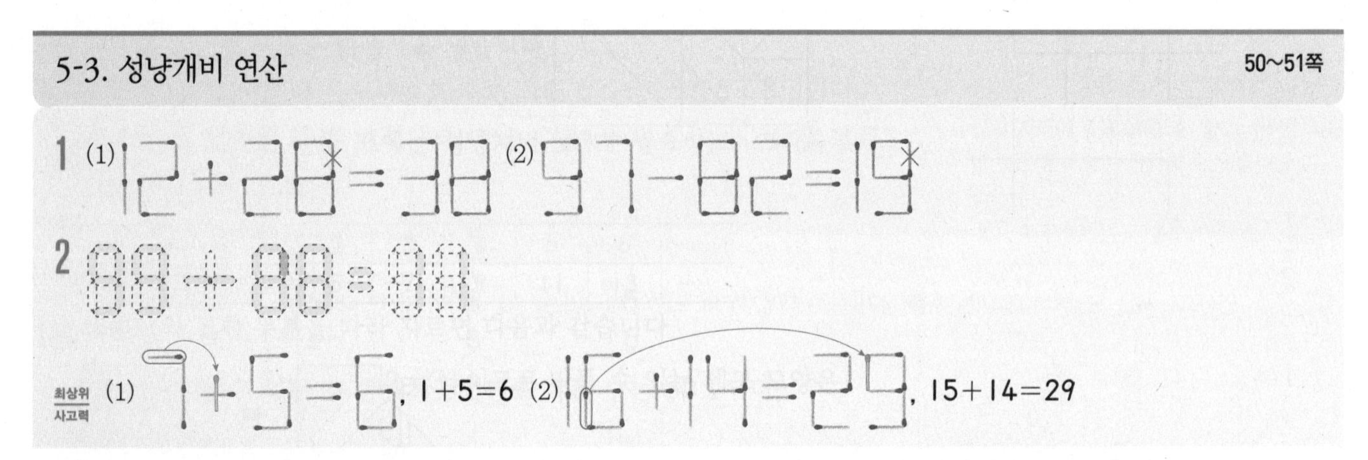

저자 톡! 성냥개비 연산에서는 성냥개비 1개를 더하거나 빼거나 옮겼을 때 올바른 식을 만드는 과정을 통해 연산 능력을 향상 시킬 수 있습니다.

1 성냥개비 숫자 중에서 성냥개비 1개를 뺐을 때 숫자가 되는 경우는
7→1 / 8→0, 6, 9 / 9→3, 5입니다.

(1) 12+28=38 ➡ 12+26=38

(2) 97−82=19 ➡ 97−82=15

보충 개념
성냥개비 1개를 뺐을 때 숫자가 되는 경우
6→5 / 7→1 /
8→0, 6, 9 / 9→3, 5

2 주어진 숫자 중에서 등 1개를 더 켰을 때 숫자가 되는 경우는
9→8, 6→8, 1→7입니다.
등 1개를 더 켰을 때 바꿀 수 있는 수를 생각하여 올바른 식으로 만들면
99−68=11 ➡ 99−88=11입니다.

보충 개념
등 1개를 더 켰을 때 숫자가 되는 경우
0→8 / 1→7 / 3→9 /
5→6, 9 / 6→8 / 9→8

최상위 사고력 성냥개비 1개를 더하거나 빼거나 옮겼을 때 숫자가 되는 경우를 생각합니다.

0　6, 0↔8, 0↔9, 1↔7, 2↔3, 3↔5,

5　6, 5↔9, 6↔8, 6↔9, 8↔9

(1) 7+5=6 ➡ 1+5=6

(2) 16+14=29 ➡ 15+14=29

보충 개념

성냥개비 1개를 옮겼을 때 숫자가 되는 경우

0→6, 9 / 2→3 /

3→2, 5 / 5→3 /

6→0, 9 / 9→0, 6

최상위 사고력

52~53쪽

1 (1) 21 (2) 24

2 55, 34, 76

3 94−31=20+43, 94−31=20+43

4 21

1 ◐의 규칙을 찾아봅니다.

12◐2=12+12−2=22

34◐1=34+34−1=67

23◐11=23+23−11=35

14◐7=14+14−7=21

따라서 ㉠◐㉡=㉠+㉠−㉡입니다.

(1) 13◐5=13+13−5=21

(2) □+□−2=46 ➡ □+□=46+2, □+□=48이고,

24+24=48이므로 □=24입니다.

2 두 번째 가로줄에서 ●+●+●=30 ➡ 10+10+10=30이므로 ●=10입니다.

두 번째 세로줄에서 ●+●+▲=53 ➡ 10+10+▲=53,

20+▲=53, ▲=53−20, ▲=33입니다.

세 번째 가로줄에서 ■+▲+▲=78 ➡ ■+33+33=78,

■+66=78, ■=78−66, ■=12입니다.

따라서 ㉠은 ■+●+▲=12+10+33=55,

㉡은 ■+●+■=12+10+12=34,

㉢은 ▲+●+▲=33+10+33=76입니다.

해결 전략

같은 모양만 있는 ●+●+●=30에서 ●이 나타내는 수를 먼저 구합니다.

3 주어진 수 중에서 성냥개비 1개를 더하거나 빼거나 옮겨서 올바른 식을 만들 수 없으므로, 연산 기호를 이루고 있는 성냥개비를 옮겨서 올바른 식을 만듭니다.

94+31=20+43 ➡ 94−31=20+43

4

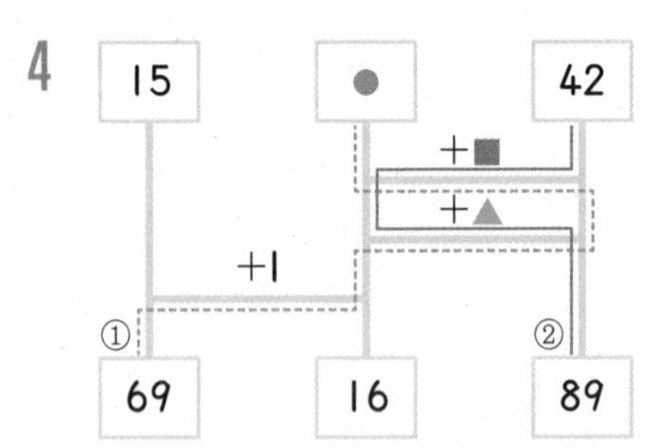

① ●+■+▲+1=69 ➡ ●+■+▲=69−1=68

② 42+■+▲=89 ➡ ■+▲=89−42=47

■+▲=47이므로 ●+47=68, ●=68−47=21입니다.

> **보충 개념**
> 사다리타기에서는 가로선이 있으면 반드시 꺾어서 가야 하고, 위로는 갈 수 없습니다.

Review Ⅱ 연산 (1)

54~56쪽

1 ●=31, ▲=12, ■=54

2 24+3+6=27, 24−3+6=27

3 (1) 19 (2) 1

4 예 13+24=37

5 53, 62, 71

6 9가지

1 ●+●+●=93 ➡ 31+31+31=93이므로 ●=31입니다.

85−●−▲=42 ➡ 85−31−▲=42, 54−▲=42,

54−42=▲, ▲=12입니다.

●+▲+■=97 ➡ 31+12+■=97, 43+■=97,

■=97−43, ■=54입니다.

따라서 ●=31, ▲=12, ■=54입니다.

> **해결 전략**
> ●➡▲➡■ 순서로 모양이 나타내는 수를 구합니다.

2 주어진 수 중에서 성냥개비 1개를 더하거나 빼거나 옮겨서 올바른 식을 만들 수 없으므로, 연산 기호를 이루고 있는 성냥개비를 옮겨서 올바른 식을 만듭니다.

24+3+5=27 ➡ 24−3+6=27

3 ◈의 규칙을 찾아봅니다.
$20◈4=20+4+4=28$
$11◈3=11+3+3=17$
$42◈1=42+1+1=44$
$62◈2=62+2+2=66$
$71◈4=71+4+4=79$
$82◈1=82+1+1=84$
따라서 ㉠◈㉡=㉠+㉡+㉡입니다.
(1) $13◈3=13+3+3=19$
(2) $27+□+□=29$ ➡ $□+□=29-27$, $□+□=2$이고
$1+1=2$이므로 $□=1$입니다.

해결 전략
연산 기호의 앞, 뒤에 있는 두 수를 더하거나 빼서 규칙을 찾아봅니다.

4 합이 가장 작은 식은 주어진 수 중 가장 작은 수와 두 번째로 작은 수를 십의 자리에 넣고, 세 번째로 작은 수와 네 변째로 작은 수를 일의 자리에 넣어 만듭니다.
$1<2<3<4<5$이므로 만들 수 있는 두 수는 13, 24 또는 14, 23입니다.
➡ $13+24=37$, $14+23=37$

지도 가이드
십의 자리 숫자끼리, 일의 자리 숫자끼리 위치를 바꾸는 방법에 따라 답은 여러 가지이므로 계산 결과가 37이면 정답으로 합니다.
예 $13+24=37$, $24+13=37$, $23+14=37$, $14+23=37$

5 두 수의 합이 8인 경우는 (1, 7), (2, 6), (3, 5), (5, 3), (6, 2), (7, 1)이고, 이 중에서 ㉠>㉡인 경우는 (5, 3), (6, 2), (7, 1)입니다.
따라서 식을 만족하는 ㉠㉡은 53, 62, 71입니다.

```
   ㉠ ㉡
 + ㉡ ㉠
 -------
   8  8
```

해결 전략
㉠㉡>㉡㉠ (㉠>㉡)
㉠은 ㉡보다 큰 수입니다.

6 ㉠−㉢=6, ㉡−㉣=4이므로 두 수의 차가 6인 수와 4인 수를 찾습니다. 차가 6인 두 수는 (9, 3), (8, 2), (7, 1)입니다.
차가 4인 두 수는 (9, 5), (8, 4), (7, 3), (6, 2), (5, 1)입니다.
㉠, ㉡, ㉢, ㉣이 모두 다른 수이고, ㉠>㉢, ㉡>㉣이므로
㉠=9, ㉢=3일 때 (㉡, ㉣)은 (8, 4), (6, 2), (5, 1)로 3가지,
㉠=8, ㉢=2일 때 (㉡, ㉣)은 (9, 5), (7, 3), (5, 1)로 3가지,
㉠=7, ㉢=1일 때 (㉡, ㉣)은 (9, 5), (8, 4), (6, 2)로 3가지입니다.
따라서 뺄셈식은 모두 $3+3+3=9$(가지)입니다.

```
   ㉠ ㉡
 − ㉢ ㉣
 -------
   6  4
```

해결 전략
일의 자리 계산, 십의 자리 계산 결과가 모두 0보다 크므로 ㉠>㉢, ㉡>㉣입니다.

Ⅲ 도형

이번 단원에서는 입체도형의 일부분에 주목하여 평면도형의 모양을 직관적으로 파악하는 활동을 하게 됩니다.

6 모양 그리기에서는 입체도형의 일부분을 나타내는 평면에서 네모, 세모, 동그라미 모양을 찾아봅니다. 이 과정을 통해 학생들은 자연스럽게 각각의 모양의 특징을 알 수 있습니다.

7 모양의 개수에서는 여러 가지 방법으로 네모, 세모 모양을 그리는 과정에서 각각의 도형의 구성 요소와 교과서에서 보지 못했던 다양한 형태의 네모, 세모 모양을 접합니다.

8 모양 만들기에서는 주어진 도형과 성냥개비를 이용하여 평면도형을 만드는 과정에서 공간 감각과 창의력을 높일 수 있습니다.

단원의 학습을 통하여 학생들은 도형의 구성 요소와 특징을 식별할 수 있게 되어 생김이 달라도 특징이 같으면 같은 평면도형임을 알 수 있게 됩니다.

최상위 사고력 6 모양 그리기

6-1. 본뜨기

58~59쪽

저자 톡! 여러 가지 입체도형의 일부분으로 네모, 세모, 동그라미 모양 등의 평면도형을 인식할 수 있도록 합니다. 학생들이 어려워하는 경우 본뜨기, 찍기 등의 활동을 통해 좀 더 쉽게 인식할 수 있도록 돕습니다.

1 (1) 물건을 자른 후 자른 면을 본 떠 그리면 ○ 모양이 나옵니다.

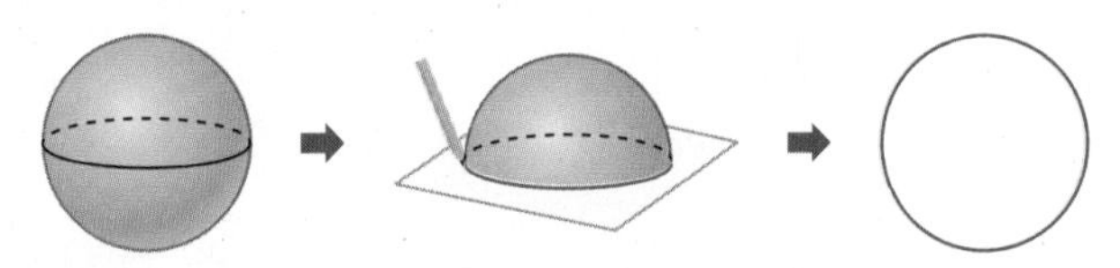

(2) 물건을 자른 후 자른 면을 본 떠 그리면 ⌓ 모양이 나옵니다.

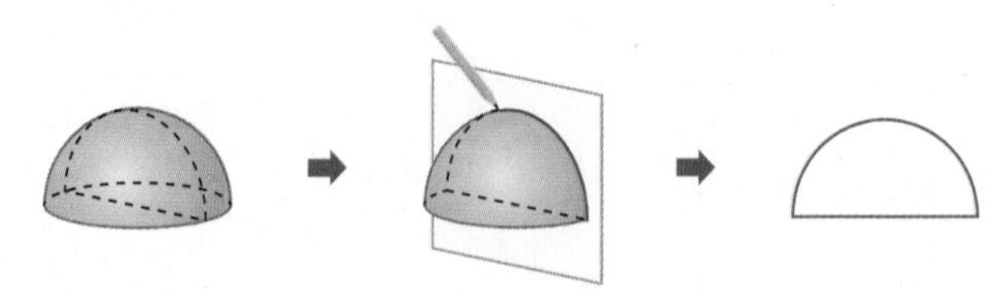

해결 전략
수박 한 통을 반으로 잘랐을 때 나오는 단면의 모양을 생각합니다.

최상위 사고력 물건을 자른 후 자른 면을 본 떠 그리면 ◇ 모양이 나옵니다.

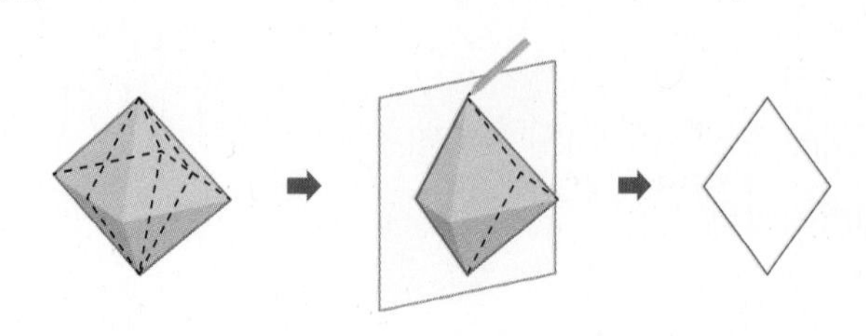

보충 개념
|보기|에서 자르기 전 물건을 보면 똑같은 모양과 크기의 세모 모양 8개로 이루어진 것임을 알 수 있습니다.

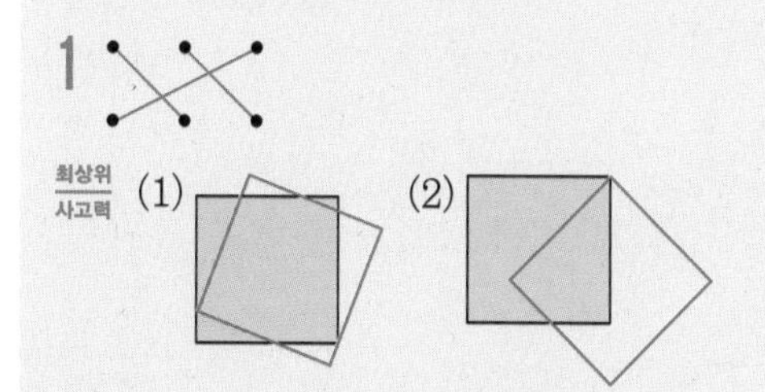

2 ㉣, ㉥

저자 톡! 다양한 모양의 종이를 겹쳤을 때 겹쳐진 부분의 모양을 예상하는 과정에서 종이 모양의 평면을 돌리고 뒤집는 과정을 거치게 됩니다. 이 과정을 통하여 공간 감각을 발달시킬 수 있습니다.

1 크기가 같은 네모 모양의 종이 2장을 겹쳐 놓았을 때 겹쳐진 부분의 모양은 다음과 같습니다.

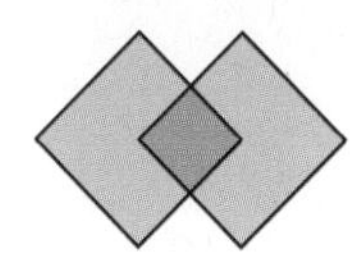
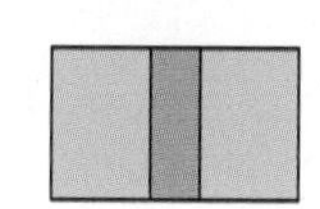
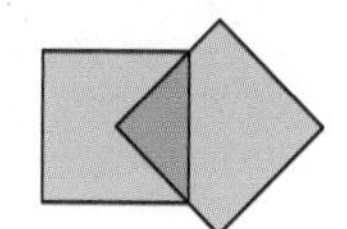

해결 전략
1개의 네모 모양의 종이를 고정시킨 후 나머지 네모 모양의 종이를 움직여 가며 찾습니다.

2 다음과 같이 겹쳐서 ㉠, ㉡, ㉢, ㉤을 만들 수 있습니다.

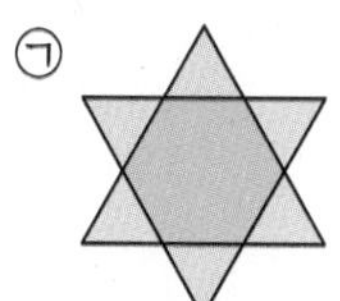

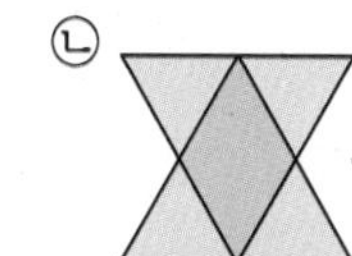

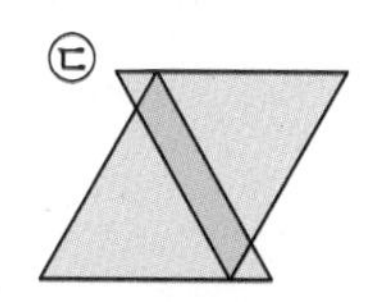

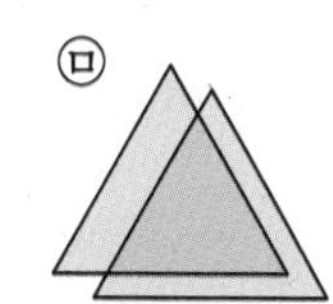

㉣, ㉥과 같은 네모 모양은 세모 모양의 종이 2장을 겹쳐서 만들 수 없습니다.

3
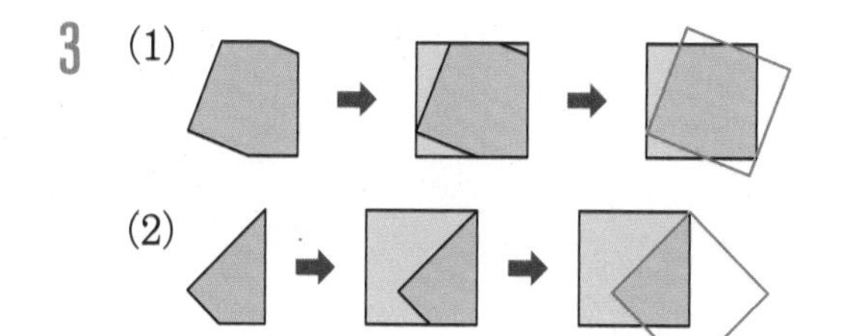

해결 전략
그려진 색종이 위에 겹쳐진 부분의 모양을 그린 다음 겹쳐진 부분의 모양에 선을 연장하여 다른 색종이 모양을 그립니다.

6-3. 점을 이어 모양 그리기

62~63쪽

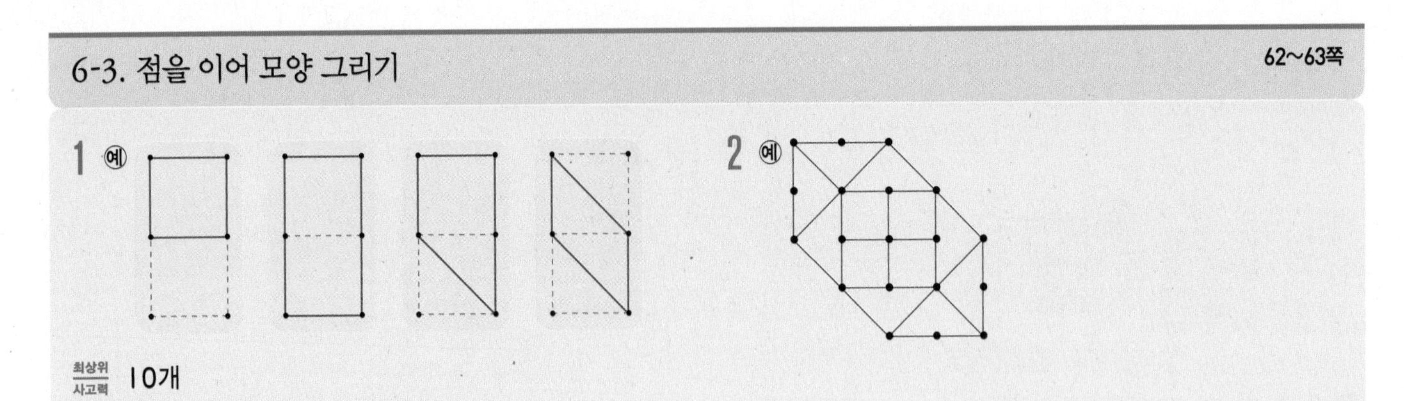

저자 톡! 점을 이어 모양을 그릴 때에는 규칙에 따라 체계적으로 그려야 빠뜨리지 않고 그릴 수 있습니다.

1 그릴 수 있는 크고 작은 네모 모양은 다음과 같습니다.

주의
□ 모양, ▱ 모양도 네모 모양입니다.

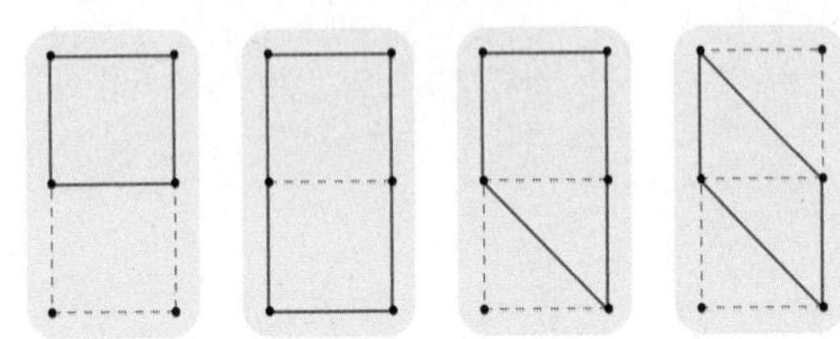

2 선의 모양을 보고 세모 모양을 그려야 하는 곳을 먼저 찾습니다.

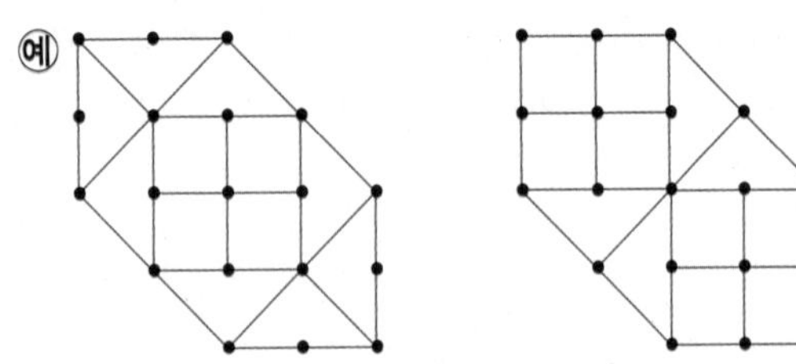

최상위 사고력

• 점 3개를 지나는 경우

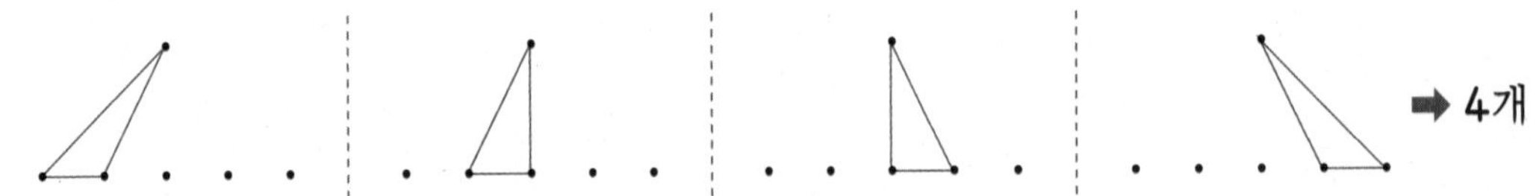

• 점 4개를 지나는 경우

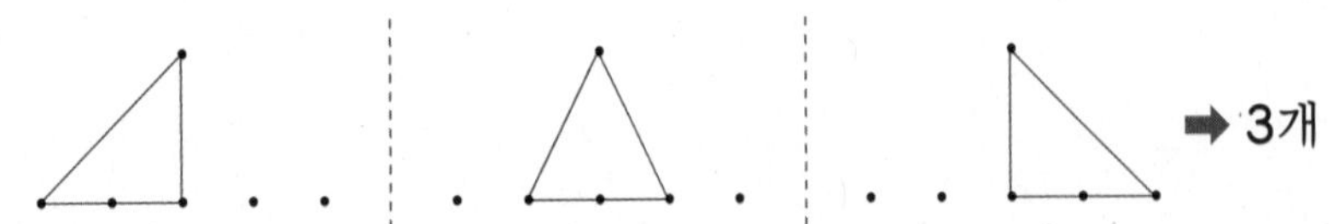

• 점 5개를 지나는 경우

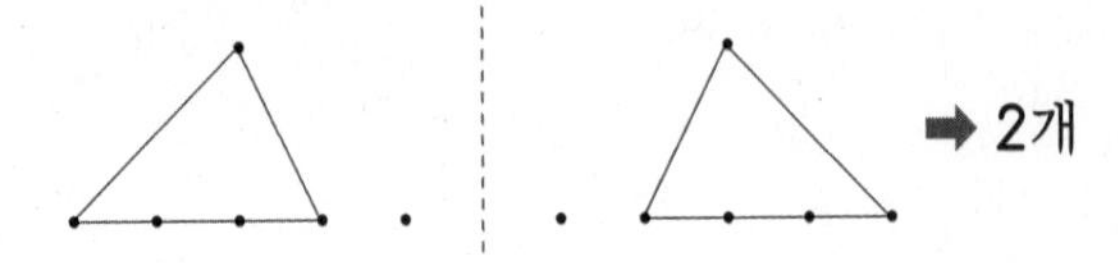

• 점 6개를 지나는 경우

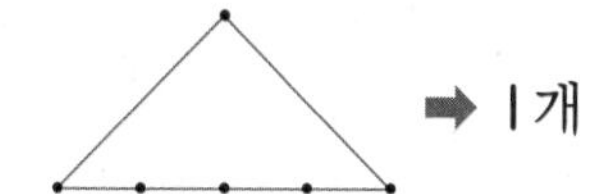

➡ 1개

따라서 그릴 수 있는 크고 작은 세모 모양은 모두 4+3+2+1=10(개)입니다.

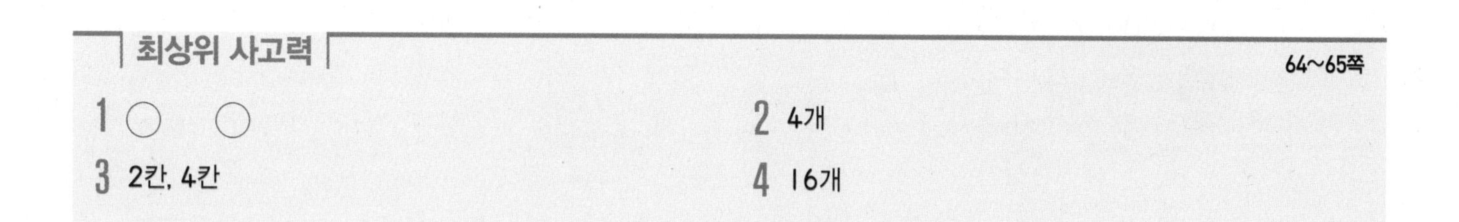

최상위 사고력

64~65쪽

1 ○ ○

2 4개

3 2칸, 4칸

4 16개

1 물건을 자른 후 자른 면을 본 떠 그리면 ○ 모양 2개가 나옵니다.

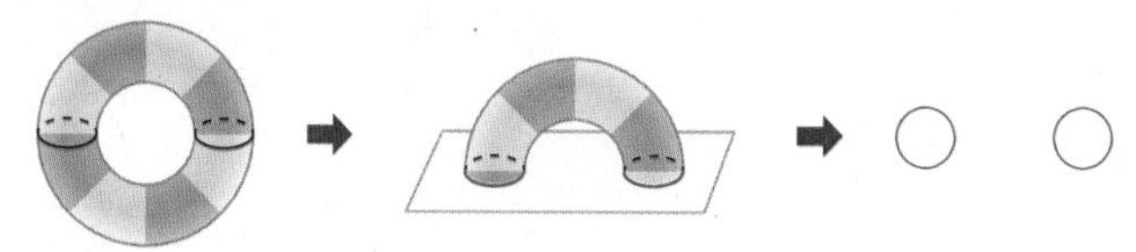

2 점 4개를 지나고 안에 점 3개가 있는 세모는 다음과 같습니다.

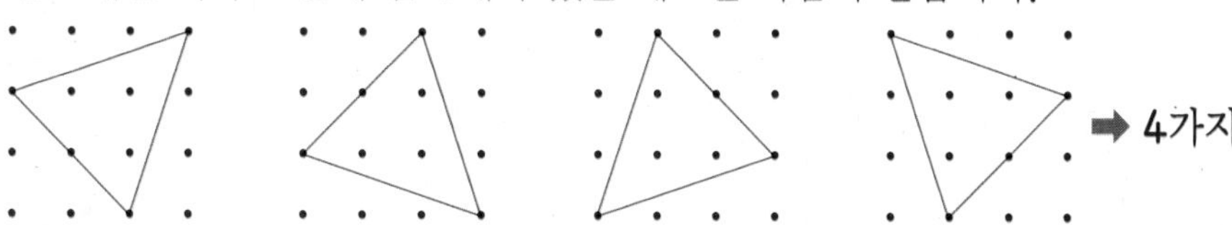

➡ 4가지

3 • 가장 적은 경우: 2칸

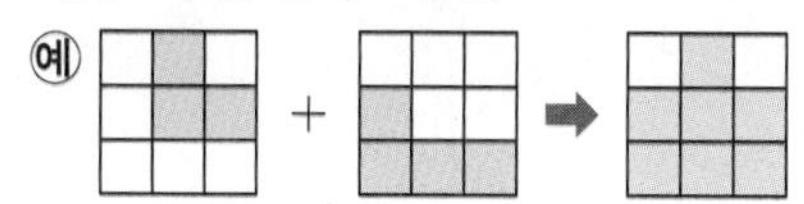

• 가장 많은 경우: 4칸

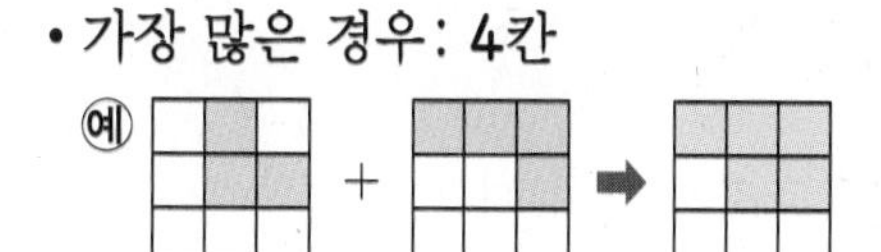

4 • 점 3개를 지나는 경우

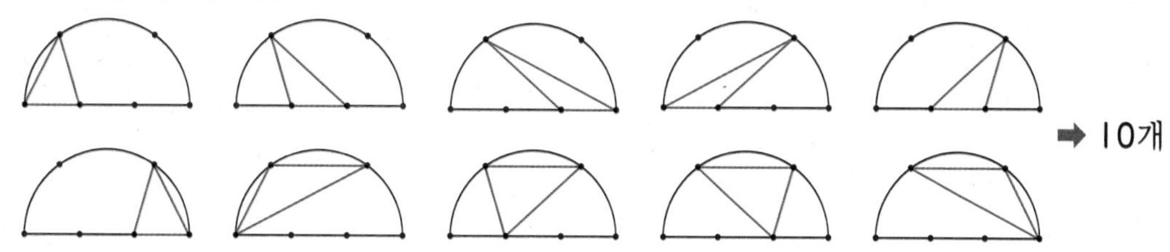

➡ 10개

• 점 4개를 지나는 경우

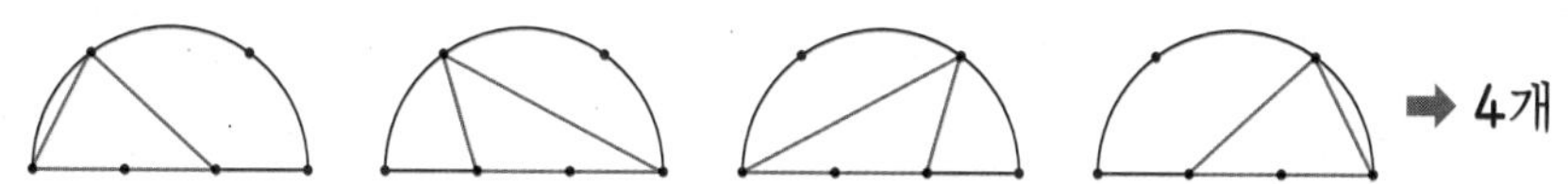

➡ 4개

• 점 5개를 지나는 경우

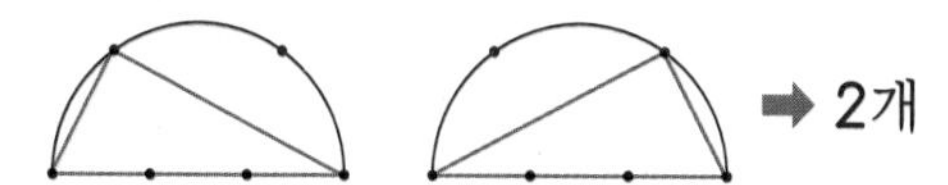

➡ 2개

따라서 그릴 수 있는 크고 작은 세모 모양은 모두 10+4+2=16(개)입니다.

7-1. 여러 가지 모양의 개수

66~67쪽

1

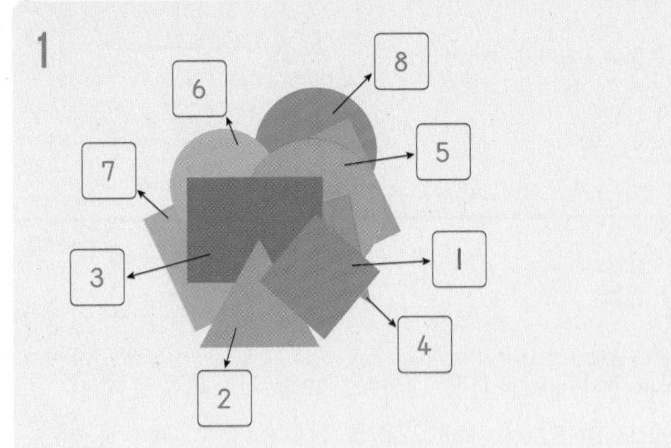

2 5개, 5개

최상위 사고력 1장

저자 톡! 네모, 세모, 동그라미 모양의 특징을 이용한 문제입니다. 문제를 해결하다 보면 자연스럽게 모양의 특징에 따른 생김의 차이를 알게 됩니다.

1 여러 모양의 종이가 다음과 같은 순서로 놓여 있습니다.

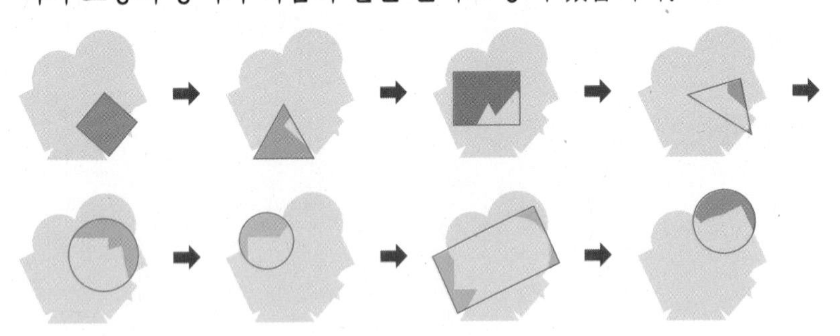

해결 전략
겹쳐져 일부분만 보이는 모양을 보고 가장 위에 있는 모양부터 찾아봅니다.

2 네모 모양과 동그라미 모양의 개수를 각각 셉니다.

네모 모양

➡ 5개

동그라미 모양

➡ 5개

주의
네모 모양과 동그라미 모양의 개수를 빠뜨리거나 겹쳐서 세지 않도록 주의합니다.

최상위 사고력

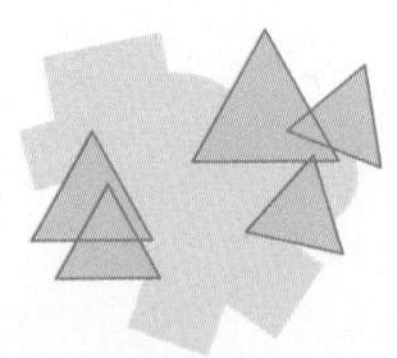

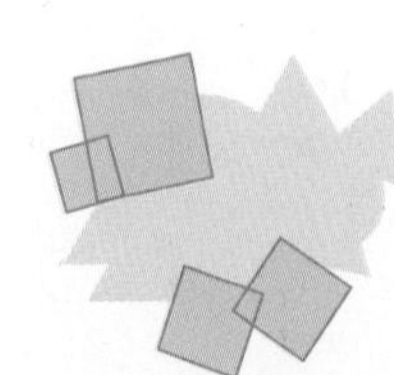

세모 모양 종이 5장 네모 모양 종이 4장

따라서 세모 모양의 종이는 네모 모양의 종이보다 $5-4=1$(장) 더 많습니다.

7-2. 크고 작은 모양의 개수

68~69쪽

1

2 6개

최상위 사고력 19개

저자 톡! 모양의 개수를 셀 때에는 1칸짜리 모양, 2칸짜리 모양, 3칸짜리 모양……과 같이 기준을 세우고 기준에 맞는 개수를 구합니다. 일정한 기준에 따라 개수를 세면 모양의 개수를 놓치지 않고 셀 수 있습니다. 이러한 과정을 통하여 체계적으로 문제를 해결하는 능력을 기를 수 있습니다.

1 • 1칸짜리 모양

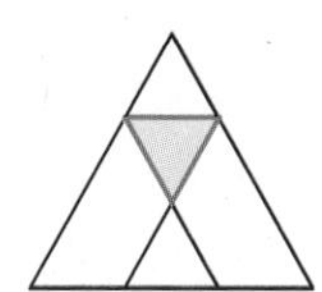
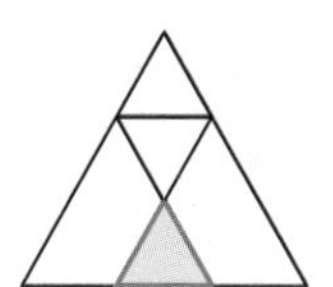

• 2칸짜리 모양

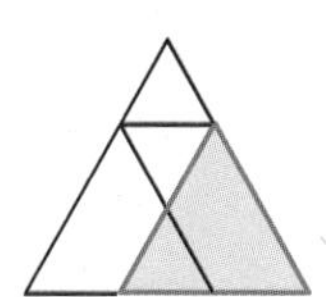

• 5칸짜리 모양

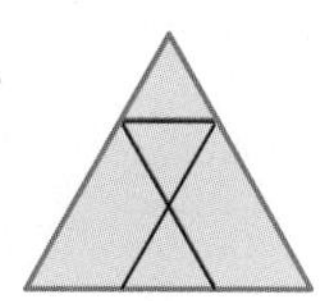

해결 전략
1칸짜리, 2칸짜리, 5칸짜리 모양으로 나누어 찾습니다.

2 • 1칸짜리 모양

• 2칸짜리 모양

• 4칸짜리 모양

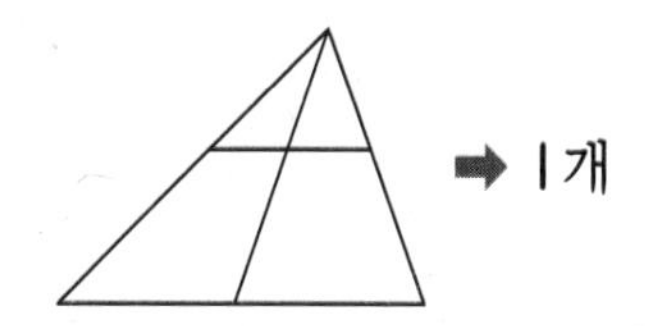

따라서 크고 작은 세모 모양은 모두 $2+3+1=6$(개)입니다.

주의
일정한 기준에 따라 개수를 세어 모양의 개수를 놓치지 않고 세도록 합니다.

최상위 사고력

- 1칸짜리 모양: ①, ②, ④, ⑤, ⑥, ⑦, ⑧ ➡ 7개
- 2칸짜리 모양: ③+④, ④+⑥, ④+⑧, ⑤+⑥, ⑦+⑧ ➡ 5개
- 3칸짜리 모양: ①+③+④, ②+③+④ ➡ 2개
- 4칸짜리 모양: ③+④+⑤+⑥, ③+④+⑦+⑧, ④+⑥+⑧+⑨ ➡ 3개
- 5칸짜리 모양: ①+③+④+⑦+⑧, ②+③+④+⑤+⑥ ➡ 2개

따라서 크고 작은 네모 모양은 모두 $7+5+2+3+2=19$(개)입니다.

주의
네모 모양의 크기와 관계없이 작은 모양의 개수에 따라 네모 모양의 개수를 세어야 합니다.

7-3. 잘랐을 때 모양의 개수

70~71쪽

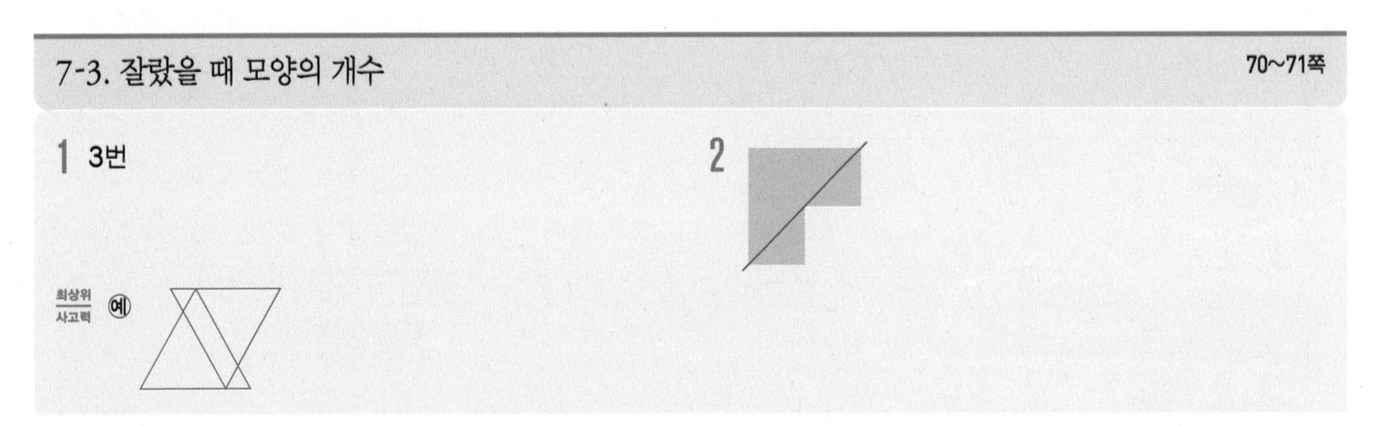

저자 톡! 종이를 접고, 겹치고, 잘라서 만들어진 모양을 돌리고, 뒤집어 봅니다. 이러한 과정을 통하여 도형에 대한 감각을 기를 수 있습니다.

1 색종이를 다음과 같이 3번 접었다가 펼친 후 접힌 선을 따라 자르면 똑같은 네모 모양 8개가 만들어집니다.

예 1번 ➡ 2번 ➡ 3번 ➡ ➡

해결 전략
색종이를 접었다 펼쳤을 때의 모양을 생각합니다.

2 주어진 그림을 다음과 같이 자르면 세모 모양 3개가 만들어집니다.

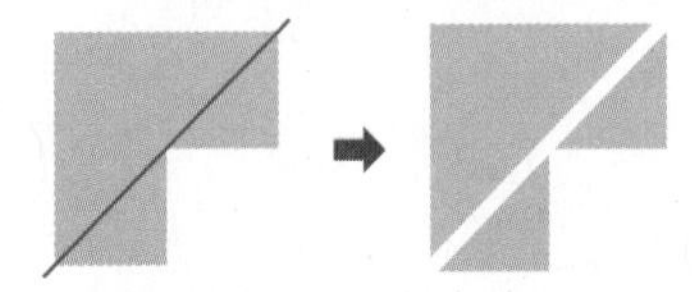

최상위 사고력 크기와 모양이 같은 세모 모양의 종이 2장을 다음과 같이 겹친 후 겹친 부분을 자르면 네모 모양 2개와 세모 모양 4개를 얻을 수 있습니다.

예

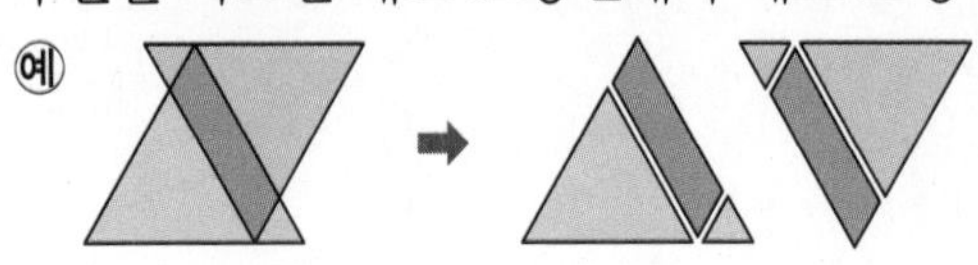

최상위 사고력

72~73쪽

1 가

2 16개

3 6개

4 4개, 4개

1 가 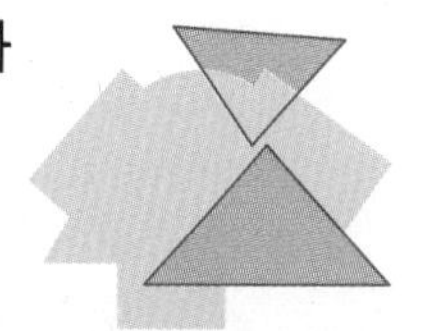 나 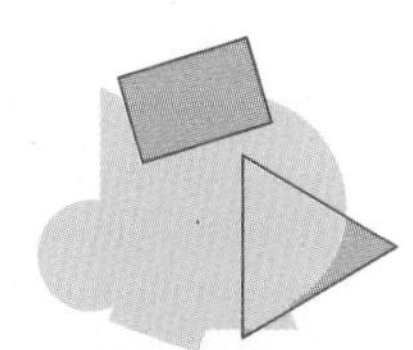

가에서 가장 위에 있는 종이는 세모 모양, 가장 아래에 있는 종이도 세모 모양입니다.
나에서 가장 위에 있는 종이는 네모 모양, 가장 아래에 있는 종이는 세모 모양입니다.
따라서 가장 위에 있는 종이와 가장 아래에 있는 종이의 모양이 같은 것은 가입니다.

2 △모양 ➡ 12개  모양 ➡ 4개

따라서 크고 작은 세모 모양은 모두 $12+4=16$(개)입니다.

주의
4칸짜리 세모 모양의 개수를 셀 때에는 ▽ 모양을 빠뜨리지 않도록 주의합니다.

3 • 1칸짜리 모양: ★ ➡ 1개

• 2칸짜리 모양: 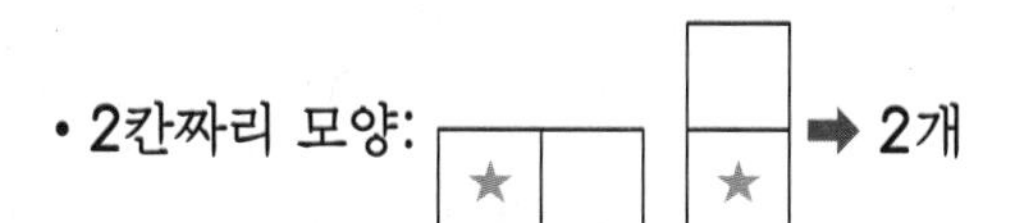 ➡ 2개

• 3칸짜리 모양: ★ ➡ 1개

• 4칸짜리 모양: ★ ➡ 1개

• 6칸짜리 모양: ★ ➡ 1개

따라서 ★이 포함된 크고 작은 네모 모양은 모두
$1+2+1+1+1=6$(개)입니다.

해결 전략
1칸짜리, 2칸짜리, 3칸짜리, 4칸짜리, 6칸짜리 모양으로 나누어 찾습니다.

4 방법1 의 선을 따라 자르면 세모 모양이 4개 생깁니다.

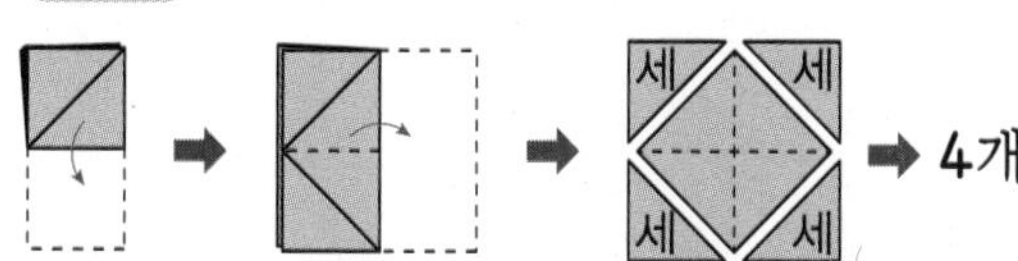

방법2 의 선을 따라 자르면 세모 모양이 4개 생깁니다.

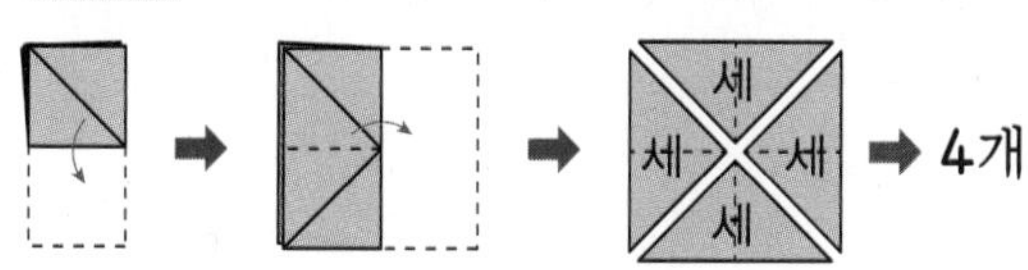

주의
색종이를 펼칠 때는 반드시 접은 방향과 반대 방향으로 펼쳐야 합니다.

8-1. 조각으로 모양 만들기

74~75쪽

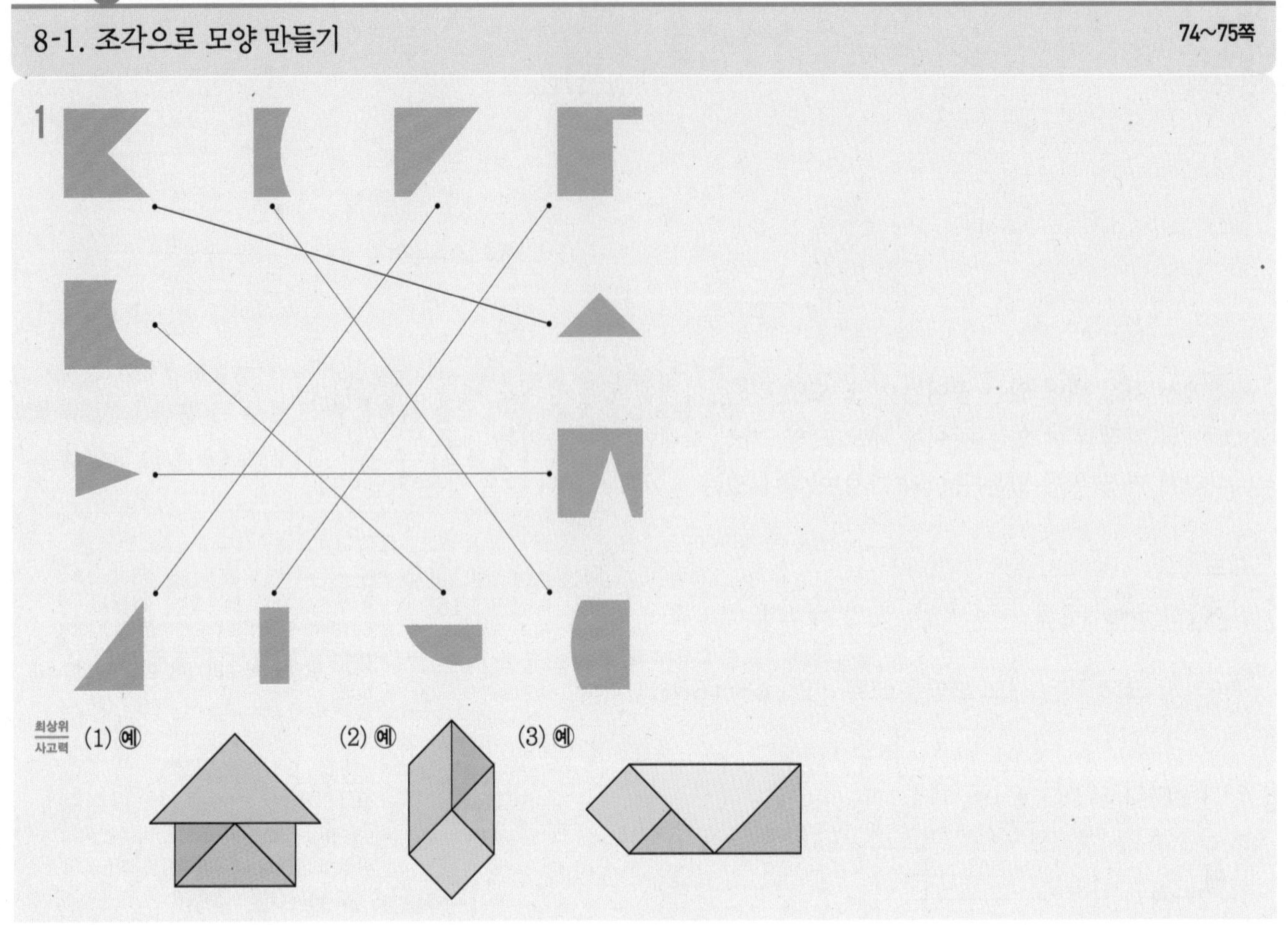

1

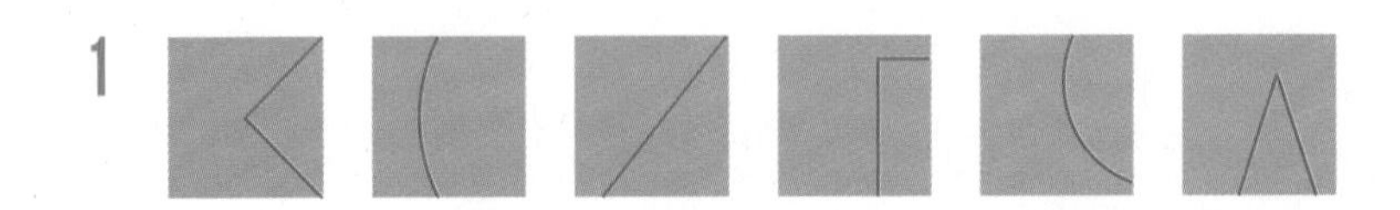

해결 전략

각각의 조각의 특징을 보고 조각을 돌리거나 뒤집어서 짝을 맞춥니다.

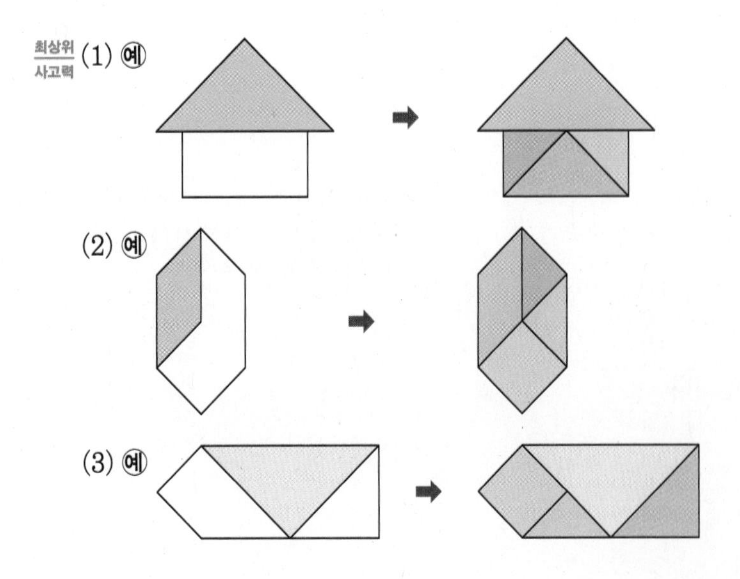

해결 전략

모양 안에 가장 큰 조각을 먼저 채우고, 길이가 같은 선끼리 만나도록 남은 조각을 채웁니다.

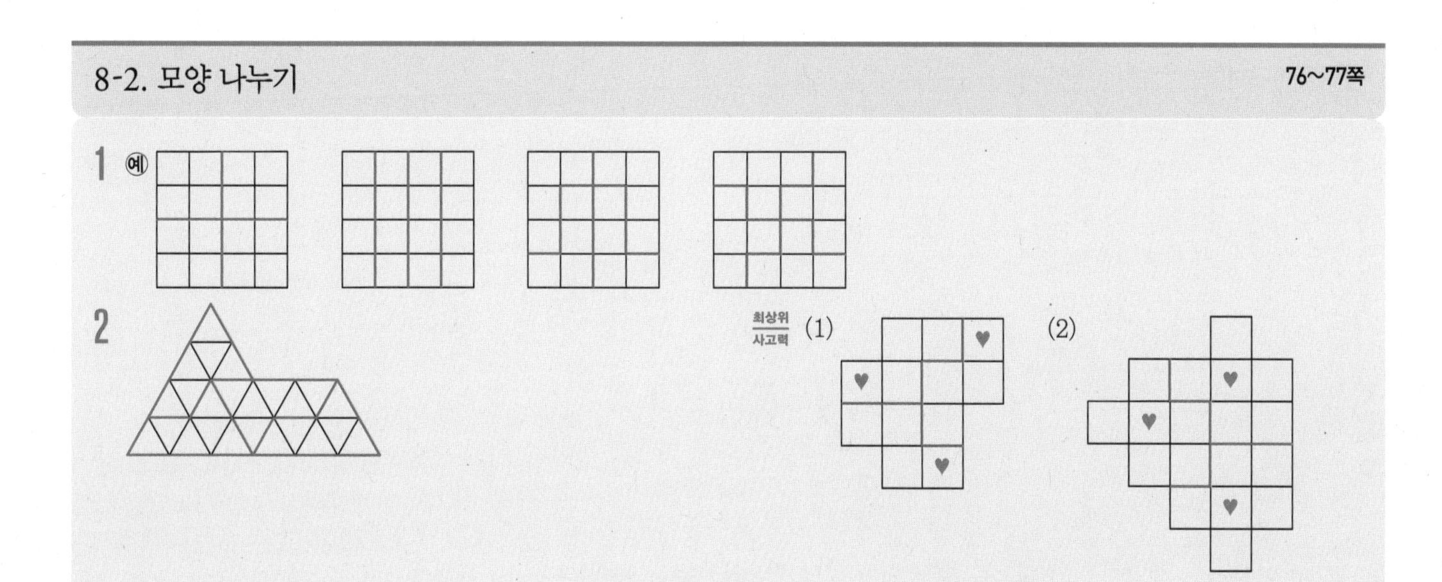

1 크기와 모양이 같은 4조각으로 나누면 다음과 같습니다.

예 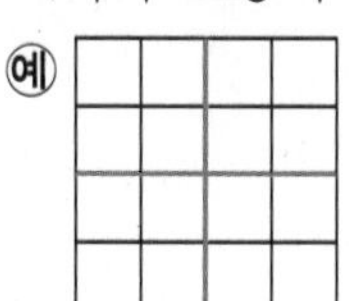 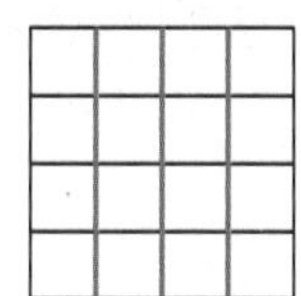 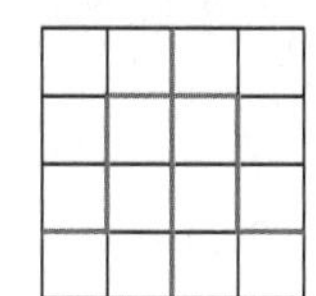 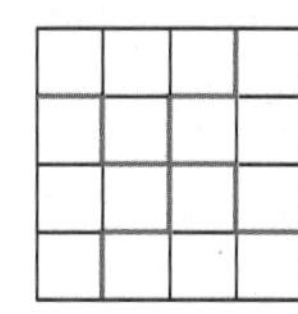

해결 전략
주어진 모양이 네모 모양 16개로 이루어져 있으므로 네모 모양 4개가 한 조각이 됩니다.

2 크기와 모양이 같은 4조각으로 나누면 다음과 같습니다.

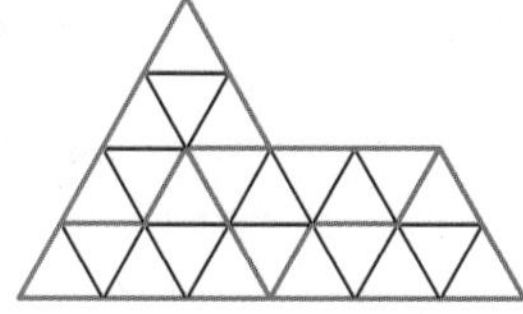

해결 전략
주어진 모양이 세모 모양 24개로 이루어져 있으므로 세모 모양 6개가 한 조각이 됩니다.

최상위 사고력 (1) 주어진 모양이 네모 모양 12개로 이루어져 있으므로 ♥ 모양이 한 개가 있으면서 네모 모양 4개가 한 조각이 됩니다.
크기와 모양이 같은 3조각으로 나누면 다음과 같습니다.

예 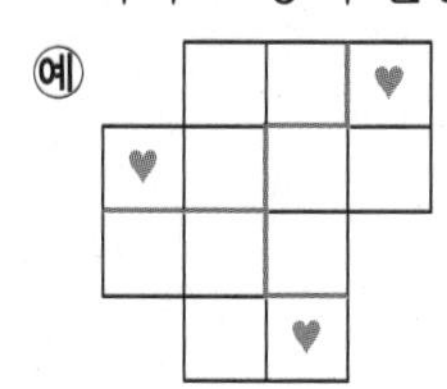

(2) 주어진 모양이 네모 모양 18개로 이루어져 있으므로 ♥ 모양이 한 개가 있으면서 네모 모양 6개가 한 조각이 됩니다.
크기와 모양이 같은 3조각으로 나누면 다음과 같습니다.

예 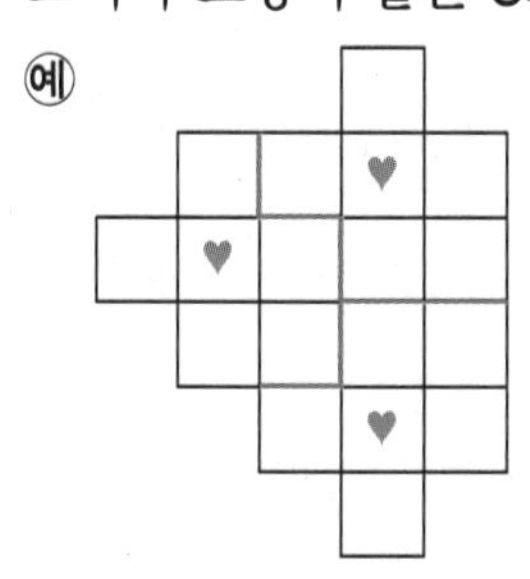

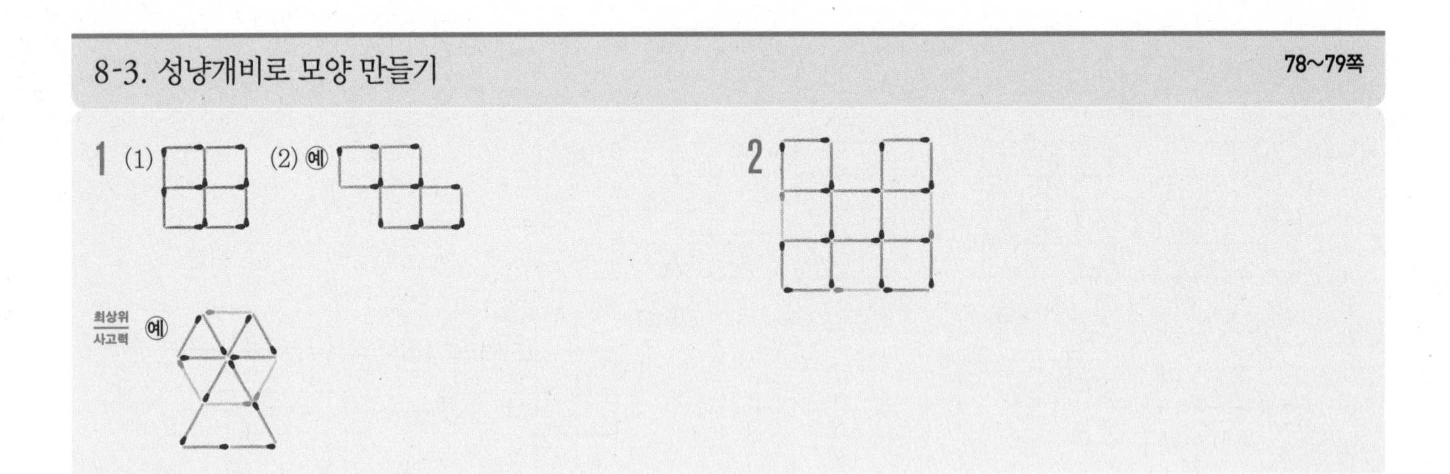

1 같이 이용하는 성냥개비가 많을수록 필요한 성냥개비의 수는 적습니다.

(1) 네모 모양 4개를 각각 만들었을 때 성냥개비 16개가 필요하므로 성냥개비 12개로 네모 모양 4개를 만들려면 성냥개비 4개를 같이 이용해야 합니다.

(2) 네모 모양 4개를 각각 만들었을 때 성냥개비 16개가 필요하므로 성냥개비 13개로 네모 모양 4개를 만들려면 성냥개비 3개를 같이 사용해야 합니다.

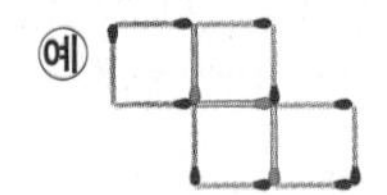

주의
남거나 모자른 성냥개비가 있지 않도록 합니다.

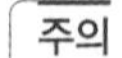

2 크기가 같은 네모 모양 5개를 만들고, 두 모양을 비교해서 같은 위치에 있는 성냥개비와 다른 위치에 있는 성냥개비를 찾아봅니다.
×표 한 성냥개비를 ○표 한 성냥개비 자리로 옮기면 됩니다.

주의
성냥개비로 만든 모양에서 모양과 관계없이 남는 성냥개비가 있으면 안됩니다.

최상위 사고력 세모 모양의 수는 6개에서 3개로 줄어들지만 성냥개비의 수는 변하지 않으므로 크기가 큰 세모 모양을 만들어야 합니다.
×표 한 성냥개비를 ○표 한 성냥개비 자리로 옮기면 됩니다.

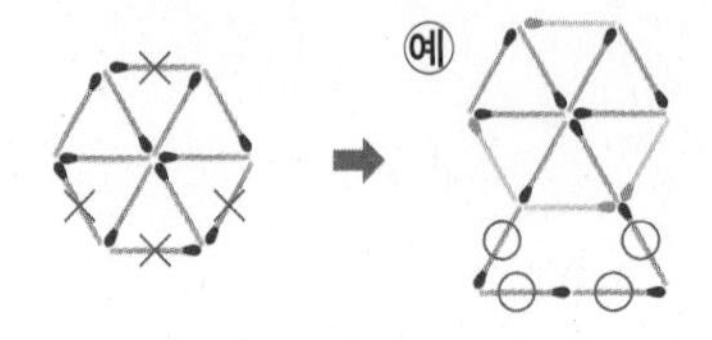

최상위 사고력

80~81쪽

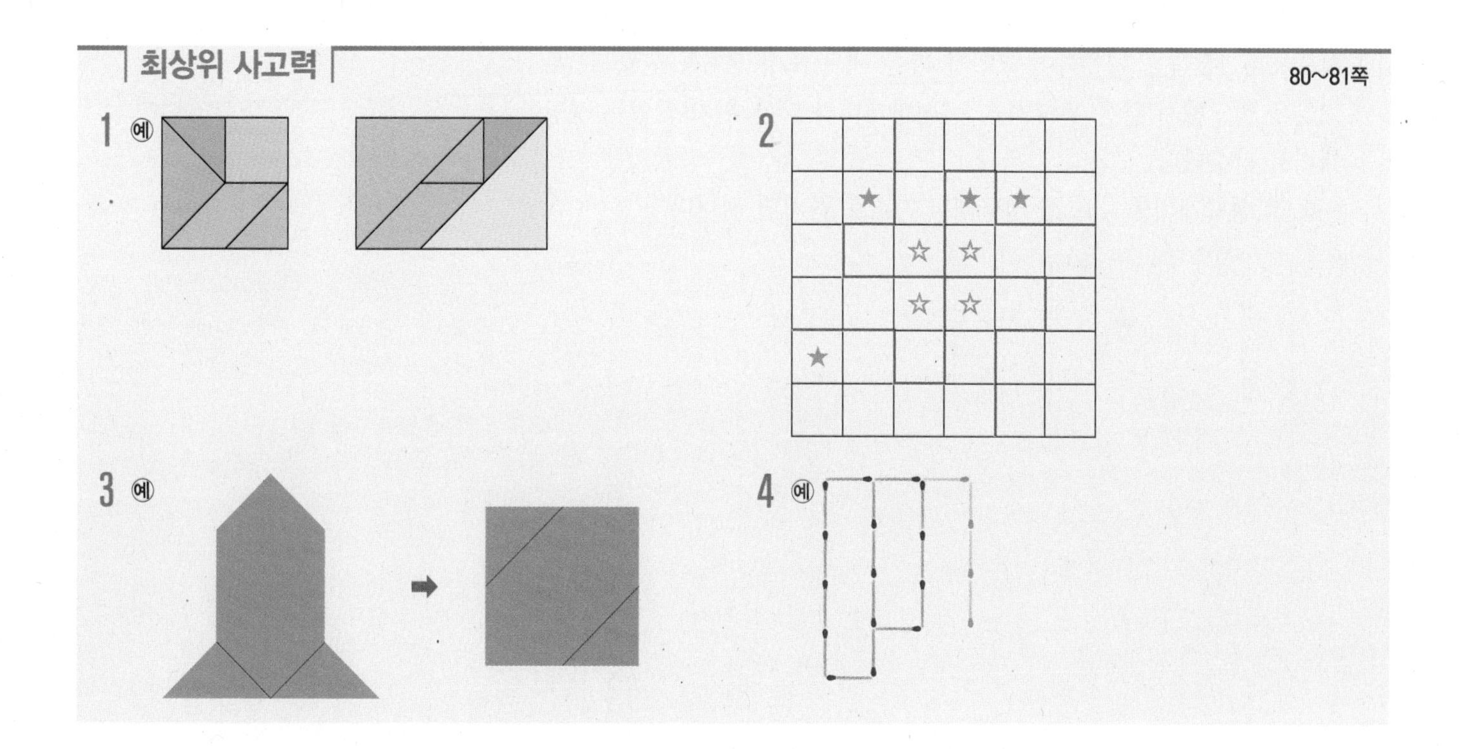

1 칠교판에서 길이가 같은 선을 알아본 후, 길이가 같은 선끼리 만나도록 조각을 골라 모양 안에 채웁니다.

예

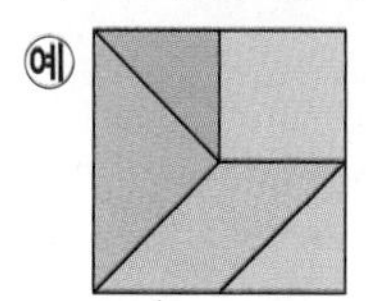

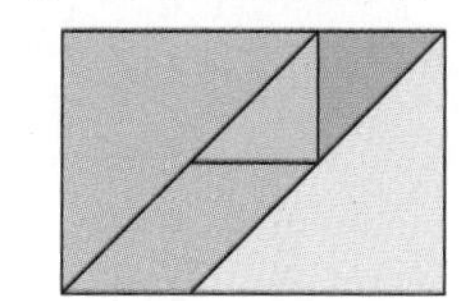

보충 개념

칠교판에서 길이가 같은 선을 알아봅니다.

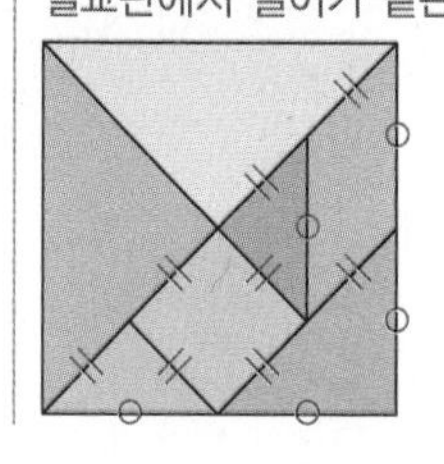

2 처음에는 십자(+) 형태로 전체 모양을 나눈 후, ☆, ★ 모양이 한 번씩 들어가도록 선을 꺾으며 모양을 만듭니다.

크기와 모양이 같은 4조각으로 나누면 다음과 같습니다.

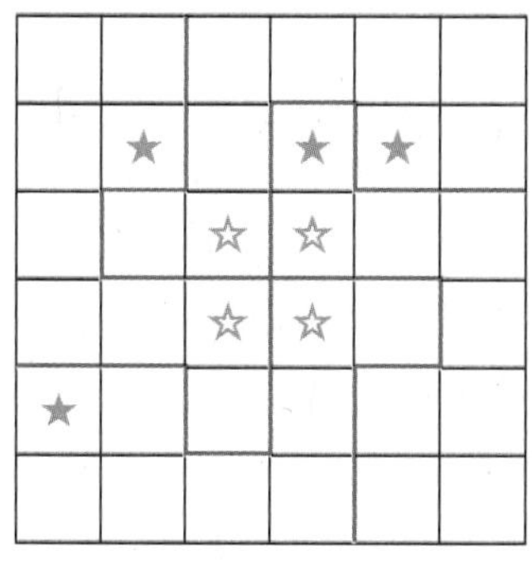

해결 전략

주어진 모양이 네모 모양 36개로 이루어져 있으므로 ☆, ★ 모양이 각각 한 개씩 있으면서 네모 모양 9개가 한 조각이 됩니다.

3 모양을 돌렸을 때 나오는 모양을 생각하여 모양을 자릅니다.

예

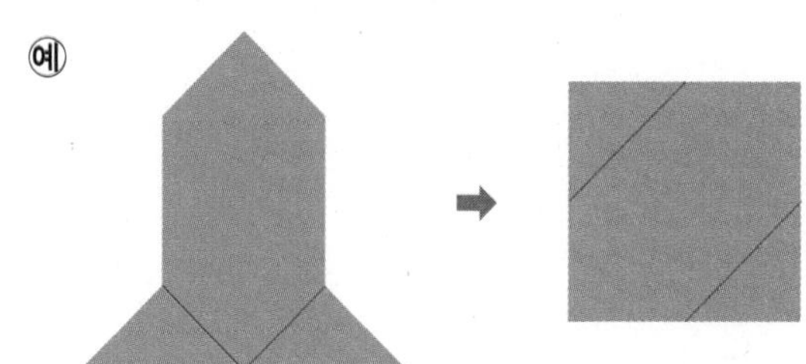

4 성냥개비 15개를 이용하여 크기가 다른 네모 모양 2개를 만들고, 두 모양을 비교해서 같은 위치에 있는 성냥개비와 다른 위치에 있는 성냥개비를 찾습니다.
×표 한 성냥개비를 ○표 한 성냥개비 자리로 옮기면 됩니다.

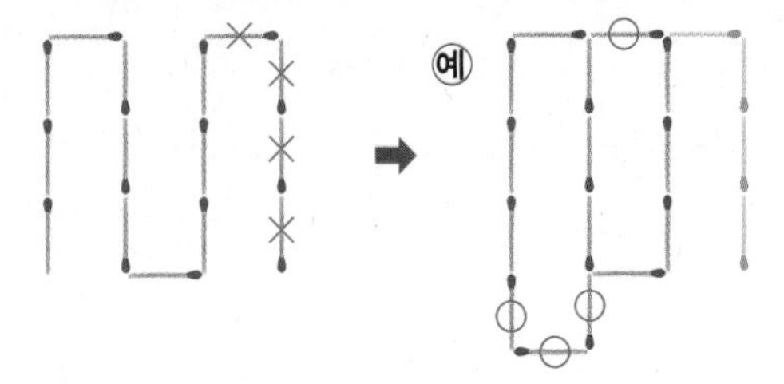

> 주의
> 성냥개비로 만든 모양에서 모양과 관계없이 남는 성냥개비가 있으면 안됩니다.

Review III 도형

82~84쪽

1 ㉢　　**2** 4가지　　**3** 네모 모양, 16개

4 27개　　**5** 예

6

♥		★		★
♥	♣		♣	
	♣		♣	♥
★		★		♥

1 색종이의 겹친 부분을 따라 자르면 다음과 같습니다.

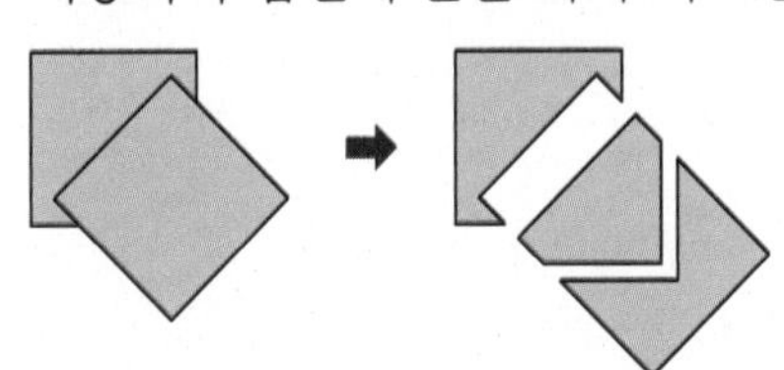

따라서 나올 수 없는 모양은 ㉢입니다.

2 • 점 3개를 지난 경우

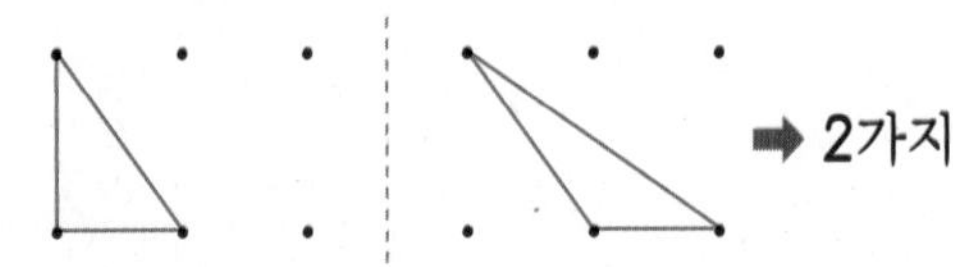

• 점 4개를 지난 경우

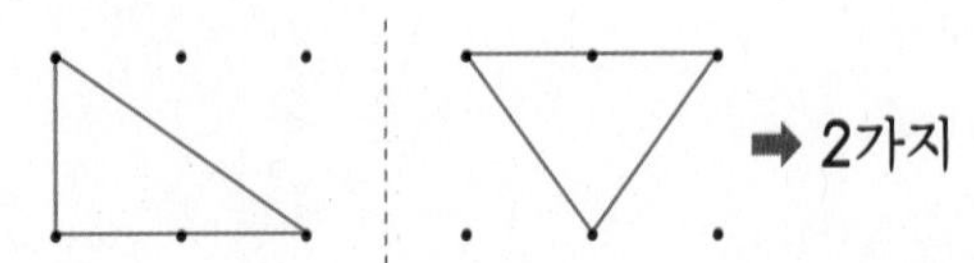

따라서 그릴 수 있는 크고 작은 세모 모양은 모두 2+2=4(가지)입니다.

3 접은 종이를 펼치면 접힌 선이 오른쪽과 같습니다.
따라서 접힌 선을 따라 자르면 네모 모양이 16개 만들어집니다.

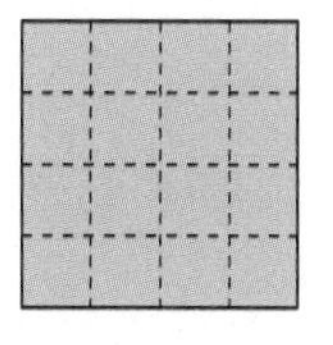

4 • 1칸짜리 △ 모양 ➡ 16개

• 4칸짜리  모양 ➡ 7개

• 9칸짜리 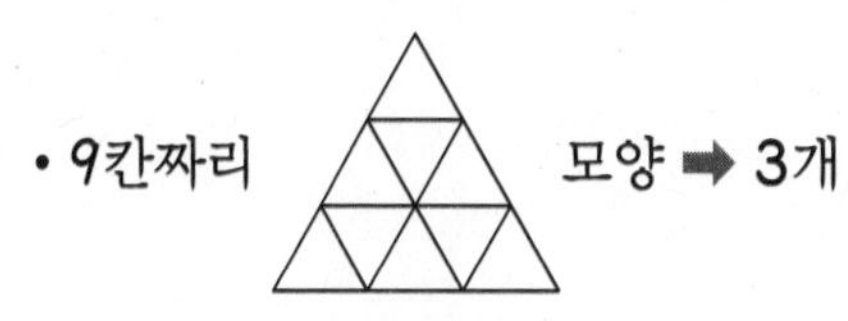 모양 ➡ 3개

• 16칸짜리 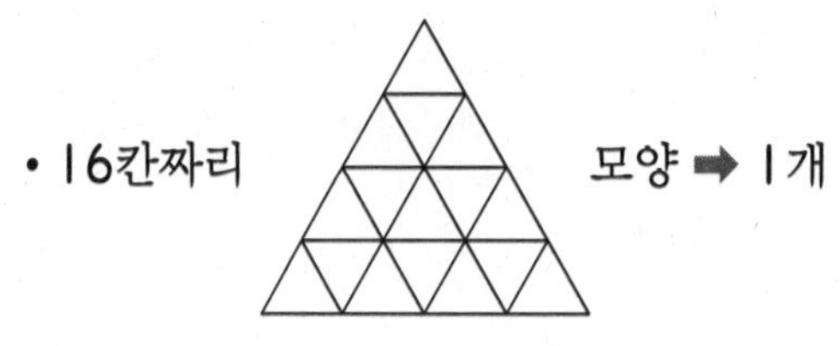 모양 ➡ 1개

따라서 크고 작은 세모 모양은 모두 16+7+3+1=27(개)입니다.

해결 전략
1칸짜리, 4칸짜리, 9칸짜리, 16칸짜리로 이루어진 세모 모양의 개수를 각각 구한 후 더합니다.

5

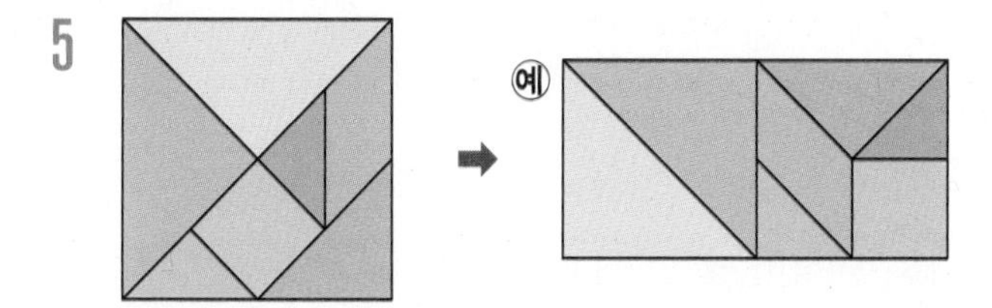

지도 가이드
칠교판으로 모양을 만드는 것은 보거나 그리는 것만으로 익히기 어렵습니다. 직접 칠교판 조각을 놓아 보며 여러 가지 방법으로 맞춰보도록 합니다.

6 크기와 모양이 같은 4조각으로 나누면 다음과 같습니다.

♥		★		★
♥	♣		♣	
	♣		♣	♥
★		★		♥

해결 전략
주어진 모양이 네모 모양 20개로 이루어져 있으므로 ♥, ★, ♣ 모양이 각각 한 개씩 있으면서 네모 모양 5개가 한 조각이 됩니다.

Ⅳ 규칙

우리가 일상생활을 하기 위해서는 규칙을 찾는 활동이 중요합니다. 이에 따라 이 단원에서는 패턴에서 규칙 찾기, 모양에서 규칙 찾기, 수에서 규칙 찾기를 배우고 이를 이용하여 다양한 상황 속에서 규칙을 이용하여 문제를 해결하는 경험을 하도록 구성하였습니다. 규칙은 문제 해결과 같이 가르치는 내용보다는 가르치는 방법에 관한 것입니다. 수학교육에서 규칙을 찾는 일은 문제 해결 능력을 높이는 데에도 크게 도움이 될 것입니다.

최상위 사고력 9 패턴

9-1. 여러 가지 패턴

86~87쪽

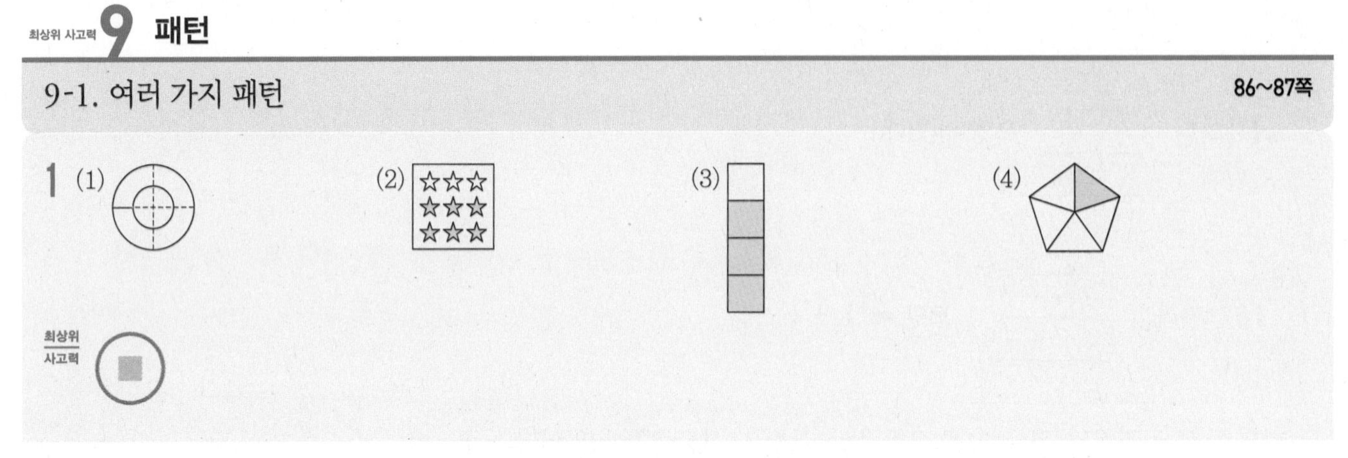

저자 톡! 여러 가지 패턴을 보며 규칙을 찾는 과정을 통하여 학생들의 논리력, 분석력, 유추 능력을 기를 수 있습니다.

1 (1) 모양에서 빨간색 선이 차례로 ①, ②, ③, ④로 움직이는 규칙입니다.
따라서 네 번째 모양에서 빨간색 선이 ④에 위치합니다.

(2) 9개의 별 중 흰 별의 수가 ⩶ 방향으로 1개씩 늘어나는 규칙입니다. 따라서 빈 곳에 알맞은 모양은 ☆☆☆ ★★☆ ★★★ 입니다.

(3) 왼쪽에서부터 4개씩 반복되는 규칙입니다.
따라서 빈 곳에 알맞은 모양은 왼쪽에서부터 3번째 모양과 같습니다.

(4) 색칠된 칸이 시계 반대 방향으로 2칸씩 움직이는 규칙입니다.
따라서 빈 곳에 알맞은 모양은 (오각형) 입니다.

해결 전략
규칙이 반복되는 부분을 찾습니다.

보충 개념
↻ 방향: 시계 방향
↺ 방향: 시계 반대 방향

최상위 사고력 규칙이 두 가지 입니다.
규칙1 : 큰 모양은 ○, ○, □, □, △, △이 각각 2개씩 반복되는 규칙입니다.
규칙2 : 큰 모양 안에 있는 작은 모양은 ●, ■, ▲ 이 반복되는 규칙입니다.
따라서 빈 곳에 알맞은 모양은 (■) 입니다.

9-2. 회전 패턴

88~89쪽

1 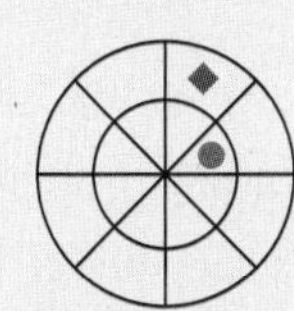

2

최상위 사고력

○	★	◇
◎	(색칠)	□
◆	☆	△

저자 톡! 회전 패턴은 시계 방향으로 회전하는 경우와 시계 반대 방향으로 회전하는 경우가 있습니다. 회전하는 정도도 각각 다를 수 있으므로 회전 패턴의 규칙을 찾을 때에는 회전 방향과 회전하는 정도를 모두 분석합니다.

1 ◆은 시계 방향으로 2칸씩 움직이는 규칙입니다.
●은 시계 반대 방향으로 3칸씩 움직이는 규칙입니다.

따라서 빈 곳에 알맞은 모양은 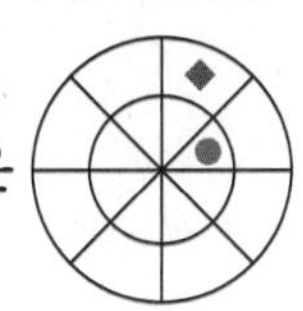 입니다.

2 방향으로 3칸씩 움직이며 색칠하는 규칙입니다. 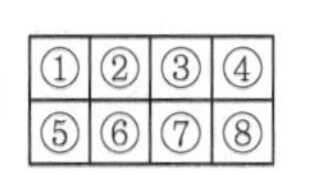

(①, ②) → (④, ⑤) → (⑦, ⑧) → (②, ③) → (⑤, ⑥) → (⑧, ①) → (③, ④) → (⑥, ⑦)

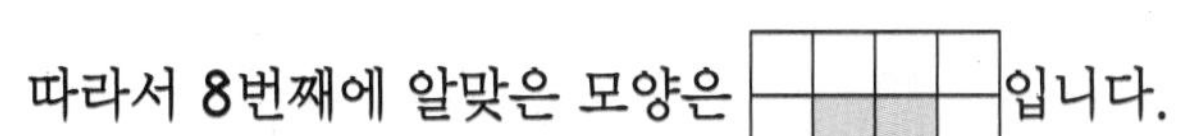
따라서 8번째에 알맞은 모양은 입니다.

해결 전략

⑧ ① ② ⑦ ③ ⑥ ⑤ ④

그림과 같이 ④와 ⑤, ⑧과 ①이 연결되어 있다고 생각합니다.

최상위 사고력 각각의 모양이 시계 반대 방향으로 1칸, 2칸, 3칸……씩 움직이는 규칙입니다.
따라서 5번째 모양은 4번째 모양에서 시계 반대 방향으로 각각 4칸씩 이동한 모양입니다.

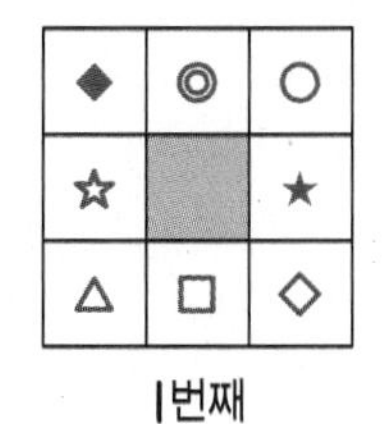

1번째

◎	○	★
◆	(색칠)	◇
☆	△	□

2번째

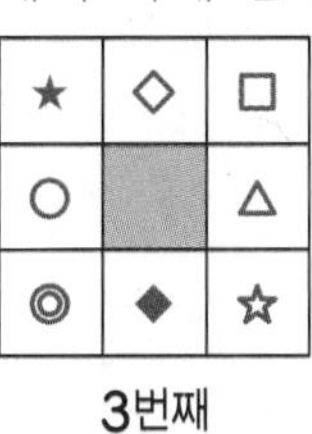

3번째

△	☆	◆
□	(색칠)	◎
◇	★	○

4번째

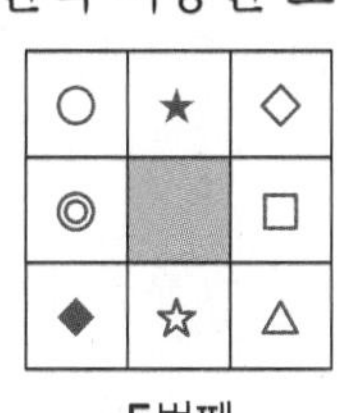

5번째

9-3. 규칙에 따른 패턴

90~91쪽

1 (1), (2)  (3) 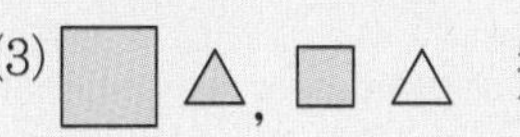 최상위 사고력 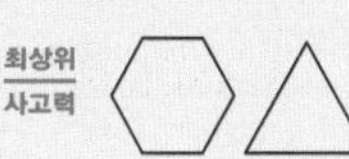

저자 톡! 규칙을 적용하는 형태의 문제를 다룹니다. 규칙이 나타내는 크기, 색깔, 위치 등에 대한 지시를 이해합니다.

1 (1) ㉠ 규칙에 따라 왼쪽 세모 모양을 색칠한 뒤 ㉣ 규칙에 따라 세모 모양과 동그라미 모양의 위치를 바꿉니다.
(2) ㉢ 규칙에 따라 오른쪽 모양을 네모 모양으로 바꾼 뒤 ㉡ 규칙에 따라 작은 네모 모양을 큰 네모 모양으로 바꿉니다.
(3) ㉤ 규칙이 오른쪽 모양의 색을 지우는 규칙이므로 오른쪽 모양에 다시 색을 칠하면 바꾸기 전 모양이 됩니다.
주어진 모양을 ㉥ 규칙에 따라 큰 네모 모양을 작게 만듭니다.

주의
㉡ 규칙을 따를 때 모양의 종류는 그대로 두고 모양의 크기만 크게 만들어야 합니다.

해결 전략
규칙을 거꾸로 생각하여 바꾸기 이전의 모양을 떠올려 봅니다.
㉑ 색을 지웁니다 ⟺ 색칠합니다.

최상위 사고력 규칙을 거꾸로 생각하여 가장 오른쪽 규칙부터 차례로 생각합니다.

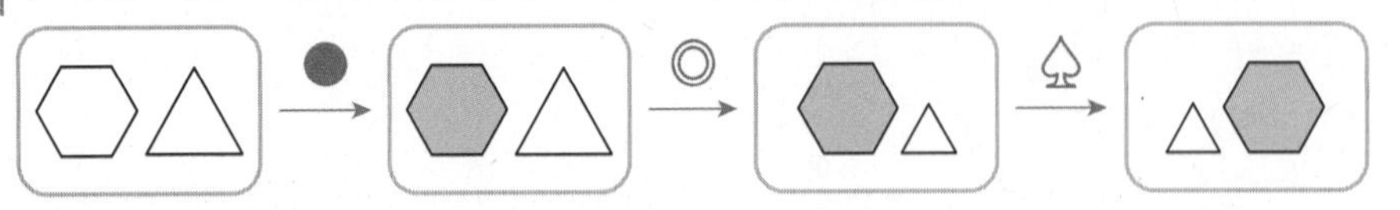

지도 가이드
빈 곳에 알맞은 모양을 그린 다음 차례로 규칙을 적용하여 답이 맞는지 확인할 수 있도록 지도합니다.

최상위 사고력

92~93쪽

1 ② 2 ♥ 3 4

1 규칙이 두 가지입니다.
규칙1 : 작은 모양 2개와 큰 모양 1개가 반복되는 규칙입니다.
규칙2 : 시계 방향으로 1칸씩 움직이며 색칠하는 규칙입니다.
따라서 빈 곳에 알맞은 모양은 ②입니다.

해결 전략
크기가 변하는 규칙과 색칠하는 규칙을 모두 생각합니다.

2 ●★★♥♥♥이 반복되는 규칙입니다.
따라서 6+6+6+6+6=30이므로 30번째 모양은 반복되는 부분의 6번째 모양인 ♥입니다.

3 ♣은 시계 방향으로 1칸씩 움직이고, ▼은 시계 방향으로 2칸씩 움직입니다.
따라서 빈 곳에 알맞은 모양은 입니다.

4

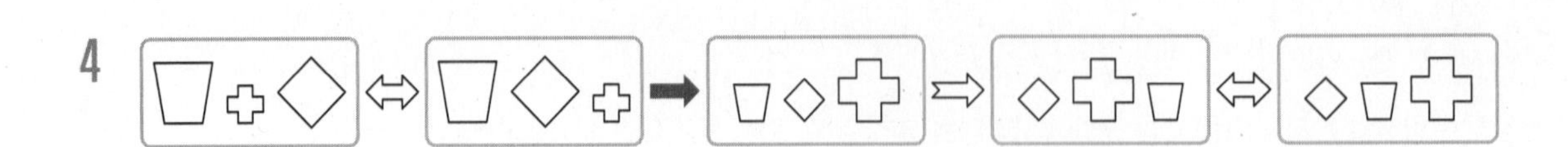

10-1. 다른 하나

94~95쪽

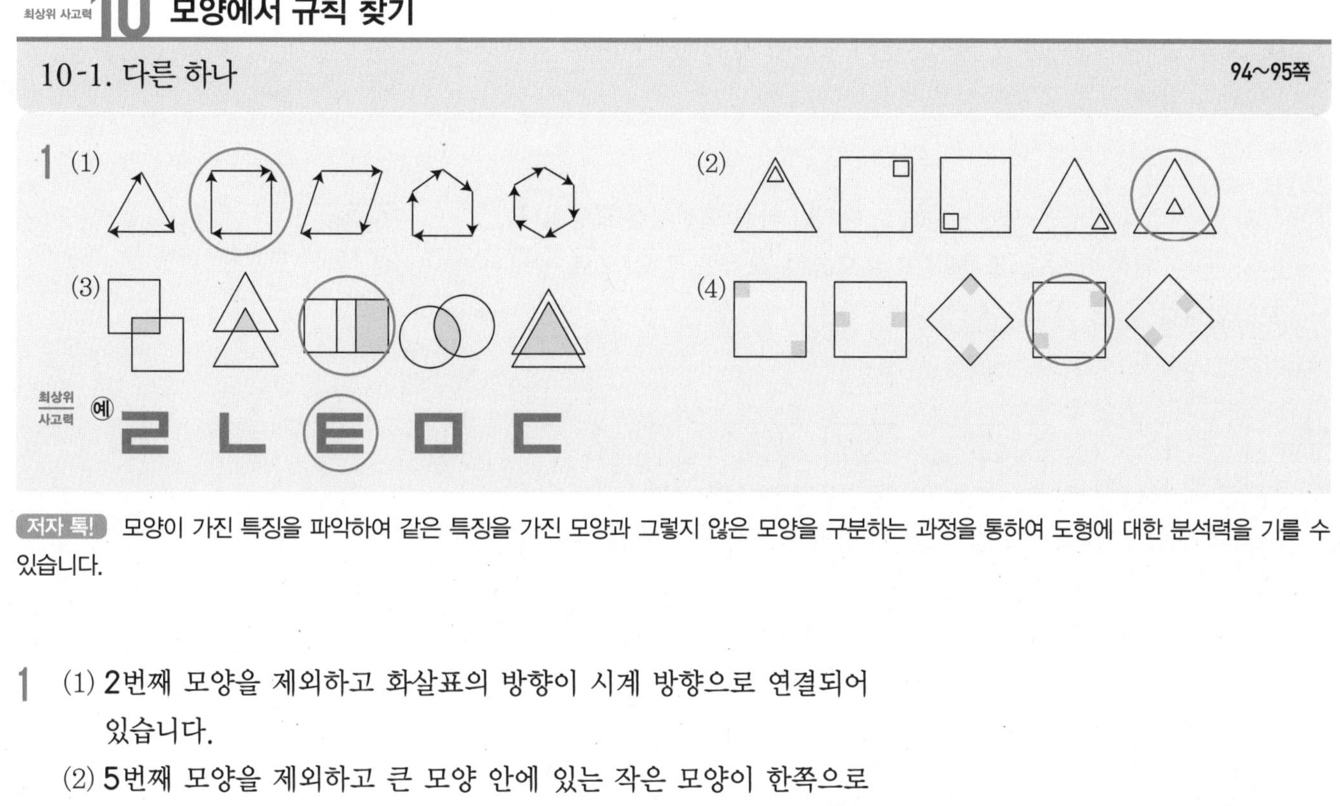

저자 톡! 모양이 가진 특징을 파악하여 같은 특징을 가진 모양과 그렇지 않은 모양을 구분하는 과정을 통하여 도형에 대한 분석력을 기를 수 있습니다.

1 (1) 2번째 모양을 제외하고 화살표의 방향이 시계 방향으로 연결되어 있습니다.

(2) 5번째 모양을 제외하고 큰 모양 안에 있는 작은 모양이 한쪽으로 쏠려 있습니다.

(3) 3번째 모양을 제외하고 두 모양이 겹쳐진 부분에 색이 칠해져 있습니다.

(4) 4번째 모양을 제외하고 반으로 접었을 때 ■이 겹쳐집니다.

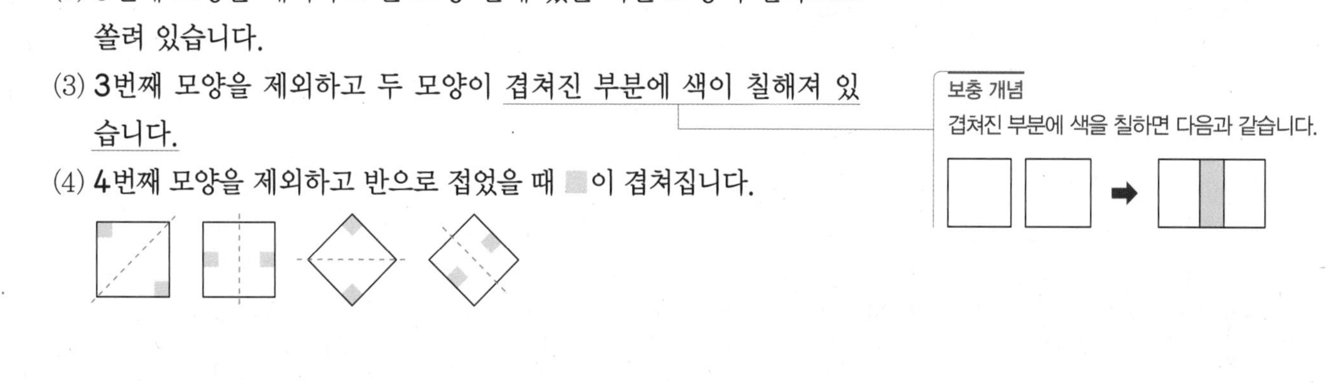

보충 개념
겹쳐진 부분에 색을 칠하면 다음과 같습니다.

최상위 사고력 예 ① ㄹ ㄴ ㅁ ㄷ은 연필을 떼지 않고 쓸 수 있지만 ㅌ은 연필을 최소 한 번은 떼야만 쓸 수 있습니다.

따라서 다른 하나는 ㅌ입니다.

② ㄹ ㄴ ㅌ ㄷ은 막혀 있지 않지만 ㅁ은 막혀 있습니다. 따라서 다른 하나는 ㅁ입니다.

이외에도 다양한 답이 있습니다.

10-2. 모양의 관계 찾기

96~97쪽

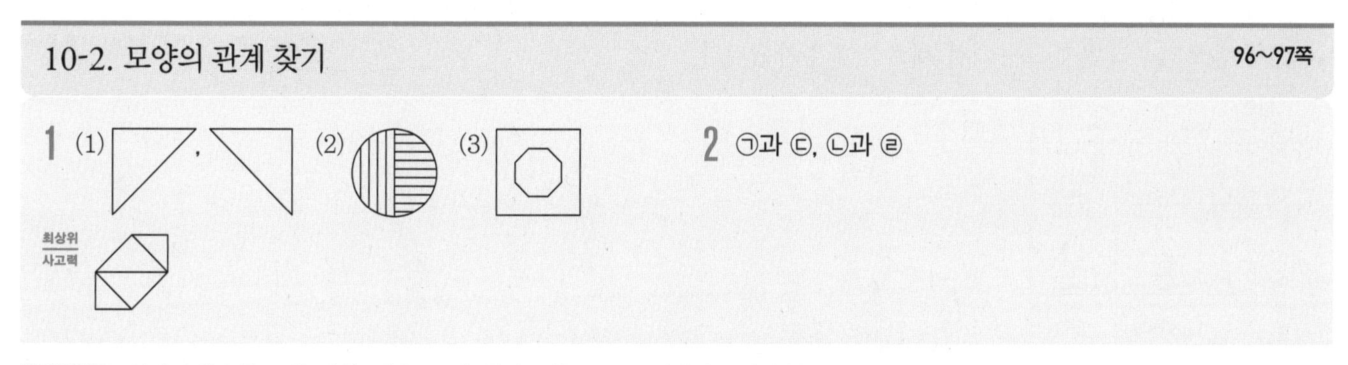

2 ㉠과 ㉢, ㉡과 ㉣

저자 톡! 앞에서 학습한 모양, 방향, 개수, 크기, 색깔 등을 모두 고려하여 모양의 관계를 찾습니다.

1 (1) 위쪽(아래쪽)으로 뒤집거나 반 바퀴 회전한 모양입니다.
(2) 모양 안에서 왼쪽과 오른쪽의 선의 모양이 서로 바뀝니다.
(3) 안과 밖에 있는 모양이 서로 바뀝니다.

2 ㉠과 ㉢은 왼쪽 모양을 시계 방향으로 반의반 바퀴 회전시킨 모양입니다.
㉡과 ㉣은 왼쪽 모양을 오른쪽(또는 오른쪽 모양을 왼쪽)으로 뒤집은 모양입니다.

보충 개념
시계 방향으로 반의반 바퀴

최상위 사고력

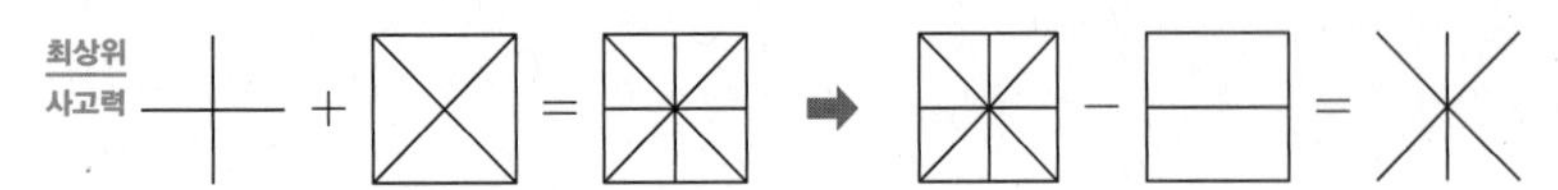

처음 모양에 2번째 모양을 더하고, 3번째 모양을 뺀 그림을 그리는 규칙입니다.

10-3. 표에서 관계 찾기

98~99쪽

1 (위에서부터) ㉠, ㉡

2

최상위 사고력

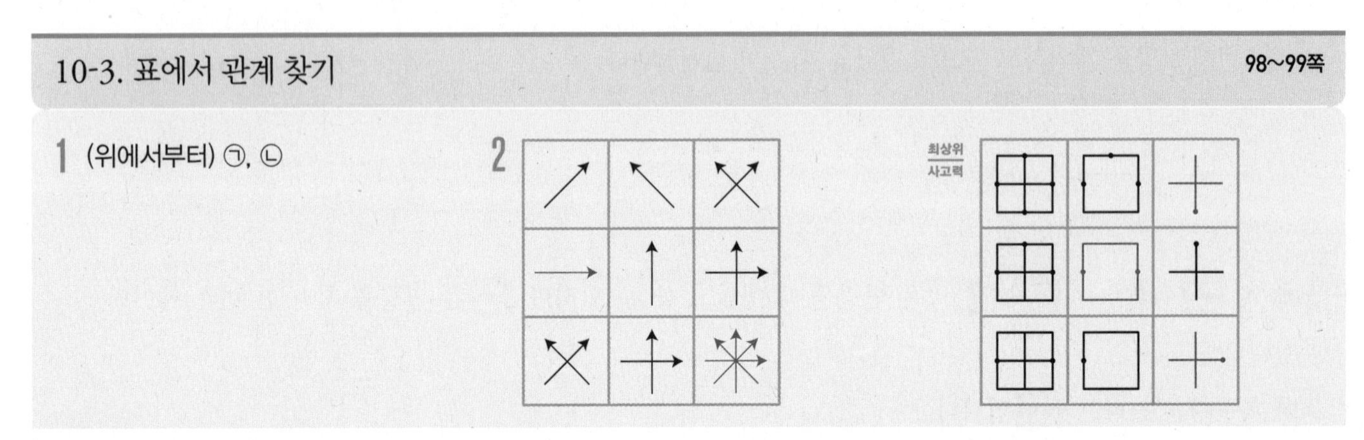

저자 톡! 앞의 두 가지 모양이 합쳐져서 3번째 모양이 되거나, 처음 모양에 선을 추가하거나 삭제하는 경우 등의 관계를 찾는 과정에서 도형에 대한 분석력을 기를 수 있습니다.

1 2번째 모양은 1번째 모양에서 가로선이 추가됩니다.
3번째 모양은 1번째 모양에서 세로선이 추가됩니다.

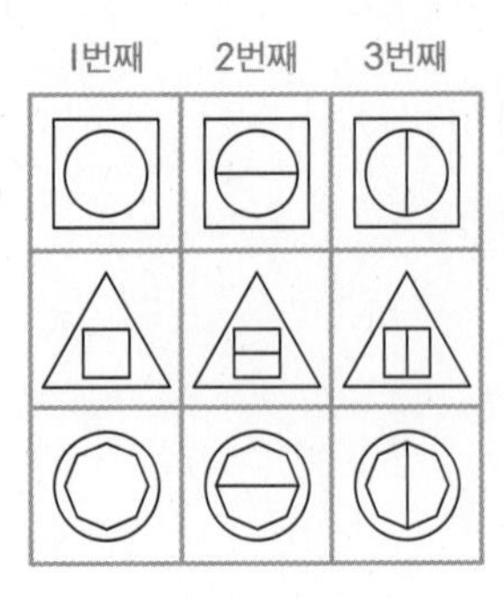

해결 전략
세 가지 모양이 모두 있는 1번째 가로줄을 보고 규칙을 찾습니다.

2 1번째 모양과 2번째 모양이 합쳐져서 3번째 모양이 됩니다.

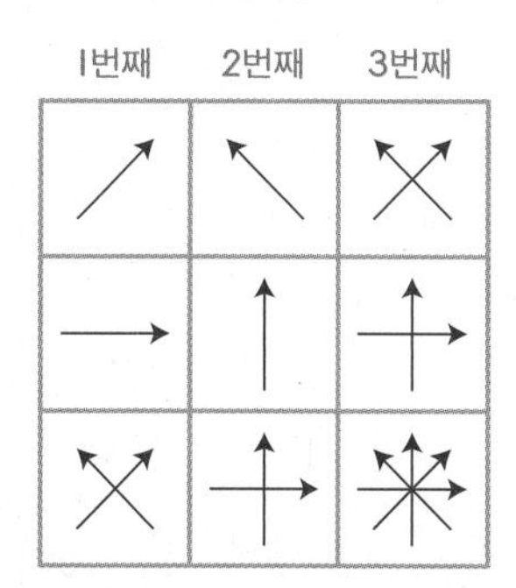

해결 전략
세 가지 모양이 모두 있는 1번째 가로줄을 보고 규칙을 찾습니다.

최상위 사고력 1번째 모양에서 2번째 모양을 빼면 3번째 모양이 됩니다.

1번째 2번째 3번째

최상위 사고력

100~101쪽

1 ㉡

2

3

4

1 ㉡은 모양 3개가 겹쳐지는 부분이 없습니다.

㉠ 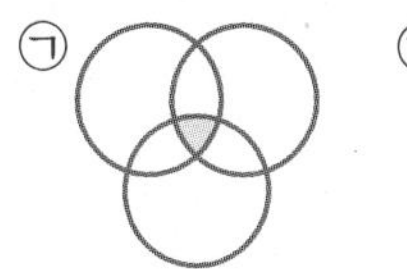 ㉢  ㉣ 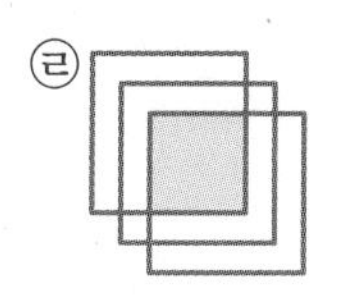

2 왼쪽 모양 안에 있는 점이 이루는 모양이 오른쪽 모양의 곧은 선이 이루는 모양, 왼쪽 모양의 곧은 선이 이루는 모양이 오른쪽 모양 안의 점이 이루는 모양입니다. 따라서 왼쪽 모양의 곧은 선이 이루는 모양이 □, 점이 이루는 모양이 ∴이므로 오른쪽 모양은 ⬠입니다.

3 I번째 모양과 2번째 모양을 합쳤을 때 색칠되지 않은 칸을 색칠하면 3번째 모양이 됩니다.

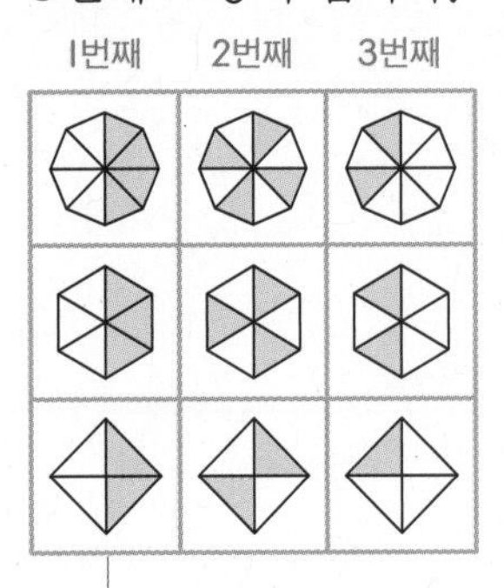

보충 개념

I번째 세로줄의 모양은 반으로 나누어 오른쪽을 색칠하고, 2번째 세로줄의 모양은 I칸 건너 색칠하는 규칙입니다.

4 각 가로줄과 세로줄에 노란색, 빨간색, 파란색 세모가 각각 I개씩, 세로선 I개, 2개, 3개가 각각 I개씩, 동그라미 모양이 왼쪽, 오른쪽, 가운데로 각각 I개씩 있습니다.

따라서 빈 곳에는 빨간색 세모, 세로선 3개, 왼쪽 동그라미로 이루어진 모양인 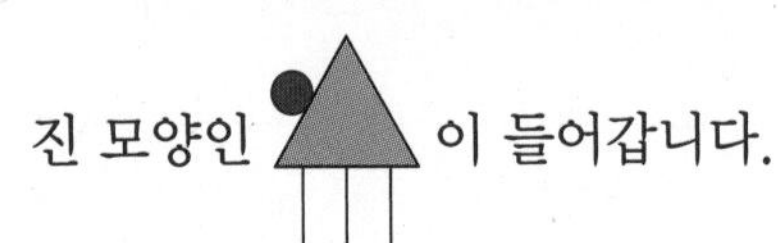 이 들어갑니다.

최상위 사고력 **11** **수에서 규칙 찾기**

11-1. 숨겨진 수의 규칙 찾기

102~103쪽

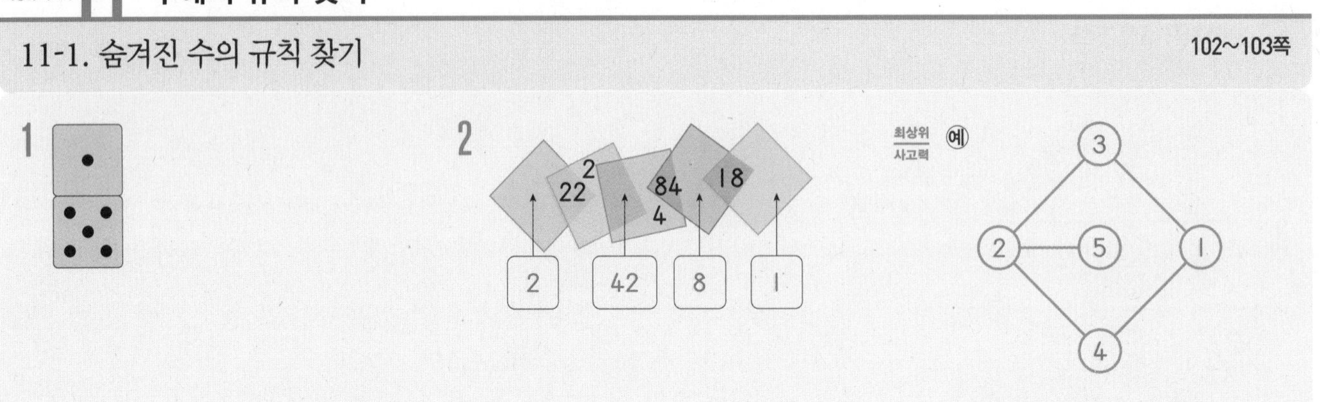

1 규칙이 두 가지입니다.

규칙I : I번째 도미노의 위, 2번째 도미노의 아래, 3번째 도미노의 위, 4번째 도미노의 아래……에 있는 점의 개수가 6, 5, 4, 3, 2, I, 6……로 규칙적으로 놓여 있습니다.

규칙2 : I번째 도미노의 아래, 2번째 도미노의 위, 3번째 도미노의 아래, 4번째 도미노의 위……에 있는 점의 개수가 4, 3, 2, I, 4, 3, 2……로 규칙적으로 놓여 있습니다.

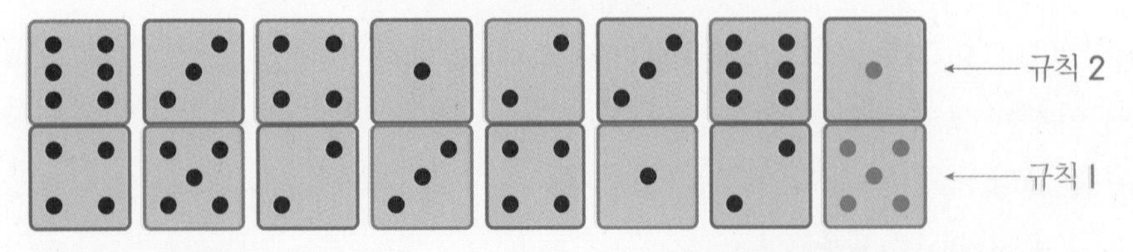

따라서 마지막 도미노의 위에는 점을 I개, 아래에는 점을 5개 그립니다.

보충 개념

규칙I : 6, 5, 4, 3, 2, I, 6……
➡ 6, 5, 4, 3, 2, I이 반복되는 규칙입니다.

규칙2 : 4, 3, 2, I, 4, 3, 2……
➡ 4, 3, 2, I이 반복되는 규칙입니다.

2 겹쳐진 부분의 수는 위에 놓인 색종이에 적힌 수를 십의 자리, 아래에 놓인 색종이에 적힌 수를 일의 자리에 놓아 만듭니다.

최상위 사고력 |보기|에서 ① → 2, ② → 1+4+3=8, ③ → 2+4=6, ④ → 2+3=5이므로 ◯ 안의 수와 선으로 연결되어 있는 수들의 합을 화살표 뒤에 쓰는 규칙입니다.

⑤ → 2에서 5가 적힌 ◯과 선으로 연결된 수들의 합은 2이므로 ⑤는 다, ②는 나에 넣을 수 있습니다. ② → 12이므로 가+다+마=12, 다=5입니다. 따라서 가, 마에는 두 수의 합이 7이 되는 두 수가 들어가야 하므로 가에 ③, 마에 ④가 들어갑니다. 라에는 남은 수 1이 들어갑니다.

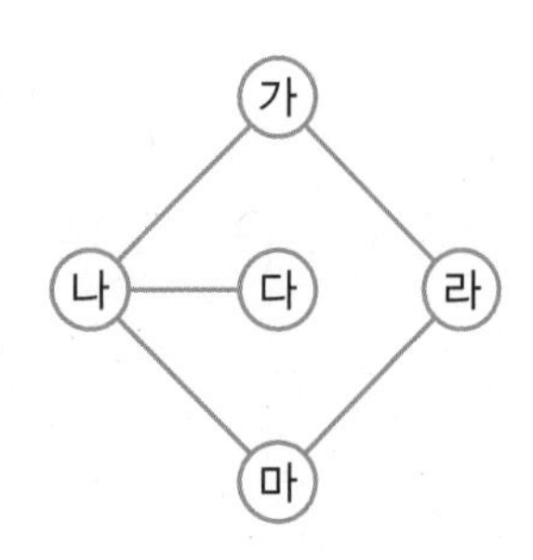

다른 답
가=4, 나=2, 다=5, 라=1, 마=3

해결 전략
다는 한 개의 수와 연결되므로 답이 가장 작은 수 ⑤가 다에 들어갑니다.

11-2. 수 배열하기

104~105쪽

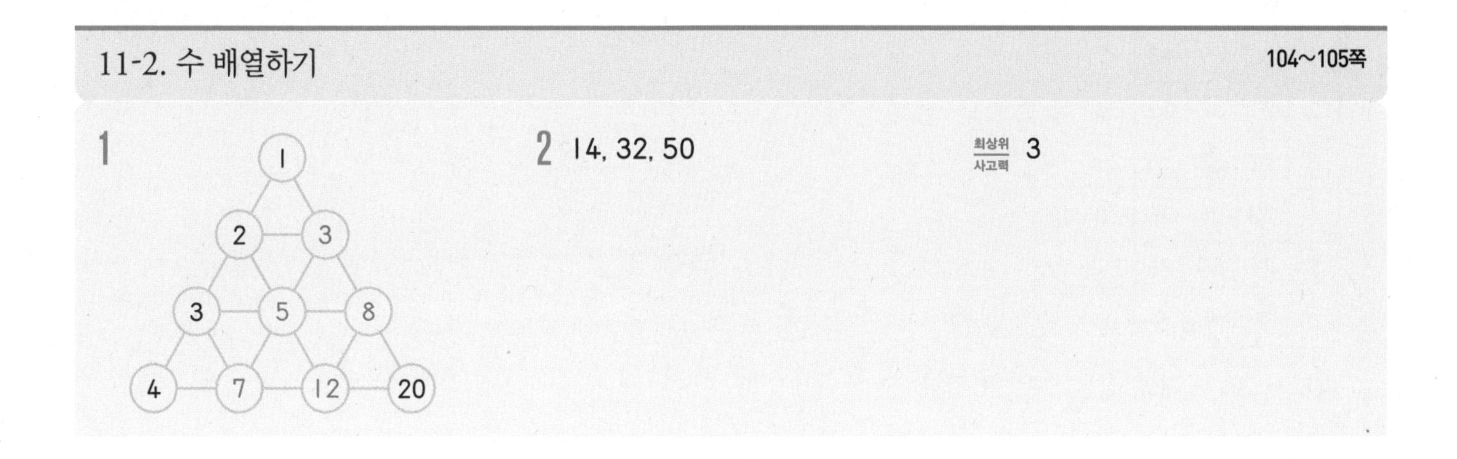

1 위의 수와 왼쪽 수의 합을 오른쪽 ◯ 안에 쓰는 규칙입니다.

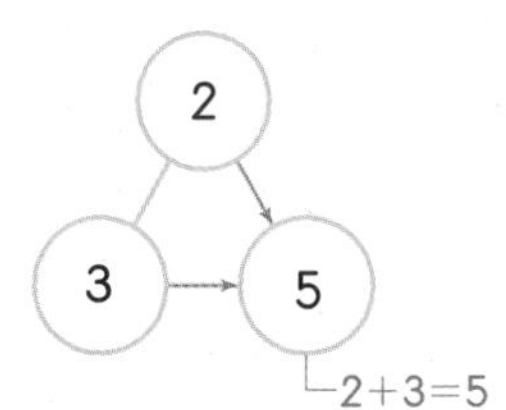

2 각 자리 숫자의 합이 ☐ 안의 수가 되는 두 자리 수를 모두 쓰는 규칙입니다.
따라서 각 자리 숫자의 합이 5가 되는 두 자리 수를 모두 찾으면 14, 23, 32, 41, 50입니다.

최상위 사고력 3칸씩 움직이며 나오는 수를 차례로 쓰면 다시 1이 나올 때까지 10개의 수가 나옵니다.
1 → 4 → 7 → 10 → 3 → 6 → 9 → 2 → 5 → 8 → 1 → ……
(10개)
25번째 수는 10개의 수가 두 번 반복된 후 5번째 수이므로 3입니다.

보충 개념
25=10+10+5이므로 25번째 수는 10개로 이루어진 마디에서 5번째 수입니다.

11-3. 수 배열표에서 규칙 찾기

106~107쪽

1 25　　2 43　　최상위 사고력 61

1

1	20	19	18	17	16
2	21	32	31	30	15
3	22	33	36	29	14
4	23	34	35	28	13
5	24	25	26	27	12
6	7	8	9	10	11

따라서 34 아래에 있는 수는 25입니다.

주의
34의 아래에 35를 써넣지 않도록 주의합니다.

2 꺾이는 곳에 놓인 수 사이의 규칙을 찾아 12번째 꺾이는 곳에 놓인 수를 구합니다.

순서	1	2	3	4	5	6	7	8	9	10	11	12
수	2	3	5	7	10	13	17	21	26	31	37	43

+1 +2 +2 +3 +3 +4 +4 +5 +5 +6 +6

따라서 12번째 꺾이는 곳에 놓인 수는 43입니다.

보충 개념
늘어나는 수가 1, 2, 2, 3, 3, 4, 4 ……씩 커집니다.
(2번 2번 2번)

최상위 사고력 1행에 있는 수는 1개, 2행에 있는 수는 2개……이므로 10행까지 있는 수는 모두 1+2+3+4+5+6+7+8+9+10=55(개)입니다.
따라서 11행의 1열에 있는 수는 55+1=56이므로 11행 6열의 56+5=61입니다.

최상위 사고력

108~109쪽

1

1	2	3	4
3	1	1	4
2	1	3	4
2	3	4	1

2 5

3 10

4 59

1

1	2	3	4	⬅ (1, 2, 3, 4)와 (4, 3, 2, 1)이 번갈아 나옵니다.
3	1	1	4	⬅ 맨 앞의 수가 계속 맨 뒤로 가면서 네 수의 순서가 계속 변합니다.
2	1	3	4	⬅ 마지막 수가 계속 맨 앞으로 오면서 네 수의 순서가 계속 변합니다.
2	3	4	1	⬅ 맨 앞의 수가 계속 맨 뒤로 가면서 네 수의 순서가 계속 변합니다.

2 4칸씩 움직이며 나오는 수를 차례로 쓰면 다시 1이 나올 때까지 9개의 수가 나옵니다.

1 → 5 → 9 → 4 → 8 → 3 → 7 → 2 → 6 → 1 → 5 → ……
9개

20번째 수는 9개의 수가 두 번 반복된 후 2번째 수이므로 5입니다.

보충 개념
20=9+9+2이므로 20번째 수는 9개로 이루어진 마디에서 2번째 수입니다.

3 색칠된 곳에 적힌 수는 위 두 수의 합에서 2를 뺀 수입니다.

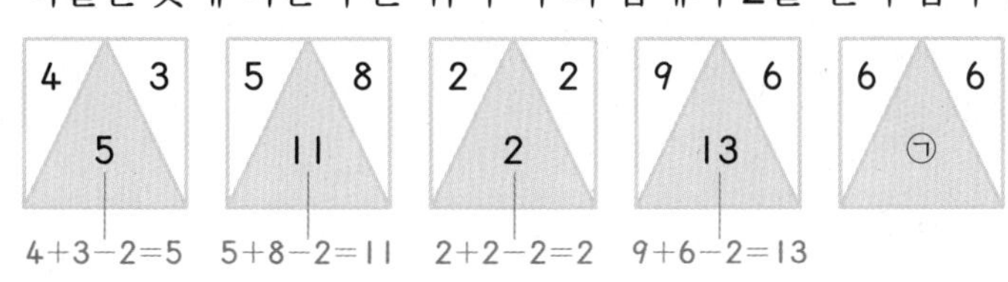

따라서 ㉠에 알맞은 수는 6+6−2=10입니다.

4 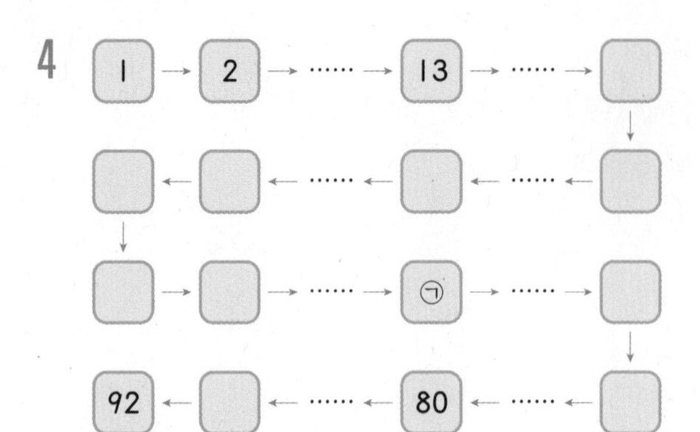

해결 전략
각 줄의 양 끝에 알맞은 수를 먼저 구합니다.

92개의 수를 한 줄에 놓인 수의 개수가 같도록 네 줄에 나누어 썼으므로 한 줄에 놓인 수의 개수는 23개(23+23+23+23=92)입니다.
각 줄의 가장 큰 수를 쓰면 3번째 줄의 가장 큰 수는 69입니다.
따라서 ㉠은 69보다 10 작은 수이므로 69−10=59입니다.

다른 풀이
한 줄에 놓인 수의 개수는 23개이므로 2번째 줄의 가장 작은 수는 24이고, 가장 큰 수는 46입니다. 3번째 줄의 가장 작은 수는 47이고 ㉠은 47보다 12 큰 수이므로 ㉠=47+12=59입니다.

최상위 사고력 **12** **규칙 찾아 문제 해결하기**

12-1. 개수 구하기

110~111쪽

1 26개　　2 9개　　최상위 사고력 20조각

저자 톡! 일정한 규칙에 따라 만들어지는 모양에서 개수를 구할 때에는 각 단계별로 많아지는 개수를 덧셈식으로 나타내는 것이 편리합니다.

1 처음 모양을 만들 때에는 성냥개비 6개가 필요하고, 그다음부터는 5개씩 늘어납니다.

순서	1	2	3	4	5
성냥개비의 개수	6	11	16	21	26

+5 +5 +5 +5

따라서 5번째 모양을 만드는 데 필요한 성냥개비는 6+5+5+5+5=26(개)입니다.

2 가장 작은 네모 모양을 1개 만들 때에는 성냥개비 4개가 필요하고, 그다음부터는 3개씩 늘어납니다.

네모의 개수	1	2	3	4	5	6	7	8	9
성냥개비의 개수	4	7	10	13	16	19	22	25	28

+3 +3 +3 +3 +3 +3 +3 +3

따라서 4+3+3+3+3+3+3+3+3=28이므로 성냥개비 28개로 만들 수 있는 가장 작은 네모 모양은 9개입니다.

최상위 사고력 1번 자르면 2조각, 한 번 더 자를 때마다 2조각씩 많아지므로 10번 자르면 모두 $\underbrace{2+2+2+2+2+2+2+2+2+2}_{10번}=20$(조각)이 됩니다.

12-2. 개수의 차

112~113쪽

1 10개　　2 30개　　최상위 사고력 72개

저자 톡! 모양을 만든 두 구성 요소의 개수의 차를 구하는 방법에는 사용된 두 구성 요소의 총 개수를 구한 후 차를 구하는 방법과 단계별 두 구성 요소의 차를 각각 구한 후 더하는 방법이 있습니다. 이 중 상황에 따라 편리한 방법을 사용하여 구합니다.

1 각 순서마다 늘어나는 타일의 수를 생각하여 10번째 모양에서 사용된 타일의 개수를 구할 수 있습니다.

순서	1	2	3	4	5	6	7	8	9	10	합
늘어나는 ◻의 개수	1		5		9		13		17		45
늘어나는 ■의 개수		3		7		11		15		19	55

따라서 검은 타일은 흰 타일보다 $55-45=10$(개) 더 많습니다.

보충 개념
검은 타일과 흰 타일이 번갈아 3개, 5개, 7개…… 늘어나는 규칙입니다.
+2 +2

2 ●를 2개, ○를 3개, ●를 4개……씩 놓는 규칙입니다. 순서에 따라 ●와 ○의 개수를 쓰고 ○의 개수가 ●의 개수보다 5개 많을 때를 찾습니다.

층	1	2	3	4	5	6	7	8	9	10
늘어나는 ●의 개수	2		4		6		8		10	
늘어나는 ○의 개수		3		5		7		9		11
개수의 차	●2	○1	●3	○2	●4	○3	●5	○4	●6	○5

따라서 흰 바둑돌이 검은 바둑돌보다 5개 더 많을 때 검은 바둑돌은 $2+4+6+8+10=30$(개)입니다.

해결 전략
층이 늘어날 때 사용된 바둑돌 개수의 차를 생각합니다.

최상위 사고력 ■과 ▲를 번갈아 1, 2, 3……개씩 놓는 규칙입니다.
순서에 따라 ■과 ▲이 놓인 개수를 쓰고 ■의 개수가 ▲의 개수보다 9개 많을 때를 찾습니다.

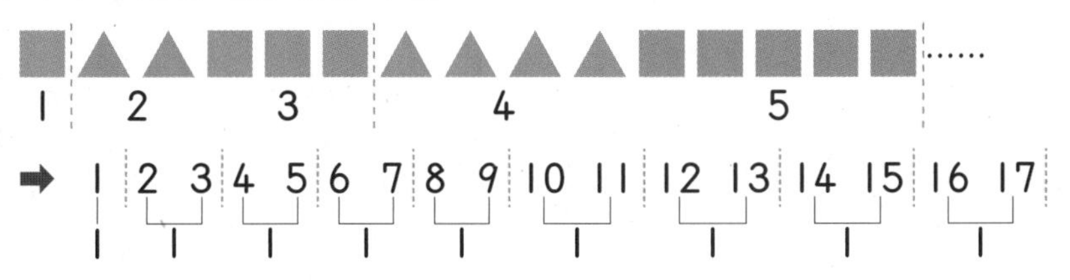

따라서 ■이 ▲보다 9개 더 많을 때 ▲은 $2+4+6+8+10+12+14+16=72$(개)입니다.

12-3. 시계 규칙

114~115쪽

1 

2 50번

최상위 사고력 

1 시계의 긴바늘이 숫자 눈금 1칸, 2칸, 3칸……씩 움직입니다.

순서	1	2	3	4	5
시각	9시 10분	9시 15분	9시 25분	9시 40분	10시

1칸 2칸 3칸 4칸

2 오전 9시부터 오후 2시까지 정각마다 시각과 같은 횟수로 울고, 매시 30분에 한 번씩 웁니다.

시각	9시	9시 30분	10시	10시 30분	11시	11시 30분	12시	12시 30분	1시	1시 30분	2시
횟수	9	1	10	1	11	1	12	1	1	1	2

따라서 뻐꾸기 시계는 모두 $9+1+10+1+11+1+12+1+1+1+2=50$(번) 웁니다.

최상위 사고력 학생들이 3시부터 6시 30분까지 30분마다 오므로 3시, 3시 30분, 4시, 4시 30분……에 오고, 그때마다 앞에 온 학생들보다 1명씩 더 많이 옵니다.

시각	3시	3시 30분	4시	4시 30분	5시	5시 30분	6시	6시 30분
학생 수	5	6	7	8	9	10	11	12

따라서 10명의 학생들이 놀이터에 온 시각은 5시 30분입니다.

최상위 사고력

116~117쪽

1 13곡 2 4번째 3 7층 4 5번째

1 8시 30분부터 1시 10분 전까지 정각과 매시 30분에 들은 곡의 수를 구합니다.

보충 개념
1시 10분 전은 12시 50분입니다.

시각	8시 30분	9시	9시 30분	10시	10시 30분	11시	11시 30분	12시	12시 30분
곡의 수	1	2	1	2	1	2	1	2	1

따라서 지오가 들은 노래는 모두
$1+2+1+2+1+2+1+2+1=13$(곡)입니다.

2

순서	1	2	3	4	5
면봉의 개수	4	12	24	40	60
합	4	16	40	80	140

따라서 면봉 100개로 4번째까지 만들 수 있습니다.

> **주의**
> 5번째까지 만들기 위해서는 140개의 면봉이 필요합니다.

3 가장 높은 층에 타일 1개를 붙이고 9층까지 붙이면 각 층의 타일의 개수가 2개씩 많아지므로 타일의 전체 개수는

$1+3+5+7+9+11+13+15+17=81$(개)입니다.

+2 +2 +2 +2 +2 +2 +2 +2

타일을 77개만 사용해야 하므로 가장 위의 두 층에 붙인 타일이 없다고 생각합니다.

➡ $5+7+9+11+12+15+17=77$(개)

7층

따라서 가장 높게 붙이려면 7층까지 붙일 수 있습니다.

4 ○의 개수는 1개, 4개, 9개……로 늘어나고, ●의 개수는 8개, 12개, 16개……로 늘어나는 규칙입니다.

순서	1	2	3	4	5
○의 개수	1	4	9	16	25
●의 개수	8	12	16	20	24
개수의 차	$8-1=7$	$12-4=8$	$16-9=7$	$20-16=4$	$25-24=1$

따라서 흰 바둑돌과 검은 바둑돌의 개수의 차가 1개일 때는 5번째입니다.

> **해결 전략**
> 각각의 순서마다 늘어나는 바둑돌의 수를 생각합니다.

Review IV 규칙

118~120쪽

1 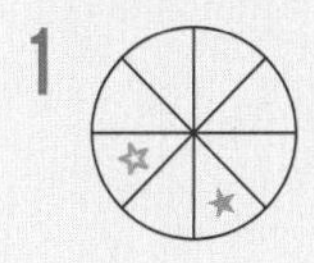

2

3

1	4	2	3
4	3	1	2
3	2	4	1
2	1	3	4

4 15개

5 10번

6 7번째

1 ★은 시계 방향으로 3칸씩 움직이는 규칙이고,
☆은 시계 반대 방향으로 1칸씩 움직이는 규칙입니다.

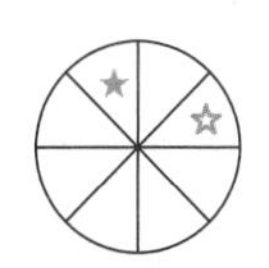 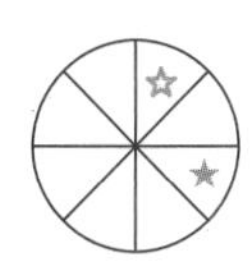 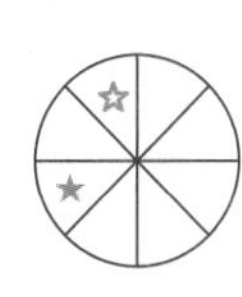  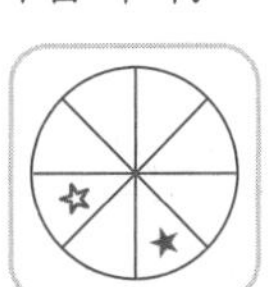

2 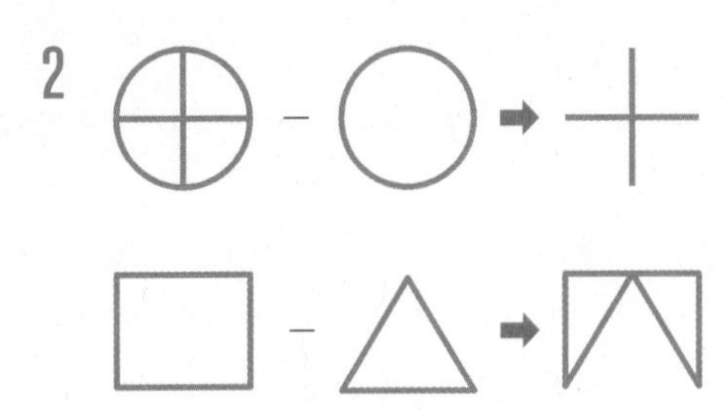

앞의 두 모양을 겹쳐 놓았을 때 겹쳐지는 선을 지우고 남은 부분만 세 번째 모양이 되는 규칙입니다.

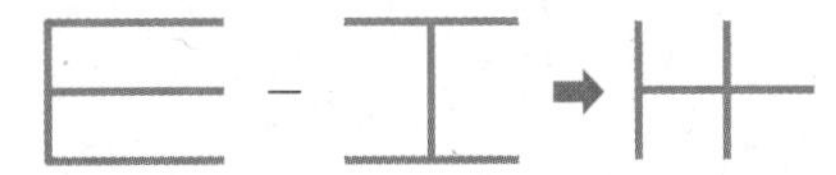

3 표의 규칙은 가로, 세로 한 줄에 같은 수를 쓰지 않는 것입니다. 오른쪽 표에서 세로줄 ①과 ③에 2가 있으므로 세로줄 ②, ④에 2를 넣어야 합니다. 세로줄 ②의 아래 두 칸 중 마지막 칸이 있는 가로줄에는 2가 이미 있으므로 위의 빈칸에 2를 씁니다. 세로줄 ④의 빈칸 3개 중 가로줄에 2가 없는 곳은 가장 위에 있는 빈칸밖에 없습니다. 가로줄 ㉢, ㉣에 3을 넣어야 합니다. 가로줄 ㉢에 있는 빈칸 중 세로줄을 보았을 때 3이 없는 칸은 가장 왼쪽 칸입니다. 가로줄 ㉣에 있는 빈칸 중 세로줄을 보았을 때 3이 없는 칸은 왼쪽에서 3번째 칸입니다. 같은 방법으로 4를 모두 넣은 다음 1을 넣습니다.

	①	②	③	④
㉠	1	4	2	3
㉡		3		
㉢			4	
㉣	2			

4 처음 세모 모양을 만들 때에는 성냥개비 3개가 필요하고, 그다음부터는 2개씩 늘어납니다.

세모 모양의 수	1	2	3	4	5	6	……
성냥개비의 수	3	5	7	9	11	13	……

+2 +2 +2 +2 +2

따라서 $\underbrace{3+2+2+\cdots\cdots+2}_{15개}=31$이므로 만들 수 있는 세모 모양은 모두 15개입니다.

5 이 반복되는 규칙입니다.

따라서 은 3번째, 6번째, 9번째……마다 나오므로 30번째까지 모두 10번 나옵니다.

6 각각의 순서마다 바둑돌의 수를 검은 바둑돌과 흰 바둑돌로 나누어 생각합니다.

순서	1	2	3	4	5	6	7
●의 개수	1	3	5	7	9	11	13
○의 개수			1	1+2=3	1+2+3=6	1+2+3+4=10	1+2+3+4+5=15

7번째 모양에서 검은 바둑돌은 13개, 흰 바둑돌은 15개입니다.
따라서 흰 바둑돌이 검은 바둑돌보다 많아지는 것은 7번째입니다.

V 연산(2)

이번 단원에서는 받아올림이 있는 덧셈과 받아내림이 있는 뺄셈을 바탕으로 식을 조작하는 여러 가지 방법과 식을 사용하여 문제를 해결하는 방법을 다룹니다.

13 계산식과 **14** 수 퍼즐에서는 수와 연산 기호를 사용하여 덧셈식과 뺄셈식을 완성하는 문제와 덧셈식과 뺄셈식으로 퍼즐을 완성하는 문제를 통하여 식을 조작하는 능력을 기를 수 있습니다.

15 그림과 표를 이용하여 문제 해결하기에서는 문장으로 된 문제를 식을 세워 해결하는 과정에서 문제의 핵심을 파악하여 식을 세우는 방법을 기를 수 있습니다.

최상위 사고력 13 계산식

13-1. 계산식 완성하기(1)

122~123쪽

1 예 1, 8 / 2, 7 / 3, 6 / 4, 5　　2 예 9, 8, 7 / 6, 5, 1　　최상위 사고력 5가지

1 ㉠+4+㉡=13이므로 ㉠+㉡=9입니다.
합이 9인 두 수를 짝지으면 (1, 8), (2, 7), (3, 6), (4, 5)입니다.
짝지은 두 수로 식을 완성합니다.
➡ 1+4+8=13, 2+4+7=13, 3+4+6=13, 4+4+5=13

해결 전략
㉠+4+㉡=13에서 ㉠+㉡=13−4=9이므로 합이 9인 서로 다른 두 수를 구합니다.

2 주어진 수 카드를 한 번씩 사용하여 계산 결과가 10이 되는 두 식은
9+8−7=10(또는 8+9−7=10), 6+5−1=10(또는 5+6−1=10)입니다.

최상위 사고력 두 식을 더하면 ●+●=10이고, 5+5=10이므로 ●=5입니다.
●+■−▲=7에서 ●=5이므로
5+■−▲=7, ■−▲=2입니다.
차가 2인 두 수를 짝지으면
(1, 3), (2, 4), (4, 6), (6, 8), (7, 9)입니다.
따라서 (●, ▲, ■)는 (5, 1, 3), (5, 2, 4), (5, 4, 6), (5, 6, 8), (5, 7, 9)로 모두 5가지입니다.

보충 개념
　●+▲−■=3
+)●+■−▲=7
　●+●=10

13-2. 계산식 완성하기(2)

124~125쪽

1 +, +, + / −, +, − / +, −, + / −, −, −　　2 19, 27

최상위 사고력 −, + / −, − / 26, 2

저자 톡! + 또는 −의 수와 위치에 따라 계산 결과가 어떻게 달라지는지를 알아보면서 식을 조작하는 능력을 기릅니다.

1 • $9+2+4+1=16$이므로 16에서 얼마만큼 작아졌는지를 생각하여 $-$를 써넣습니다.

• $9○2○4○1=10$은 16에서 6만큼 작아졌으므로 6의 반인 3을 뺍니다. 계산식에서 3을 빼려면 2와 1을 빼면 됩니다.

➡ $9-2+4-1=10$

• $9○2○4○1=8$은 16에서 8만큼 작아졌으므로 8의 반인 4를 뺍니다.

➡ $9+2-4+1=8$

• $9○2○4○1=2$는 16에서 14만큼 작아졌으므로 14의 반인 7을 뺍니다. 계산식에서 7을 빼려면 2, 4, 1을 빼면 됩니다.

➡ $9-2-4-1=2$

해결 전략
계산 결과가 가장 큰 경우는 ○ 안에 모두 $+$를 써넣은 것이고, 계산 결과가 가장 작은 경우는 ○ 안에 모두 $-$를 써넣은 것입니다.

2 가장 작은 계산 결과는 ○ 안에 모두 $-$를 써넣은 것이고, 두 번째로 작은 계산 결과는 3, 5, 6 중 가장 작은 수인 3 앞의 ○ 안에 $+$를 써넣은 것입니다.

두 번째로 작은 계산 결과는 $\square+3-5-6=11$이므로 $\square=19$입니다.

$19○3○5○6$에서 가장 큰 계산 결과를 얻으려면 ○ 안에 모두 $+$를 써넣고, 두 번째로 큰 계산 결과를 얻으려면 3 앞의 ○ 안에 $-$를 써넣어서 만듭니다.

따라서 두 번째 큰 계산 결과는 $\square-3+5+6=19-3+5+6=27$입니다.

보충 개념
$\square+3-5-6=11$
➡ $\square=11-3+5+6$
$=8+5+6$
$=13+6=19$

최상위 사고력 $18○1○9$와 $11○7○2$의 ○ 안에 $+$ 또는 $-$를 써넣어 나온 계산 결과를 모두 구하면 다음과 같습니다.

$18+1+9=28$, $18-1+9=26$, $18+1-9=10$, $18-1-9=8$

$11+7+2=20$, $11+7-2=16$, $11-7+2=6$, $11-7-2=2$

이 중 계산 결과의 차가 24가 되는 것은 $18-1+9=26$과 $11-7-2=2$입니다.

따라서 ●$=26$, ◆$=2$입니다.

13-3. 재미있는 연산

126~127쪽

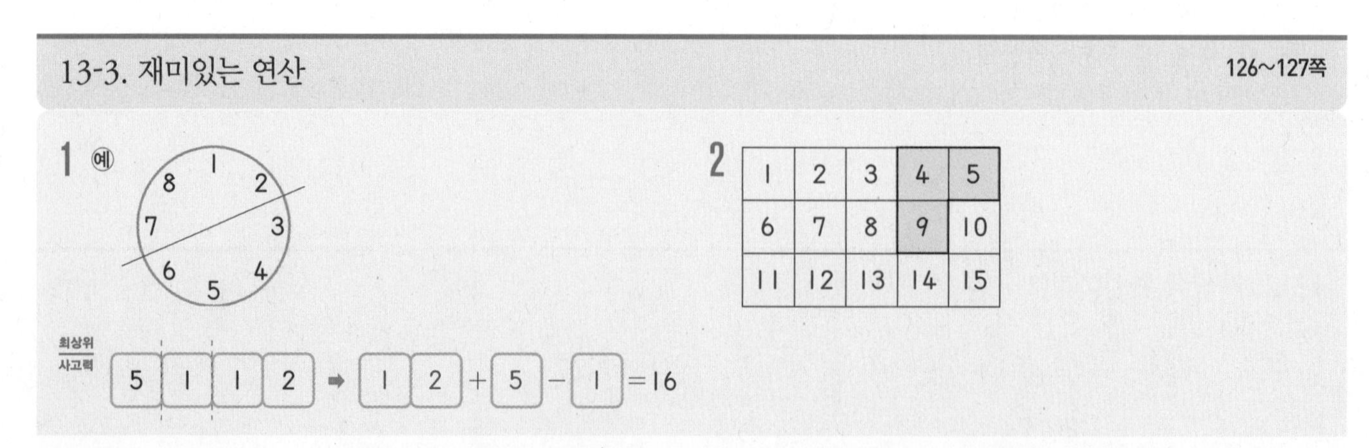

1	2	3	4	5
6	7	8	9	10
11	12	13	14	15

저자 톡! 문제를 해결하기 위해 연산을 여러 번 하는 과정에서 자연스럽게 수의 합과 차를 어림하여 계산하는 방법을 알 수 있게 됩니다. 이러한 경험은 뒤에 나오는 수 퍼즐과 연산을 해결하는 데 도움이 됩니다.

1 나눈 두 부분에 있는 수의 합이 같은 경우는 다음과 같이 2가지입니다.
- $1+2+7+8=18$, $3+4+5+6=18$
- $1+2+3+4+8=18$, $5+6+7=18$

2 첫 번째와 두 번째 가로줄에서 주어진 모양으로 묶인 세 수의 합이 18이 되는 세 수를 찾으면 $4+5+9=18$이므로 4, 5, 9입니다.

최상위 사고력 두 자리 수의 십의 자리 숫자가 1이 되도록 종이 테이프를 자르는 방법은 두 가지입니다.
5 1 1 2 ➡ 5, 1 1, 2 : $11+2-5=8$, $11+5-2=14$
5 1 1 2 ➡ 5, 1, 1 2 : $12+5-1=16$, $12+1-5=8$
이 중 계산 결과가 16이 되는 식은 $12+5-1=16$입니다.

해결 전략
□□+□−□=16이므로 두 자리 수의 십의 자리 숫자가 1임을 알 수 있습니다.

최상위 사고력

128~129쪽

1 7가지
2 5, 7, 9, 11, 13, 15, 17, 19
3 (5, 6, 7)
4 3점, 4점, 5점

1 ㉠+㉡+㉢=13이라고 하면
① ㉠=1인 경우: $1+3+9=13$, $1+4+8=13$, $1+5+7=13$
➡ 3가지
② ㉠=2인 경우: $2+3+8=13$, $2+4+7=13$, $2+5+6=13$
➡ 3가지
③ ㉠=3인 경우: $3+4+6=13$ ➡ 1가지
㉠이 3보다 큰 경우는 덧셈식을 만들 수 없습니다.
따라서 만들 수 있는 덧셈식은 모두 $3+3+1=7$(가지)입니다.

해결 전략
㉠+㉡+㉢=13에서 ㉠을 가장 작은 수라고 할 때 ㉠이 1, 2, 3인 경우로 나누어 생각합니다.

2
- 세 수 모두 빼는 경우: $12-4-1-2=5$ ➡ 5
- 한 수만 더하는 경우: $12-4+1-2=7$, $12-4-1+2=9$, $12+4-1-2=13$ ➡ 7, 9, 13
- 두 수만 더하는 경우: $12-4+1+2=11$, $12+4+1-2=15$, $12+4-1+2=17$ ➡ 11, 15, 17
- 네 수 모두 더하는 경우: $12+4+1+2=19$ ➡ 19

따라서 계산 결과를 가장 작은 수부터 가장 큰 수끼리 차례로 쓰면 5, 7, 9, 11, 13, 15, 17, 19입니다.

3 ㉡이 4일 때 ㉠=7, ㉢=9
㉡이 5일 때 ㉠=6, ㉢=8
㉡이 6일 때 ㉠=5, ㉢=7
㉡이 7일 때 ㉠=4, ㉢=6
㉡이 8일 때 ㉠=3, ㉢=5
㉡이 9일 때 ㉠=2, ㉢=4
따라서 세 수(㉠, ㉡, ㉢)는 (7, 4, 9), (6, 5, 8), (5, 6, 7), (4, 7, 6), (3, 8, 5), (2, 9, 4)이고, 이 중 ㉠<㉡<㉢을 만족하는 경우는 (5, 6, 7)입니다.

> 해결 전략
> ㉠, ㉡, ㉢이 모두 서로 다른 한 자리 수이고 ㉠<㉡<㉢이므로 ㉡+㉢=13에서 ㉡은 4보다 크거나 같은 수입니다.

4 과녁의 칸은 모두 10칸이고 점수의 합은 30점입니다.
화살 7발을 맞혀 18점이 되었으므로 화살을 맞히지 않은 칸은 서로 다른 수가 적힌 3칸으로 합이 12입니다.
따라서 화살을 맞히지 않은 칸의 점수는 3점, 4점, 5점입니다.

> 해결 전략
> 화살을 맞히지 않은 칸의 점수가 모두 다르므로 점수가 다른 칸을 한 번씩은 모두 맞혔다는 것을 알 수 있습니다.

> 다른 풀이
> 7개의 화살 중 5개 화살을 맞혔을 때의 점수가 1+2+3+4+5=15(점)이므로 나머지 화살 2개를 맞혀서 얻을 수 있는 점수는 3점입니다.
> 7개의 화살이 1점부터 5점까지 칸에 한 번씩, 그리고 1점과 2점 칸을 맞혔으므로 화살을 맞히지 않은 칸의 점수는 3점, 4점, 5점입니다.

최상위 사고력 14 수 퍼즐

14-1. 가르기와 모으기 퍼즐

130~131쪽

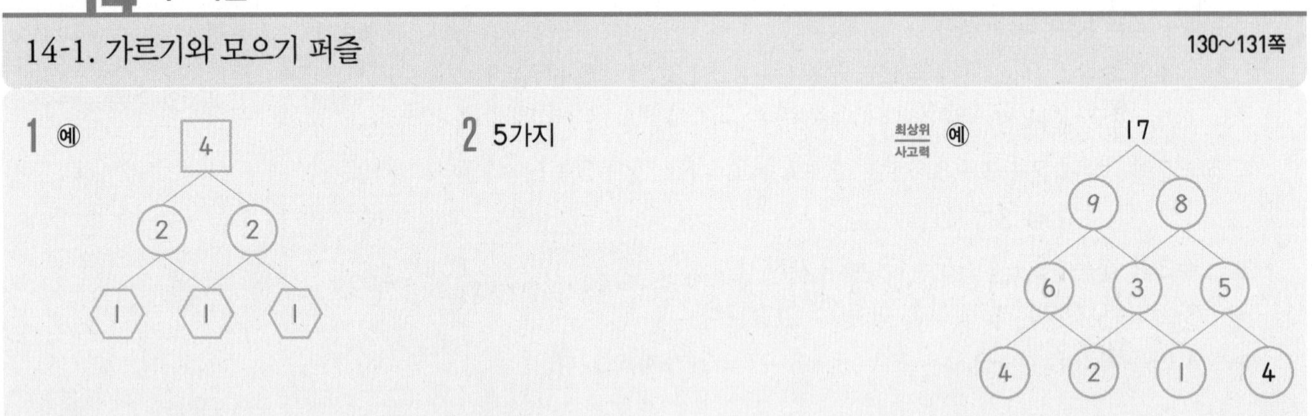

저자 톡! 학생들에게 가르기와 모으기 퍼즐을 접하게 해 주면서 퍼즐의 한 칸에 넣은 수가 다른 칸에 미치는 영향을 직감적으로 알게 합니다.

1 2번 가르기 되는 한 자리 수는 4와 8입니다.

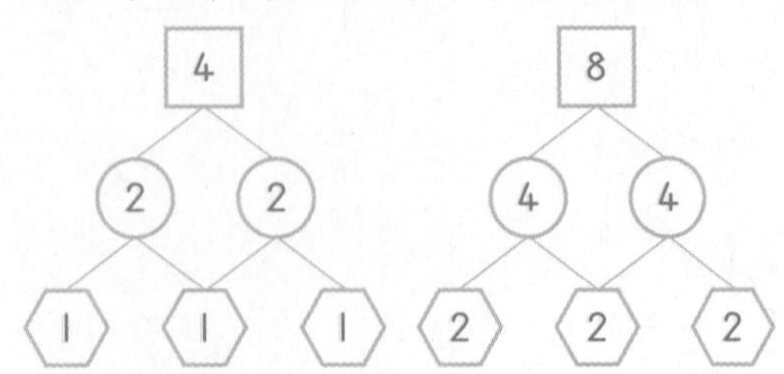

> 해결 전략
> □ 안의 수를 같은 수 2개로 가르기하였으므로 □ 안의 수는 짝수이고, ○ 안의 수를 다시 같은 수로 가르기하였으므로 ○ 안의 수도 짝수입니다.

2 ㉠, ㉡, ㉢에 써넣을 수 있는 수는 다음과 같습니다.

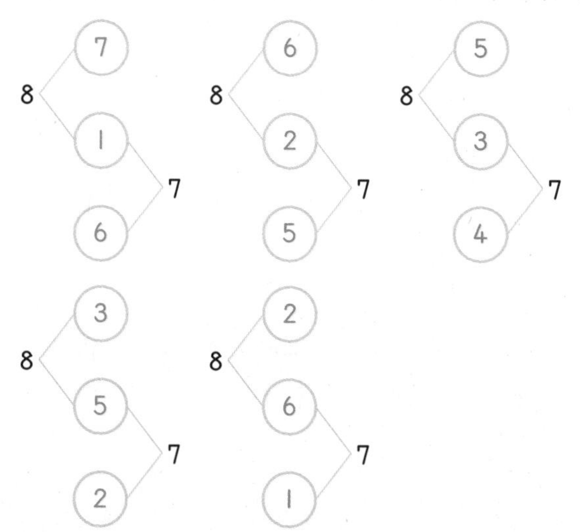

따라서 세 수(㉠, ㉡, ㉢)는 모두 5가지입니다.

> 해결 전략
> 8을 ㉠과 ㉡으로 가르고 ㉡과 ㉢을 모아서 7이 된 것입니다. 세 수가 0보다 크면서 모두 다른 수이므로 ㉡에 4, 7, 8을 써넣을 수 없습니다.

최상위 사고력 17을 한 자리 수로 가르기한 것이므로 ㉠과 ㉡에 들어갈 수 있는 수는 9와 8입니다. ㉢, ㉣, ㉤ 중 한 곳에 7을 넣으면 나머지 한 수가 1 또는 2가 되므로 더 이상 서로 다른 한 자리 수로 가르기가 불가능합니다.
따라서 ㉢~㉧에 7은 사용하지 않고, 나머지 1부터 6까지의 수를 사용하여 가르기 퍼즐을 완성합니다.

예

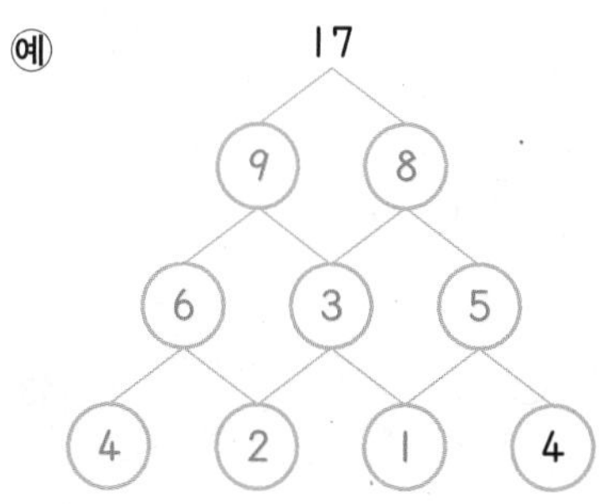

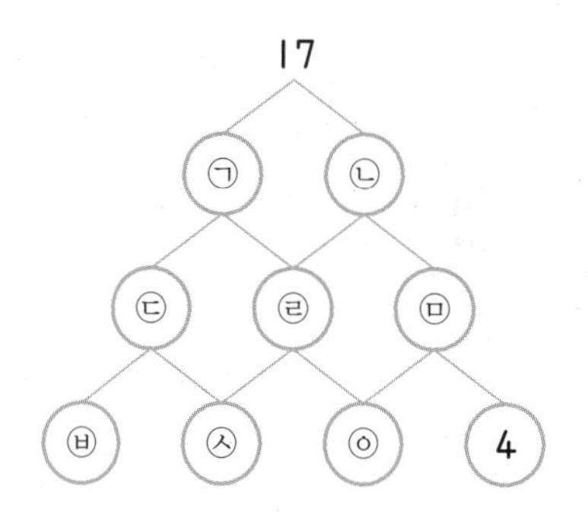

14-2. 수 배열하기   132~133쪽

1 16, 13, 7, 4

2

6	3	9	➡ 18
1	5	7	➡ 13
4	8	2	➡ 14

최상위 사고력 예

3	4	6	5	2	1	7

저자 톡! 수 배열의 규칙을 알기 위해 주어진 수들의 합과 차를 함으로써 연산 능력을 기를 수 있습니다. 또한 어떤 수를 먼저 배열할지 판단하는 과정을 통해 논리적 사고력을 키울 수 있습니다.

1

19	㉠	㉡	10	㉢	㉣

+3 +3 +3

19−10=9이고, 9=3+3+3이므로 이웃한 수끼리의 차는 3입니다.
따라서 ㉠=19−3=16, ㉡=16−3=13, ㉢=10−3=7,
㉣=7−3=4입니다.

해결 전략
먼저 이웃한 수끼리의 차를 구합니다.

2 가로, 세로로 이웃한 칸에는 이웃한 수를 쓸 수 없으므로 ㉡, ㉢, ㉣, ㉤은 6이 아닙니다. ➡ ㉠=6
㉢, ㉣, ㉤은 3이 될 수 없으므로 ㉡=3입니다.
㉣, ㉤은 1이 될 수 없으므로 ㉢=1입니다.
9는 8과 이웃할 수 없으므로 ㉣=7, ㉤=8입니다.
각각의 가로줄에 써넣은 수의 합을 구하면 6+3+9=18,
1+5+7=13, 4+8+2=14입니다.

㉠	㉡	9
㉢	5	㉣
4	㉤	2

주의
가로, 세로로 이웃한 칸에는 이웃한 수를 써넣을 수 없습니다.

최상위 사고력 ① 3과 7 사이의 수의 합이 18이고, 1+2+4+5+6=18이므로 3과 7은 양 끝에 들어갑니다.

3						7

② 5과 7 사이의 수의 합이 3이고, 1+2=3이므로 5와 7 사이 ㉠, ㉡에 1, 2가 들어갑니다.

3			5	㉠	㉡	7

③ 1과 6 사이의 수의 합이 7이고, 1은 ㉠ 또는 ㉡에 들어가며 5+2=7이므로 ㉠=2, ㉡=1입니다.

3		6	5	2	1	7

④ 빈칸에 남은 수 4를 씁니다.

3	4	6	5	2	1	7

14-3. 마방진

134~135쪽

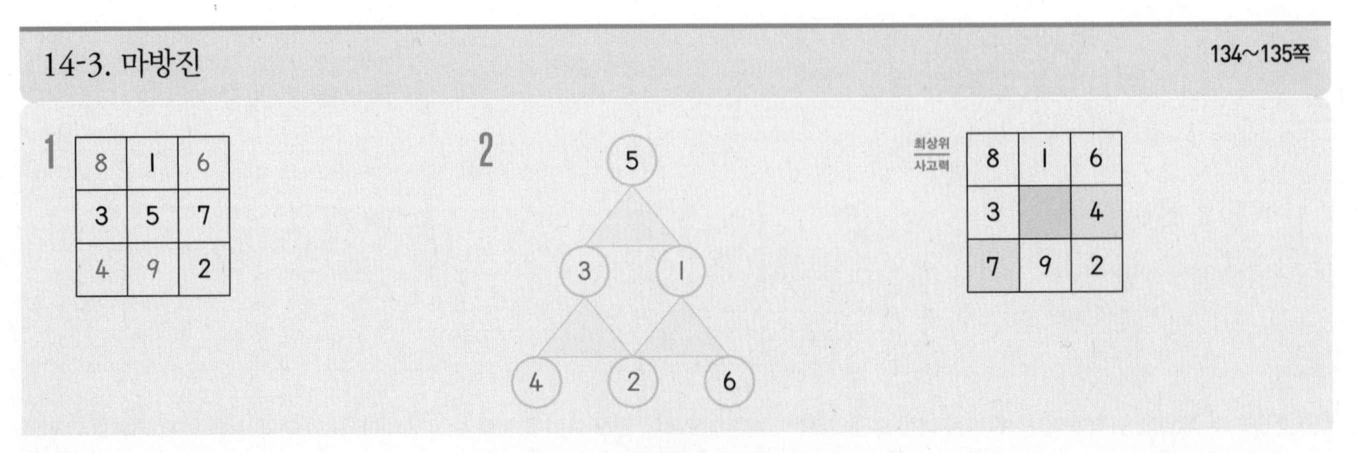

저자 톡! 마방진은 한 줄에 놓인 수의 합 또는 한 모양에 놓인 수의 합이 모두 같도록 만드는 연산 퍼즐입니다.

1

㉢	1	㉣	→ ④
3	5	7	→ 3+5+7=15
㉡	㉠	2	→ ②
↓ ③	↓ ①		

한 줄에 놓인 세 수의 합은 3+5+7=15입니다.

① 1+5+㉠=15, ㉠=9

② ㉡+㉠+2=㉡+9+2=15, ㉡=4

③ ㉢+3+㉡=㉢+3+4=15, ㉢=8

④ ㉢+1+㉣=15, 8+1+㉣=15, ㉣=6

해결 전략

㉠, ㉡, ㉢, ㉣ 순서로 알맞은 수를 구합니다.

2 1부터 6까지의 수 중 5, 6을 사용하였으므로 남은 수 1, 2, 3, 4를 써넣어 세모 모양으로 연결된 세 수의 합이 모두 같게 만듭니다.

큰 수 6이 있는 세모 모양의 빈 곳 ㉡, ㉣에 작은 수 1, 2를 써넣으면 세 수의 합이 1+2+6=9입니다.

㉡=2이면 ㉠=2이므로 ㉡=1, ㉣=2입니다.

5+㉠+㉡=9 ➡ 5+㉠+1=9, ㉠=3

㉠+㉢+㉣=9 ➡ 3+㉢+2=9, ㉢=4

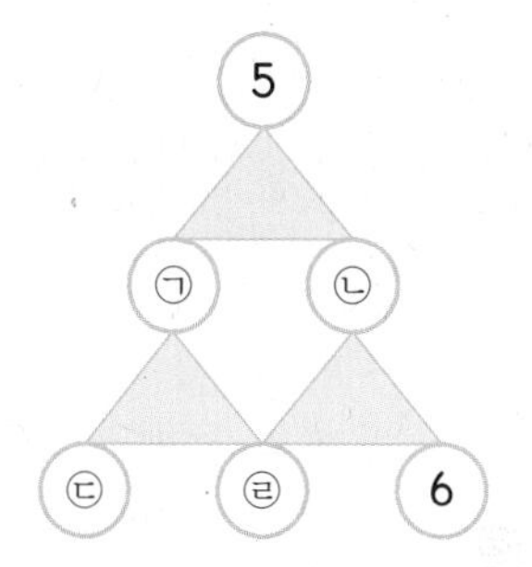

최상위 사고력 각각의 가로줄과 세로줄에 있는 세 수의 합을 구하면 다음과 같습니다.

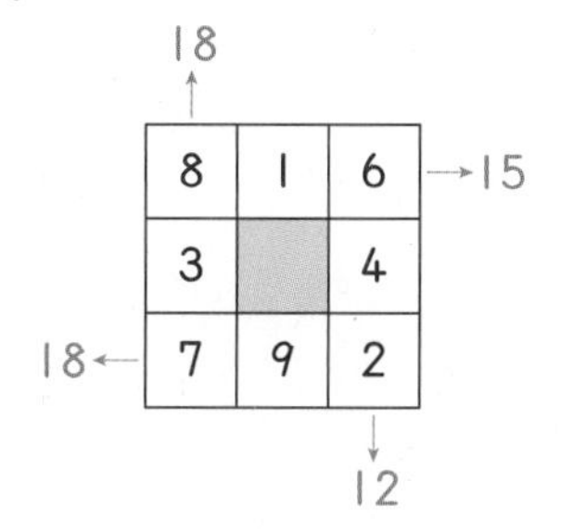

세 수의 합 중 가장 작은 합이 12, 가장 큰 합이 18이므로 합이 12인 줄에 있는 수와 합이 18인 줄에 있는 수를 바꿉니다.

합이 18인 줄이 두 줄이므로 두 줄에서 공통으로 있는 7의 위치를 바꿉니다.

7을 합이 12인 줄의 6과 바꾸면 합이 15인 줄의 값이 바뀌므로 안 됩니다. 7을 합이 12인 줄의 2와 바꾸면 각각의 가로줄과 세로줄에 놓인 세수의 합이 모두 다릅니다.

7을 합이 12인 줄의 4와 바꾸면 각각의 가로줄과 세로줄에 놓인 세 수의 합이 모두 15로 같습니다.

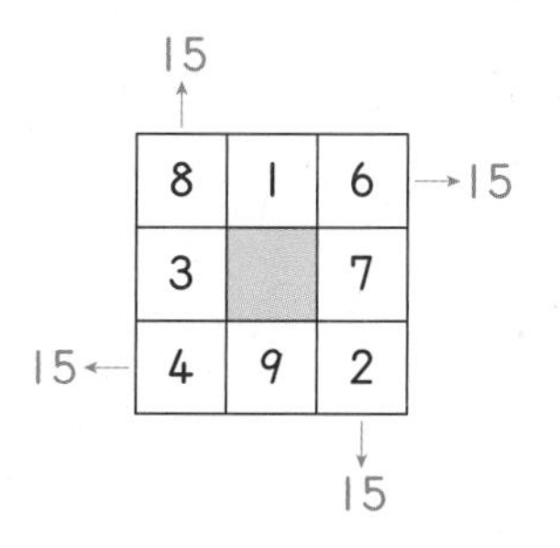

보충 개념

1부터 9까지의 수 중에서 5를 가운데에 놓고 다음과 같이 짝지으면 두 수의 합을 같게 만들 수 있습니다.

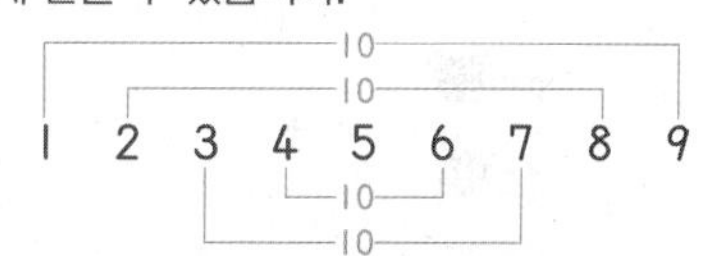

따라서 색칠된 칸에 5가 있다고 생각하여 가로, 세로, 대각선에 있는 합이 모두 15가 되도록 만들면 됩니다.

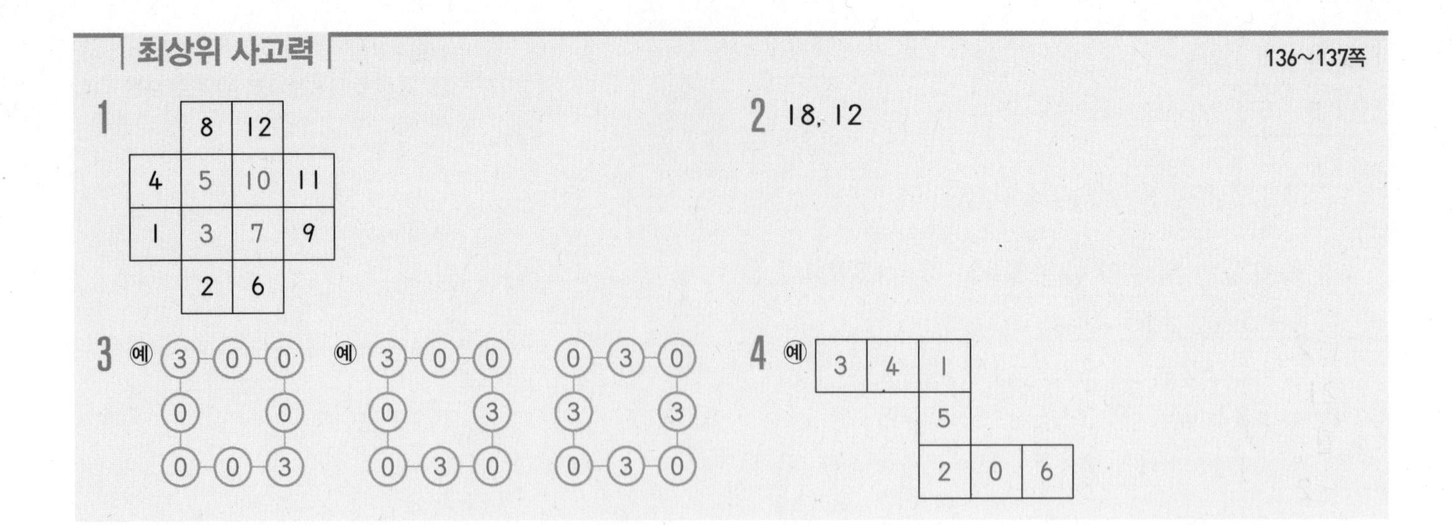

1 사용하지 않은 수는 3, 5, 7, 10입니다. 표에 왼쪽에서 오른쪽으로, 아래쪽에서 위쪽으로 더 큰 수가 놓이므로 ㉢에는 가장 작은 수 3을 써넣고, ㉠과 ㉣에는 둘째와 셋째로 작은 5와 7을 써넣습니다. ㉣에는 5를 써넣을 수 없으므로 ㉠=5, ㉣=7을 써넣고 ㉡=10을 써넣습니다.

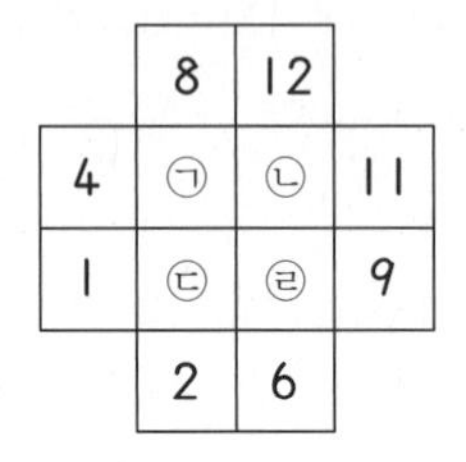

해결 전략
㉢ ➡ ㉠ ➡ ㉣ ➡ ㉡ 순서로 구합니다.

2 • ㉠+㉡+㉢의 값이 가장 크려면 ㉡이 가장 작아야 합니다.

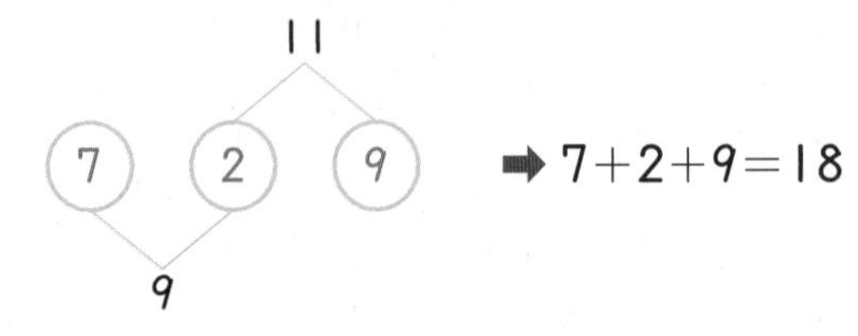

➡ 7+2+9=18

• ㉠+㉡+㉢의 값이 가장 작으려면 ㉡이 가장 커야 합니다.

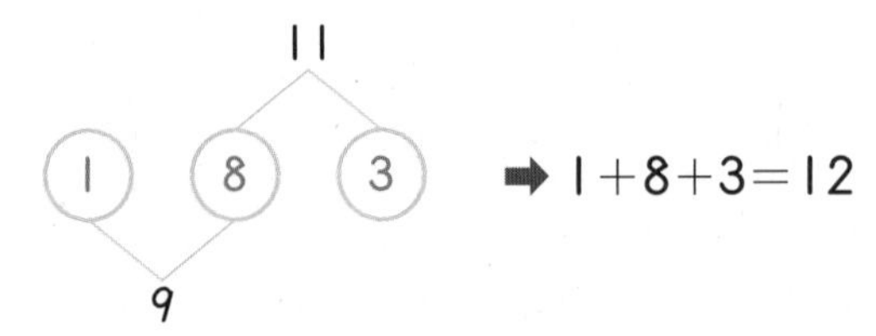

➡ 1+8+3=12

따라서 ㉠+㉡+㉢의 값이 가장 큰 값은 18, 가장 작은 값은 12입니다.

해결 전략
11을 ㉡과 ㉢으로 가르고, ㉠과 ㉡을 모아서 9가 된 것입니다.

3 한 줄에 놓인 세 수의 합이 3이므로, 3은 한 줄에 하나씩만 있어야 합니다.

다른 답

[3이 2개인 경우] [3이 3개인 경우]

4 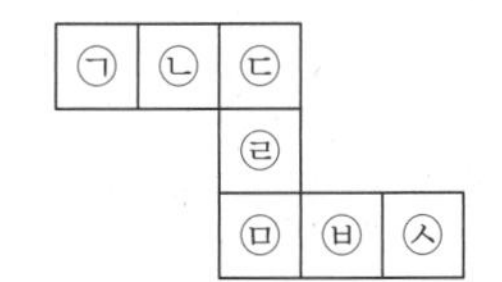

$(㉠+㉡+㉢)+(㉢+㉣+㉤)+(㉤+㉥+㉦)$

$=㉠+㉡+㉢+㉣+㉤+㉥+㉦+㉢+㉤$

$=0+1+2+3+4+5+6+㉢+㉤$

$=21+㉢+㉤$

21+㉢+㉤=□+□+□이므로 21+㉢+㉤이 똑같은 세 수의 합이 될 수 있도록 ㉢, ㉤에 알맞은 수를 써넣습니다.

> **보충 개념**
> 한 줄에 놓인 세 수의 합을 □라 하면 세 줄의 합이 모두 같으므로 세 줄의 합은 □+□+□입니다.

• 21+㉢+㉤=8+8+8이 되는 ㉢+㉤=3이므로 (㉢, ㉤)은 (0, 3), (1, 2), (2, 1), (3, 0)입니다.

2	6	0		
		5		
		3	4	1

3	4	1		
		5		
		2	0	6

0	6	2		
		5		
		1	3	4

1	4	3		
		5		
		0	2	6

• 21+㉢+㉤=9+9+9가 되는 ㉢+㉤=6이므로 (㉢, ㉤)은 (0, 6), (1, 5), (2, 4), (4, 2), (5, 1), (6, 0)입니다.

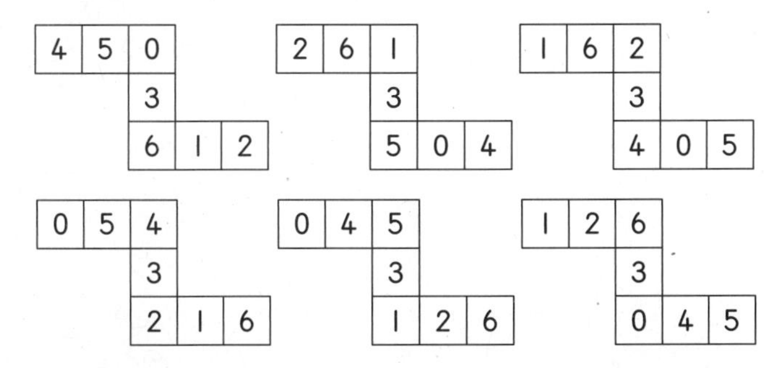

• 21+㉢+㉤=10+10+10이 되는 ㉢+㉤=9이므로 (㉢, ㉤)은 (3, 6), (4, 5), (5, 4), (6, 3)입니다.

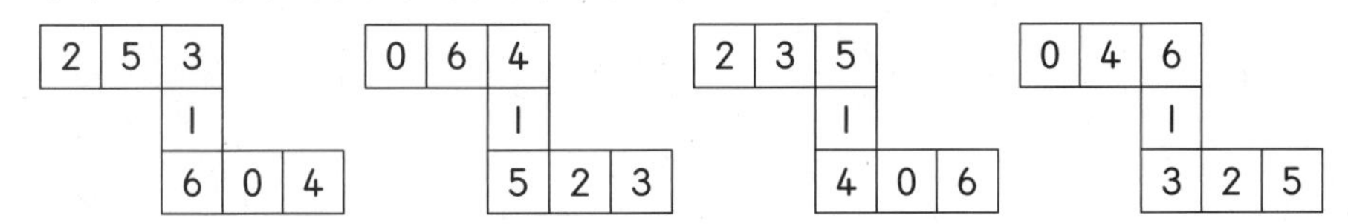

이외에도 여러 가지 답이 있습니다.

최상위 사고력 15 그림과 표를 이용하여 문제 해결하기

15-1. 포함되는 것과 포함되지 않는 것

138~139쪽

1 2명　**2** 12명　**최상위 사고력** 1명, 7명

저자 톡! 이번 단원에서 배우는 문제들은 포함과 불포함의 관계를 정확히 알고 있어야 풀 수 있는 문제입니다. 문장을 읽으면서 관계를 파악할 수 있고 이를 덧셈식, 뺄셈식으로 해결하는 능력을 기를 수 있습니다.

1 학생 8명 중 6명이 피구를 좋아하므로 피구를 좋아하지 않는 학생은 $8-6=2$(명)인데 배드민턴을 좋아하는 학생은 4명입니다.
따라서 4명과 2명의 차인 2명이 피구와 배드민턴을 모두 좋아하는 학생 수입니다.

다른 풀이
전체 학생은 8명이고 피구 또는 배드민턴을 좋아하는 학생은 $6+4=10$(명)입니다.
따라서 전체 학생 수와 피구 또는 배드민턴을 좋아하는 학생 수의 차인 2명이 피구와 배드민턴을 모두 좋아하는 학생 수입니다.

2 피자만 좋아하는 학생은 피자를 좋아하는 학생 수에서 피자와 치킨을 모두 좋아하는 학생 수를 빼서 구합니다.
➡ $9-4=5$(명)
치킨만 좋아하는 학생은 치킨을 좋아하는 학생 수에서 피자와 치킨을 모두 좋아하는 학생 수를 빼서 구합니다.
➡ $7-4=3$(명)
따라서 태훈이네 반 학생은 모두 $5+3+4=12$(명)입니다.

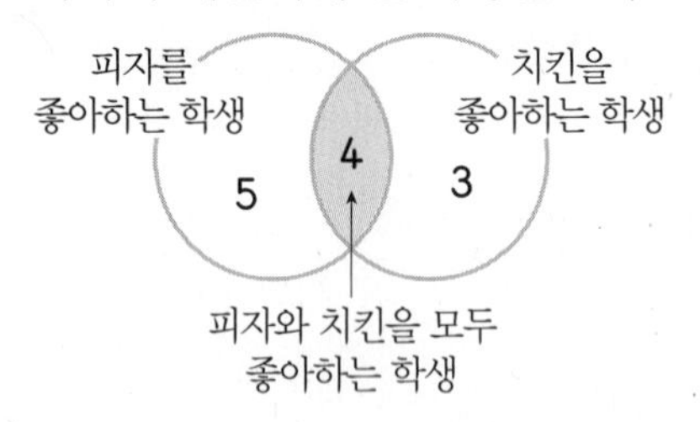

해결 전략
태훈이네 반 학생을 피자만 좋아하는 학생, 피자와 치킨을 모두 좋아하는 학생, 치킨만 좋아하는 학생으로 나누어 생각할 수 있습니다.

최상위 사고력 학생 15명 중 7명이 여학생이므로 남학생은 $15-7=8$(명)입니다.
게임을 좋아하는 여학생의 수가 가장 적을 때는 남학생 8명이 모두 게임을 좋아할 때이므로 게임을 좋아하는 학생 9명 중 남은 $9-8=1$(명)입니다.
게임을 좋아하는 여학생의 수가 가장 많을 때는 여학생 모두가 게임을 좋아할 때이므로 7명입니다.

15-2. 나누어 가지기

140~141쪽

1 9자루, 6자루 2 12개 최상위 사고력 14장

저자 톡! 일정 개수의 물건을 똑같이 나누어 가지는 경우와 더 많이 가지는 경우 등을 알아볼 때 어떤 계산 과정으로 문제를 해결해야 하는지 배울 수 있습니다.

1 운산이가 1자루를 가지고 남은 연필 $16-1=15$(자루) 중 3자루를 우용이가 더 가지므로 $15-3=12$(자루)를 똑같이 나누어 가집니다.
➡ $12=6+6$이므로 6자루씩 가집니다.
따라서 우용이는 $3+6=9$(자루), 범상이는 6자루를 가져야 합니다.

해결 전략
한 사람이 더 많이 가져야 하는 경우에는 먼저 더 가지는 개수만큼을 빼고 남은 개수를 똑같이 나누어 가집니다.

다른 풀이
다음과 같이 연필 15자루를 나누어 가지는 표를 만들어 답을 구할 수 있습니다.

우용이의 연필 수(자루)	14	13	12	11	10	9	8
범상이의 연필 수(자루)	1	2	3	4	5	6	7
연필 수의 차(자루)	13	11	9	7	5	3	1

따라서 우용이는 9자루, 범상이는 6자루를 가져야 합니다.

2 사탕 14개를 민경이와 희주가 나누어 가질 때 민경이가 6개 더 많이 가지려면 전체 사탕의 수에서 많이 가지는 개수만큼을 뺀 남은 개수를 똑같이 나누어 구합니다. 민경이에게 사탕 6개를 먼저 주고, 남은 사탕 $14-6=8$(개)를 똑같이 나누면 $8=4+4$이므로 4개씩 가집니다.
민경이가 가진 사탕은 $6+4=10$(개)이고, 희주에게 사탕 2개를 주기 전의 사탕은 $10+2=12$(개)입니다.
따라서 민경이가 처음 가지고 있던 사탕은 12개입니다.

최상위 사고력 정아에게 나누어 주기 전 색종이의 수:
$3+3=6$(장) ← 남은 색종이의 반을 주었으므로 남은 색종이의 수만큼 정아에게 준 것입니다.
수미에게 나누어 주기 전 색종이의 수:
$6+1=7$(장) ← 수미에게 1장을 주었으므로 남은 색종이의 수에 1을 더합니다.
혜영이에게 나누어 주기 전 색종이의 수:
$7+7=14$(장) ← 전체 색종이의 반을 주었으므로 남은 색종이의 수만큼 혜영이에게 준 것입니다.
따라서 선생님께서 처음에 가지고 있던 색종이는 모두 14장입니다.

해결 전략
나누어 준 방법과 남은 개수가 나오는 문항은 거꾸로 생각하여 풀 수 있습니다.

다른 풀이
그림을 이용하여 선생님께서 처음에 가지고 있던 색종이의 수를 구할 수 있습니다.

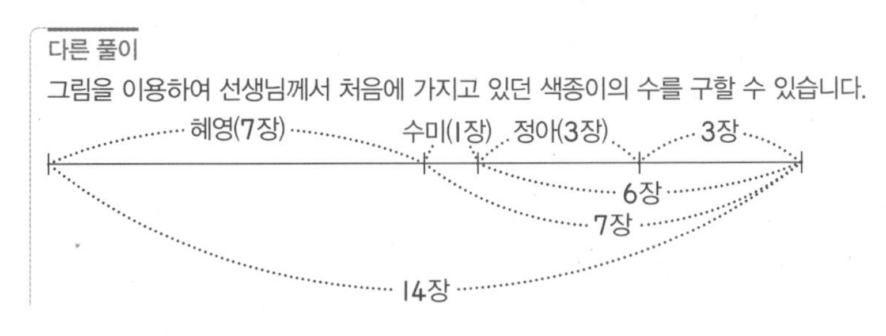

1 (위에서부터) 5, 4 / 5, 19 **2** 13

최상위 사고력

김포공항역				
5	가양역			
8	3	염창역		
11	6	3	당산역	
13	8	5	2	여의도역

저자 톡! 표의 각 줄에 놓인 수의 합을 이용하여 모르는 값을 알 수 있습니다. 모르는 값이 하나만 있는 줄부터 시작하여 알맞은 수를 찾는 방법을 익힐 수 있습니다.

1

횟수	1	2	3	4	5	총점
지오	3	㉠	㉡	1	4	17
지후	2	4	㉢	3	5	㉣

지후의 총점이 지오의 총점보다 2점 더 높으므로 ㉣은 $17+2=19$입니다.
㉢은 $19-2-4-3-5=5$입니다.
3회 때 지오와 지후의 점수 차는 1점이고, ㉢$=5$이므로 ㉡은 4 또는 6인데 과녁의 최고 점수가 5이므로 ㉡은 4입니다.
㉠$=17-3-4-1-4=5$입니다.

2 ㉠+㉡+㉢+㉣+㉤의 값을 구할 때 ㉠, ㉡, ㉢, ㉣, ㉤의 각각의 수가 나타내는 값을 구하지 못해도 전체 합을 구할 수 있습니다.
㉠+㉡$=11-1-3-2=5$, ㉢+㉣$=8-1-1-3=3$,
㉤$=2+3=5$입니다.
따라서 ㉠+㉡+㉢+㉣+㉤$=5+3+5=13$입니다.

해결 전략
㉠, ㉡, ㉢, ㉣의 각각의 수가 나타내는 값은 구할 수 없지만 ㉠+㉡과 ㉢+㉣의 값은 구할 수 있습니다.

최상위 사고력 김포공항역에서 가양역까지 5 정거장, 가양역에서 염창역까지 3 정거장을 가야하므로 김포공항에서 염창역까지 ㉠$=5+3=8$(정거장)입니다.
가양역에서 당산역까지 6 정거장이므로 염창역에서 당산역까지 ㉢$=6-3=3$(정거장)입니다.
김포공항역에서 당산역까지 ㉡=㉠+㉢$=8+3=11$(정거장)입니다.
가양역에서 당산역까지 6 정거장, 당산역에서 여의도역까지 2 정거장이므로 가양역에서 여의도역까지 ㉣$=6+2=8$(정거장)입니다.

김포공항역				
5	가양역			
㉠	3	염창역		
㉡	6	㉢	당산역	
13	㉣	5	2	여의도역

최상위 사고력

144~145쪽

1 5장
2 16명
3 100원
4 (위에서부터) 4, 5, 1 / 6, 1 / 8, 29

1 정아가 가연이에게 딱지 4장을 주면 두 사람이 가진 딱지 수가 같아지므로 두 사람이 가진 딱지 수의 차는 8입니다.
18장에서 정아가 더 가진 딱지 8장을 뺀 후 남은 딱지 10장을 똑같이 나누면 $10=5+5$이므로 가연이가 처음에 가지고 있던 딱지는 5장입니다.

보충 개념

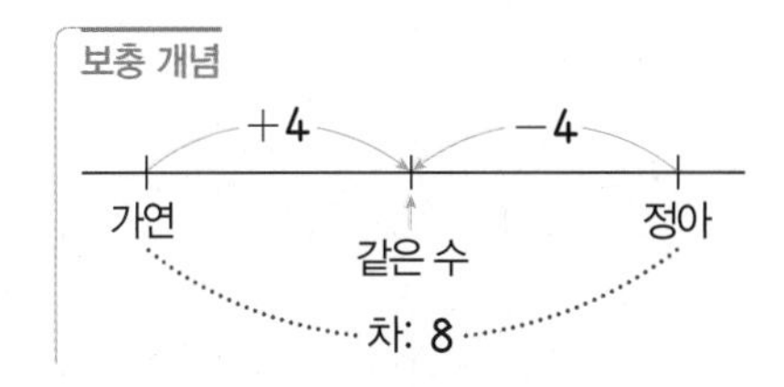

2 조사한 학생을 미술만 좋아하는 학생, 체육만 좋아하는 학생, 미술과 체육을 모두 좋아하는 학생, 미술과 체육을 모두 좋아하지 않는 학생으로 나누어 생각합니다.
미술만 좋아하는 학생은 $6-3=3$(명), 체육만 좋아하는 학생은 $9-3=6$(명), 미술과 체육을 모두 좋아하는 학생은 3명, 미술과 체육을 모두 좋아하지 않는 학생은 4명입니다.
따라서 조사한 학생은 모두 $3+6+3+4=16$(명)입니다.

보충 개념
그림을 그려 알아봅니다.

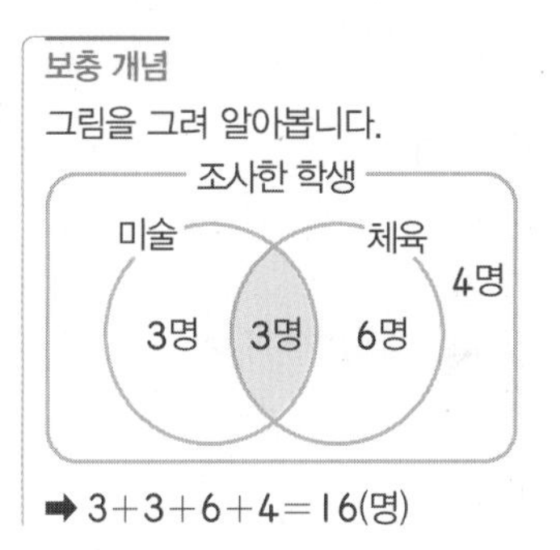

➡ $3+3+6+4=16$(명)

3 은서와 시원이가 연필을 같은 개수씩 나누어 가진 후 시원이가 은서에게 연필 2자루를 주면 은서가 연필 4자루를 더 많이 가지게 됩니다.
따라서 은서가 시원이에게 받은 연필 2자루의 가격이 200원이므로 연필 한 자루의 가격은 100원입니다.

보충 개념

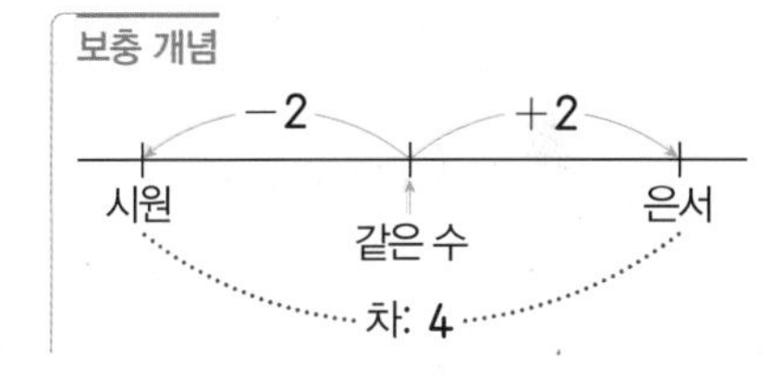

4

동아리	미술	음악	만화	체육	독서	합계
남학생 수(명)	2	㉠	2	㉡	㉢	14
여학생 수(명)	㉣	3	㉤	1	4	15
합계	㉥	7	3	6	5	㉦

음악 동아리에서 ㉠$+3=7$, ㉠$=4$입니다.
체육 동아리에서 ㉡$+1=6$, ㉡$=5$입니다.
독서 동아리에서 ㉢$+4=5$, ㉢$=1$입니다.
만화 동아리에서 $2+$㉤$=3$, ㉤$=1$입니다.
여학생 수의 합에서 ㉣$=15-3-$㉤$-1-4=15-3-1-1-4=6$입니다.
미술 동아리에서 $2+$㉣$=$㉥, ㉥$=2+6=8$입니다.
㉦$=14+15=29$입니다.

1 1

2

11	4	2
3	9	12
10	6	8
5	1	7

11	4	2
3	9	12
10	6	8
5	1	7

11	4	2
3	9	12
10	6	8
5	1	7

3 예

1	2	4	5	3	6	7

4 예

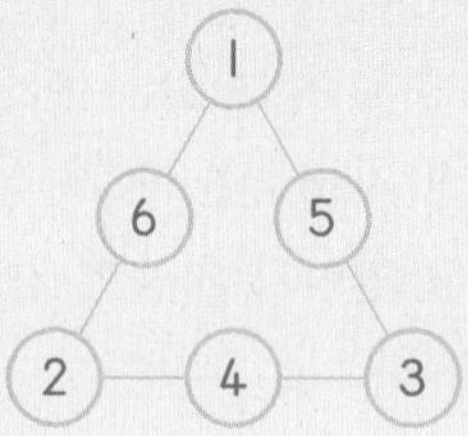

1
6 5
2 4 3

예

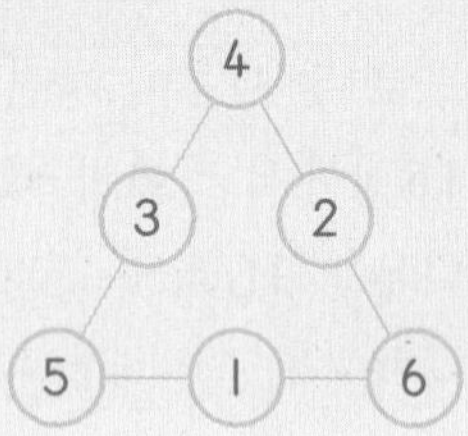

4
3 2
5 1 6

5 1명

6 5개, 4개, 3개

1 15○2○3의 ○ 안에 + 또는 −를 써넣어 나온 계산 결과 중 두 번째로 큰 계산 결과는 15−2+3=16입니다.
17○6○8의 ○ 안에 + 또는 −를 써넣어 나온 계산 결과 중 두 번째로 작은 계산 결과는 17+6−8=15입니다.
두 번째로 큰 ●와 두 번째로 작은 ◆의 차는 16−15=1입니다.

보충 개념
■○▲○● 계산 결과가 가장 크려면 ○ 안에 모두 +를 써넣습니다.
■○▲○● 계산 결과가 가장 작으려면 ○ 안에 모두 −를 써넣습니다.
■○▲○● 계산 결과가 두 번째로 크려면 ▲과 ● 중 더 작은 수의 ○ 안에 −를 써넣습니다.
■○▲○● 계산 결과가 두 번째로 작으려면 ▲과 ● 중 더 작은 수의 ○ 안에 +를 써넣습니다.

2 주어진 모양으로 묶은 네 수의 합이 33이므로 적어도 한 수는 10보다 큰 수이어야 합니다. 10보다 큰 수가 묶이도록 모양을 돌리거나 뒤집으면서 수를 찾습니다.

11	4	2
3	9	12
10	6	8
5	1	7

11	4	2
3	9	12
10	6	8
5	1	7

11	4	2
3	9	12
10	6	8
5	1	7

3 ① 2와 7 사이의 수의 합이 18이고 3+4+5+6=18이므로 2와 7 사이의 수는 4개, 2와 7의 밖에 1이 있음을 알 수 있습니다.
② 1과 4 사이의 수의 합이 2이므로 1과 4 사이에 2가 있음을 알 수 있습니다.

1	2	4				7

③ 2와 3 사이의 수의 합이 9이고 9=4+5이므로 2와 3 사이에 4와 5가 있음을 알 수 있습니다.
④ 빈칸에 남은 수 6을 씁니다.

1	2	4	5	3	6	7

4 (1) 1부터 6까지의 수 중 세 수의 합이 9가 되는 수를 찾으면 $6+1+2=9$, $5+1+3=9$, $4+2+3=9$이므로 양끝 ○ 안에는 두 번씩 사용한 수를 써넣습니다.

예

> 해결 전략
> 세 수의 합이 9가 되는 수를 찾습니다.

(2) 1부터 6까지의 수 중 세 수의 합이 12가 되는 수를 찾으면 $6+5+1=12$, $5+3+4=12$, $4+2+6=12$이므로 양끝 ○ 안에는 두 번씩 사용한 수를 써넣습니다.

예

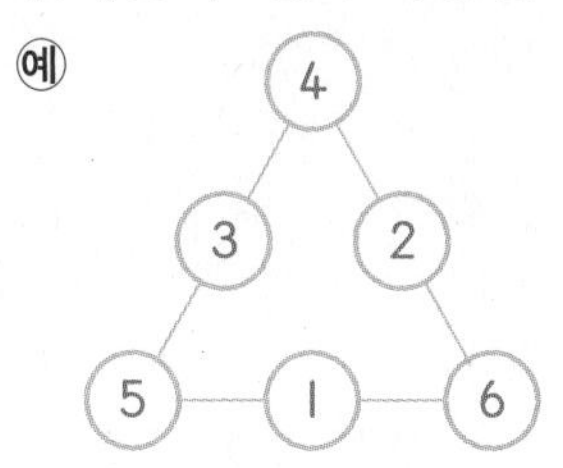

> 해결 전략
> 세 수의 합이 12가 되는 수를 찾습니다.

5 학생 12명을 떡볶이만 좋아하는 학생, 떡볶이와 튀김을 모두 좋아하는 학생, 튀김만 좋아하는 학생, 떡볶이와 튀김을 모두 좋아하지 않는 학생으로 나누어 생각합니다.
떡볶이만 좋아하는 학생은 떡볶이를 좋아하는 학생 수에서 떡볶이와 튀김을 모두 좋아하는 학생 수를 뺀 $9-4=5$(명)입니다.
튀김만 좋아하는 학생은 튀김을 좋아하는 학생 수에서 떡볶이와 튀김을 모두 좋아하는 학생 수를 뺀 $6-4=2$(명)입니다.
따라서 떡볶이와 튀김 중 어느 하나라도 좋아하는 학생은 $5+4+2=11$(명)이므로 떡볶이와 튀김을 모두 좋아하지 않는 학생은 $12-11=1$(명)입니다.

> 보충 개념
> 그림을 그려 알아봅니다.

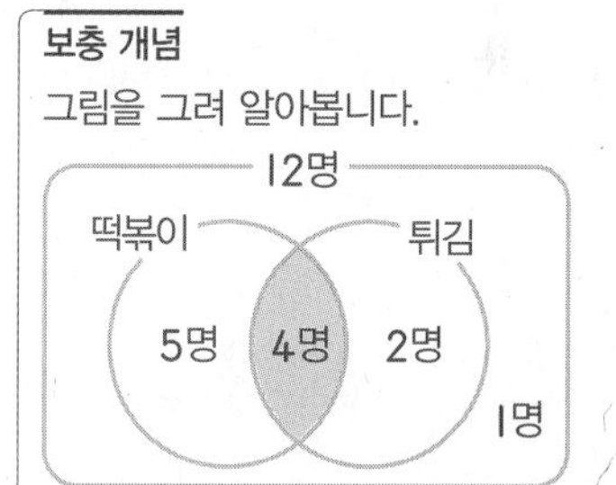

➡ (떡볶이와 튀김을 모두 좋아하지 않는 학생 수)$=12-5-4-2=1$(명)

6 경미는 소영이보다 1개 더 많이 가지고, 소영이는 윤희보다 1개 더 많이 가지려고 하므로 경미는 윤희보다 2개 더 많이 가지려고 합니다.
치즈를 먼저 경미와 소영이에게 각각 2개, 1개를 주고 남은 치즈 $12-2-1=9$(개)를 똑같이 셋으로 나누면 $9=3+3+3$이므로 한 사람이 3개 가집니다.
따라서 경미는 $2+3=5$(개), 소영이는 $1+3=4$(개), 윤희는 3개를 가져야 합니다.

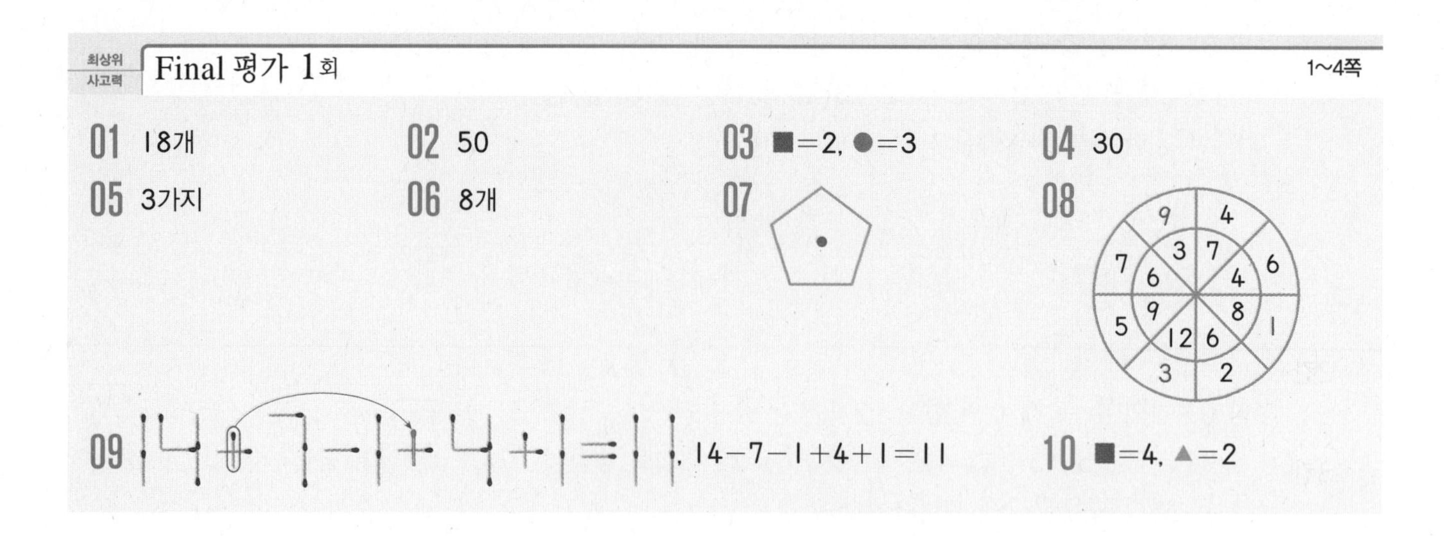

01 일의 자리 숫자가 5인 수: 15, 25, 35, 45, 55, 65, 75, 85, 95
➡ 9개
십의 자리 숫자가 5인 수: 50, 51, 52, 53, 54, 55, 56, 57, 58, 59
➡ 10개
숫자 5가 두 번 들어있는 수: 55 ➡ 1개
따라서 숫자 5가 들어있는 두 자리 수는 $9+10-1=18$(개)입니다.

해결 전략
일의 자리 숫자와 십의 자리 숫자에 5가 들어있는 수를 구한 후 그중 숫자 5가 두 번 들어있는 수를 제외하고 수의 개수를 셉니다.

02 주어진 수 카드를 작은 수부터 차례로 쓰면 $0<1<5<6<8$입니다.
나뭇가지 그림을 높은 자리부터 작은 수를 놓아 두 자리 수를 만듭니다.

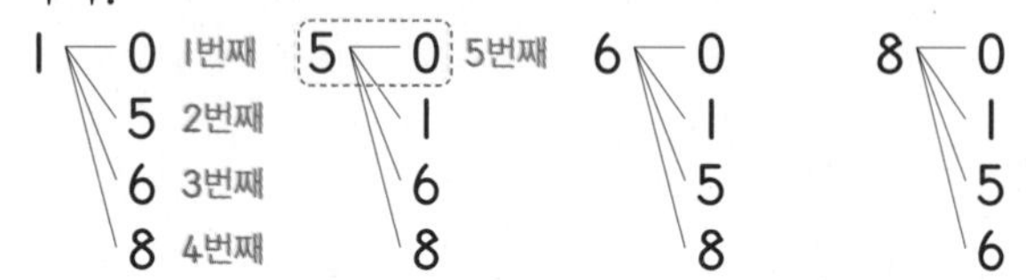

따라서 만들 수 있는 수 중에서 5번째로 작은 수는 50입니다.

주의
십의 자리에 0을 놓을 수 없고, 한 번 사용한 수는 중복하여 사용할 수 없습니다.

03 일의 자리: ■+1=●
십의 자리: ●+■=5
●+■=5에서 ■+1+■=5, ■+■=5−1=4이고, 2+2=4이므로 ■=2입니다.
■=2이므로 2+1=●, ●=3입니다.

해결 전략
일의 자리와 십의 자리로 나누어서 생각합니다.

04 ㉠◈㉡은 ㉠을 ㉡번만큼 더하는 규칙입니다.
8◈2=8+8=16 (2번), 6◈3=6+6+6=18 (3번),
11◈3=11+11+11=33 (3번), 12◈2=12+12=24 (2번), 5◈2=5+5=10 (2번)
따라서 (5◈2)◈3=10◈3=10+10+10=30입니다.

05 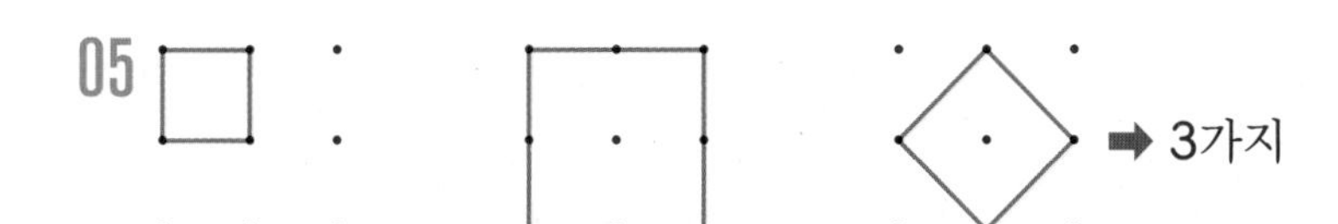 ➡ 3가지

> **주의**
> 가로나 세로가 아닌 기울어진 곧은 선으로 둘러싸인 네모 모양도 생각해야 합니다.

06 1칸짜리 모양: ➡ 1개

2칸짜리 모양: ➡ 3개

3칸짜리 모양: ➡ 1개

4칸짜리 모양: ➡ 2개

6칸짜리 모양: ➡ 1개

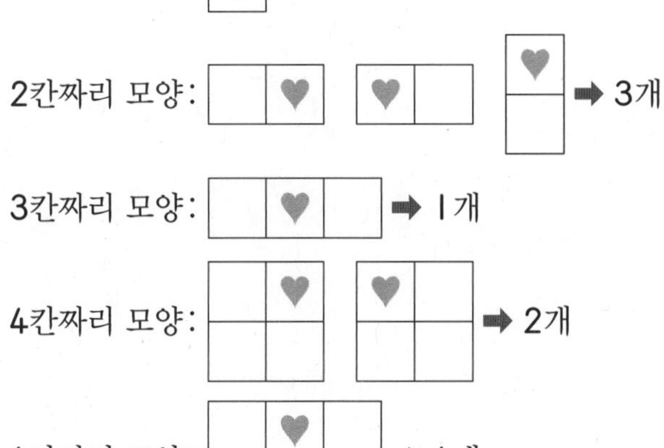

따라서 ♥이 포함된 크고 작은 네모 모양은 모두 $1+3+1+2+1=8$(개)입니다.

> **해결 전략**
> 1칸짜리, 2칸짜리, 3칸짜리, 4칸짜리, 6칸짜리 모양으로 나누어서 찾습니다.

07 두 모양의 곧은 선의 수와 점의 수의 합이 같아야 합니다.
$3+3=6$이므로 $5+\square=6$이 되려면 점은 1개입니다.

08 시계 반대 방향으로 갈수록 두 수의 합이 1씩 커지는 규칙입니다.

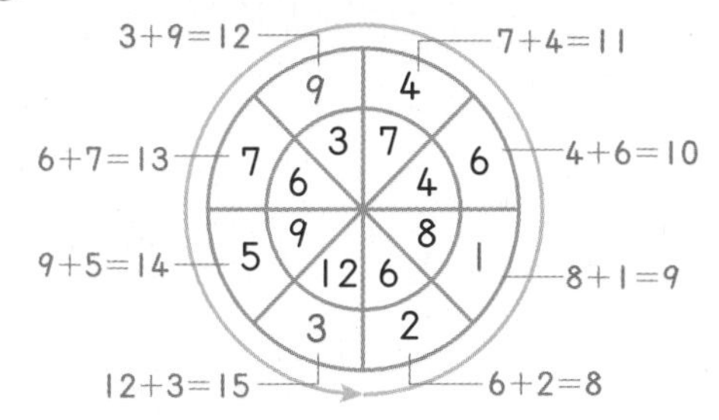

> **보충 개념**
> 시계 반대 방향 ➡

09 연산기호를 만들고 있는 성냥개비 1개를 옮겨서 올바른 식을 만들어 봅니다.

➡ $14-7-1+4+1=11$

10 ■+■+▲=10, ■+■+■+▲+▲=16
➡ ■+▲=16−10=6
■+■+▲=10, ■+▲=6 ➡ ■=10−6=4
■+■+▲=10, ■=4 ➡ ▲=10−4−4=2

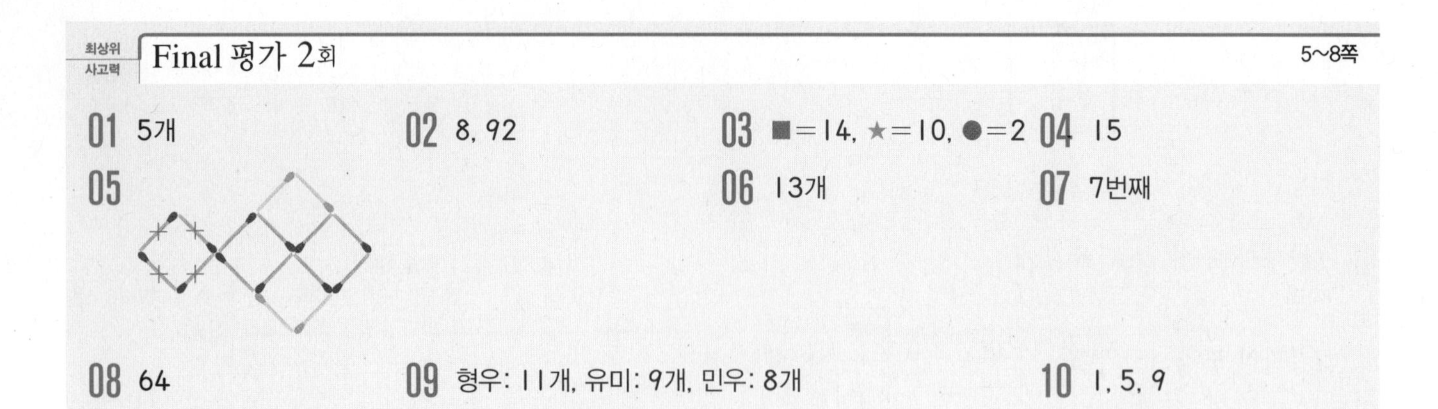
최상위 사고력

Final 평가 2회

5~8쪽

01 5개
02 8, 92
03 ■=14, ★=10, ●=2
04 15
05
06 13개
07 7번째
08 64
09 형우: 11개, 유미: 9개, 민우: 8개
10 1, 5, 9

01 합이 9인 두 수는 (0, 9), (1, 8), (2, 7), (3, 6), (4, 5)입니다.
이 중 차가 3보다 큰 두 수는 (0, 9), (1, 8), (2, 7)입니다.
따라서 조건을 만족하는 두 자리 수는 90, 81, 18, 72, 27로 모두 5개입니다.

02 16에서 20으로 4 커졌으므로 오른쪽으로 한 칸 갈 때마다 4씩 커집니다.

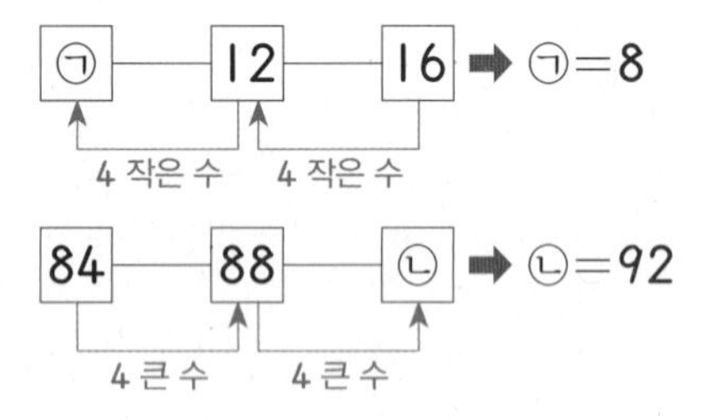

4	㉠	12	16	20	24
28	32	36	40	44	48
52	56	60	64	68	72
76	80	84	88	㉡	96

03 ★+★+★=30이고, 10+10+10=30이므로 ★=10입니다.
★=10이므로 ■−●=12, ●+■=16입니다.
■−●+●+■=12+16, ■+■=28이고 14+14=28이므로 ■=14입니다.
■=14이므로 ●+14=16, ●=2입니다.
따라서 ■=14, ★=10, ●=2입니다.

04 일의 자리: ㉡+㉣=9
십의 자리: ㉠+㉢=6

따라서 ㉠+㉡+㉢+㉣=9+6=15입니다.

해결 전략
일의 자리와 십의 자리로 나누어서 생각합니다.

05 성냥개비 4개를 옮겨 성냥개비 4개로 이루어진 모양 4개와 성냥개비 8개로 이루어진 모양 1개를 만듭니다.

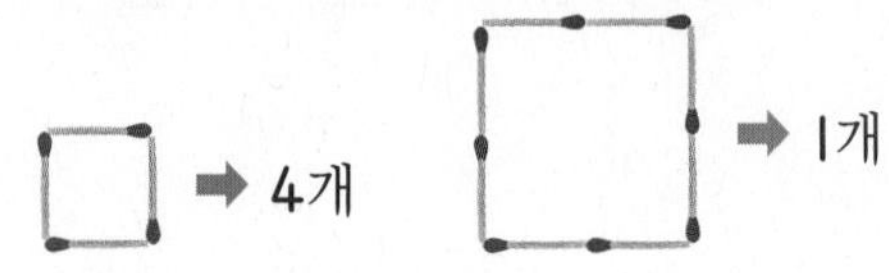

06

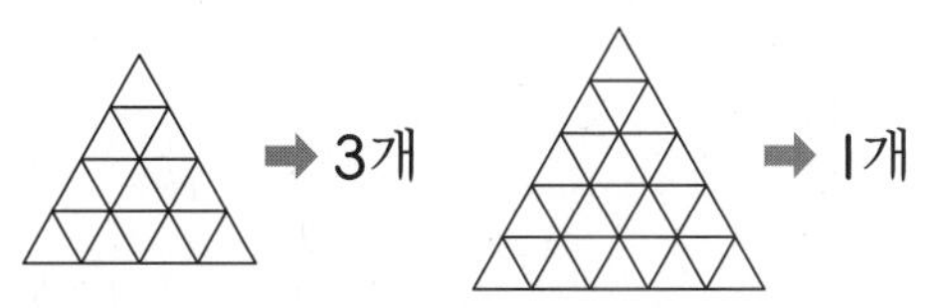

따라서 ★이 포함된 크고 작은 세모 모양은
$1+4+4+3+1=13$(개)입니다.

해결 전략
1개, 4개, 9개, 16개, 25개로 이루어진 세모 모양의 개수를 각각 구한 후 더합니다.

07

순서	1	2	3	4	5	6	7
○의 개수	4	4	4	4	4	4	4
●의 개수	0	4	8	12	16	20	24
개수의 차	4	0	4	8	12	16	20

따라서 흰 바둑돌과 검은 바둑돌의 개수의 차가 20개일 때는 7번째입니다.

해결 전략
각각의 순서마다 검은 바둑돌의 개수와 흰 바둑돌의 개수의 차를 생각합니다.

08 십의 자리 숫자가 1, 2, 3……인 수가 작은 수부터 차례로 1개, 2개, 3개……씩 놓여 있습니다.
10, 20, 21, 30, 31, 32, 40, 41, 42, 43, 50, 51, 52, 53, 54, 60, 61, 62, 63, 64, 65……이므로 20번째 수는 64입니다.

09 유미는 민우보다 1개 더 많이, 형우는 민우보다 3개 더 많이 가집니다.
도토리 1개, 3개를 먼저 유미와 형우에게 주면 남은 도토리
$28-1-3=24$(개)입니다. $8+8+8=24$이므로 형우는
$8+3=11$(개), 유미는 $8+1=9$(개), 민우는 8개를 가집니다.

10 □ 안에 알맞은 수는 주어진 수 중 가장 작은 수, 중간 수, 가장 큰 수입니다.

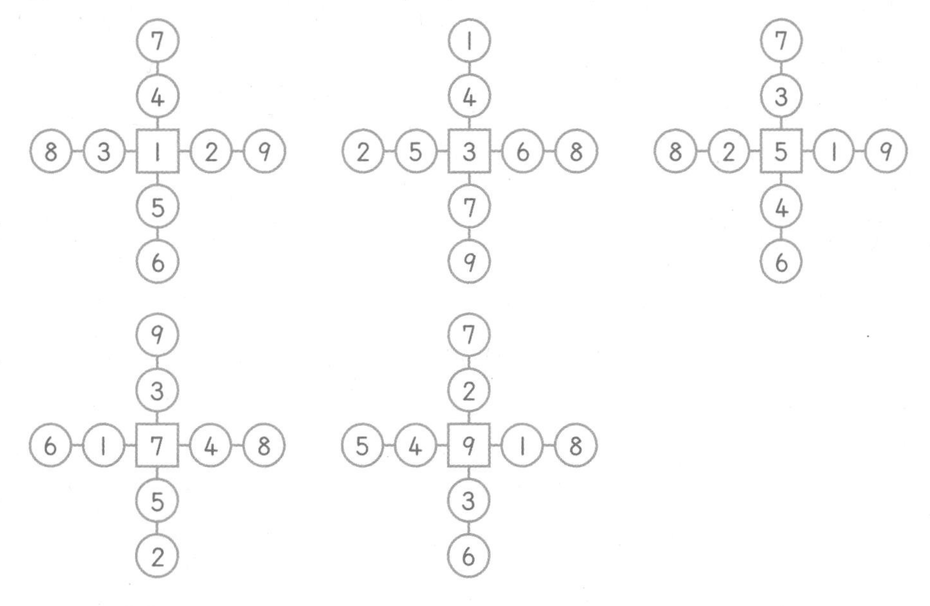

따라서 □ 안에 알맞은 수는 1, 3, 5, 7, 9입니다.

심화 완성 최상위 수학S, 최상위 수학

개념부터 심화까지

수학 좀 한다면 

상위권의 힘, 사고력 강화

최상위 사고력

따라올 수 없는 자신감!
디딤돌 초등 라인업을 만나 보세요.

구분	교재	대상	설명
수준별 수학 기본서	디딤돌 초등수학 원리	3~6학년	교과서 기초 학습서
	디딤돌 초등수학 기본	1~6학년	교과서 개념 학습서
	디딤돌 초등수학 응용	3~6학년	교과서 심화 학습서
	디딤돌 초등수학 문제유형	3~6학년	교과서 문제 훈련서
	디딤돌 초등수학 기본+응용	1~6학년	한권으로 끝내는 응용심화 학습서
	디딤돌 초등수학 기본+유형	1~6학년	한권으로 끝내는 유형반복 학습서
상위권 수학 학습서	최상위 초등수학 S	1~6학년	심화 개념 · 심화 유형 학습서
	최상위 초등수학	1~6학년	심화 개념 · 심화 유형 학습서
	최상위 사고력	7세~초등 6학년	경시 · 영재 · 창의사고력 학습서
	3% 올림피아드	1~4과정	올림피아드 · 특목중 대비 학습서
연산학습 교재	최상위 연산은 수학이다	1~6학년	수학이 담긴 차세대 연산 학습서
국사과 기본서	디딤돌 초등 통합본(국어 · 사회 · 과학)	3~6학년	교과 진도 학습서
국어 독해력	디딤돌 독해력	1~6학년	수능까지 연결되는 초등국어 독해 훈련서